LA NUIT DU MAL

Éric Giacometti a été journaliste au *Parisien*. Il est aussi le scénariste de la bande dessinée *Largo Winch*.

Jacques Ravenne est écrivain. Maître franc-maçon, il est spécialiste des manuscrits anciens.

La série autour du commissaire Marcas qu'ils ont créée ensemble s'est vendue à plus de deux millions d'exemplaires à travers le monde.

Paru au Livre de Poche :

LE TRIOMPHE DES TÉNÈBRES

ÉRIC GIACOMETTI
JACQUES RAVENNE

La Nuit du mal

La saga du Soleil noir

ROMAN

JC LATTÈS

© Éditions Jean-Claude Lattès, 2019.
ISBN : 978-2-253-25825-4 – 1ʳᵉ publication LGF

La saga du *Soleil noir*

> « Selon la légende, celui qui possédera les quatre swastikas, celui-là deviendra le maître du monde. »

Extrait du Thule Borealis Kulten.

Résumé du tome 1, *Le Triomphe des ténèbres*

Tibet 1939. Une expédition SS envoyée au Tibet sur ordre personnel de Heinrich Himmler découvre dans une caverne une croix gammée sacrée, ancienne de plusieurs millénaires.

La première des quatre reliques sacrées de la légende. Retrouvée grâce à un livre précieux, le *Thule Borealis*, volé à un libraire juif lors de la Nuit de Cristal. Selon ce manuscrit, chacune de ces swastikas accorde un pouvoir considérable à celui qui la détient. La réunion des quatre procure la domination absolue.

Espagne 1941. Tristan Marcas, un Français membre des brigades internationales, est extirpé d'une prison franquiste par le colonel SS Karl Weistort, chef de l'Ahnenerbe, institut de recherche scientifique et ésotérique nazi. Ensemble, ils se rendent au château de Montségur pour tenter de découvrir la deuxième swastika mythique. Aidés par Erika von Essling, l'archéologue favorite de Himmler, ils rentrent en confrontation avec une jeune aristocrate française, Laure d'Estillac, dont la famille est propriétaire du château.

Londres 1941. Le commander Malorley du SOE[1], nouveau service secret de choc, est au courant de l'existence du *Thule Borealis* et des recherches ésotériques des nazis. Il persuade le Premier ministre Winston Churchill du pouvoir occulte des reliques et obtient son feu vert pour organiser une opération de récupération à Montségur.

Montségur, mai 1941. Les Anglais arrivent à dérober la deuxième relique avec l'aide de Tristan qui joue double jeu avec les Allemands. Le Français a réussi à donner une fausse swastika aux nazis. Laure d'Estillac, dont le père a été assassiné par les SS, s'enfuit en Angleterre avec le commando décimé. Gravement blessé, le colonel SS Karl Weistort sombre dans le coma.

Berlin, juin 1941. La (fausse) relique, récupérée à Montségur, ainsi que le *Thule Borealis* sont déposés dans le château de Wewelsburg, le sanctuaire des SS. Tristan travaille avec Erika qui est nommée chef provisoire de l'Ahnenerbe. Il reçoit la croix de fer, de la main même d'Himmler, pour service rendu au Reich.

---

1. Special Operations Executive.

Front de l'Est, 22 juin 1941. Hitler, se croyant invincible, envahit la Russie ; les premiers massacres de masse, entre autres, de juifs, vont commencer. Profitant de l'ouverture d'un second front, l'Angleterre tente de reprendre la main.

Prologue

Crète
Automne 1941

Ils attendaient ça depuis longtemps. Plus longtemps encore, car leurs pères avaient attendu. Et
les pères de leurs pères. Aussi loin que remontait
la mémoire du village, ils savaient que cela allait
arriver.

Ils ne savaient pas quand, ils ne savaient pas qui,
mais après des siècles d'attente, ils savaient que le
jour était arrivé.

Ou plutôt la nuit.

La nuit du sang.

Les cinq paysans se faufilent sans bruit entre les
oliviers. Dans l'obscurité, un olivier ressemble à un
être humain. Il en a la taille, souvent la silhouette,
et, même si le vent l'a courbé, terrassé, il peut toujours dissimuler un homme. Un homme qui a besoin
d'écouter. D'écouter l'ombre. Et l'ombre n'est jamais
silencieuse. Elle murmure à qui sait entendre encore
et toujours le même mot :

Xeni !

Xeni !

Xeni !

« Les envahisseurs. »

Des guerriers venus du Nord, le front ceint dans des casques d'acier. Venus souiller leur terre, voler le trésor sacré confié aux villageois par un étranger. Un étranger surgi des contrées boréales, du fond des siècles.

Les cinq paysans n'ont aucun doute, les hommes blonds qui se pavanent sous leurs yeux sont bien les barbares décrits dans l'antique prophétie.

Un vent doux et embaumé s'est levé, qui fait bruisser les oliviers. Un chant ancestral, paisible, lui aussi corrompu par la présence des envahisseurs.

Avant d'avoir un nom, ces parasites ont un bruit, celui des bottes qui martèlent la terre, des crosses qui battent à la hanche, le bruit de la guerre et de la mort en chemin.

Mais parfois la mort bifurque.

Derrière les oliviers, les paysans ont bougé. Maintenant il leur faut voir. Voir combien sont les envahisseurs.

Un, deux, trois.

Voir le canon des fusils que l'on vient de poser contre le mur, voir l'étincelle du briquet, le cercle minuscule et grésillant des cigarettes. Voir ces soldats redevenir hommes. Juste à temps pour mourir.

Les cinq paysans ont été formés pour offrir la mort à ceux qui oseraient braver l'interdit. Comme leurs pères avant eux, et les pères de leurs pères.

Ils ne sont pas que des laboureurs, ils sont des Fylaques. Des gardiens.

Tous de sang divin. Ils sont nés en Crète, l'île du miel, la terre choisie par la mère de Zeus pour enfanter le père des dieux.

Et les Fylaques manient le kyro comme aucun autre Crétois. Le kyro, ce redoutable poignard dont la lame est gravée d'une encoche, teintée de rouge, en forme de goutte. La dernière goutte de sang qui doit rester dans le corps de l'ennemi.

Abrités derrière les oliviers, les cinq Fylaques observent les guerriers du Nord et ils sourient dans la nuit. Le premier ennemi vient de défaire son ceinturon, d'enlever sa vareuse. Il fait une chaleur accablante. Il n'a pas l'habitude. Lui et ses compagnons sont les enfants d'un pays froid, aussi froid que leurs cœurs.

Ils ont des corps pâles.

Mais plus pour très longtemps.

L'un des Fylaques quitte la lisière des oliviers. Il ouvre son kyro au manche de corne, le ressort est parfaitement huilé, la lame brunie au charbon pour éviter les reflets. Les autres le rejoignent. Une meute qui aiguise ses crocs.

Les envahisseurs leur tournent le dos. Ils s'affairent autour d'un puits. Ils n'entendront rien. Ils ont l'oreille rivée sur le seau qui remonte en heurtant la paroi. Toute la journée, ils ont eu soif. Et ils n'écoutent plus que leur désir.

Ils ont oublié qu'ils étaient des envahisseurs.

Ils n'entendent que la promesse de l'eau.

Un premier Fylaque jaillit.

Le chef de meute.

Il s'immobilise, perçoit le bruit du seau qui cogne contre la margelle, et frappe.

Le kyro est si acéré qu'il s'enfonce entre les côtes sans trouver de résistance et la douleur est si intense que l'étranger ne crie même pas. Il fixe les étoiles comme s'il ne les avait jamais vues. Puis la nuit s'étend sur ses yeux. Il chute sans bruit. Les soldats ont plongé les mains, les lèvres dans le seau, ils sont sourds à leur destin. Les lames s'infiltrent au plus profond de leurs cous. La dernière chose qu'ils sentiront, c'est le goût étrange de l'eau, c'est leur propre sang qu'ils viennent de boire.

Désormais, les étrangers sont des corps que les Fylaques disposent en étoile autour du puits.

Un signe de croix, non pour demander pardon, mais parce que le plus terrible reste à accomplir.

Puis les cadavres sont retournés sur le dos.

Chaque kyro s'immobilise juste au-dessous du sternum, puis fend la peau qui s'ouvre comme une lèvre humide.

Ensuite, ils plongent la main.

Et fouillent.

Quand ils se relèvent, une odeur douce et âcre monte du sol.

Thanatos.

Un ennemi n'est vraiment mort que quand on lui ôte plus que la vie.

PREMIÈRE PARTIE

« Avant qu'Hitler ne soit, je fus. »

Aleister Crowley.

« Cette idée d'incarner en personne
le messie allemand était la source
de son pouvoir personnel. Cela
lui a permis de devenir le dirigeant
de 80 millions de personnes. »

The Labyrinth,
Mémoires de Walter Schellenberg,
chef du contre-espionnage du Reich.

1

Sud de l'Angleterre
Southampton
Novembre 1941

La ligne d'horizon s'estompait dans un ciel couleur de plomb. Un rideau de pluie s'abattait sur la mer argentée. Le bulletin météo de l'amirauté ne s'était pas trompé, le mauvais temps surgissait toujours du sud-ouest. De France. Il n'était que trois heures de l'après-midi, mais la capitainerie du port avait allumé les fanaux de sécurité. Le vent, pour l'instant léger, allait gagner en vigueur.

Une intense activité régnait dans le port de Southampton, le plus important du sud de l'Angleterre après celui de Portsmouth. Des nuées de bateaux de tout tonnage entraient et sortaient des trois bassins principaux. Depuis le déclenchement de la guerre, cargos et navires militaires avaient remplacé les légendaires paquebots transatlantiques et les clippers de luxe. Le fantôme du *Titanic* s'était définitivement évanoui. On ne partait plus en croisière depuis Southampton, on partait en guerre.

Dans la cabine de pilotage du *Cornwallis*, le capitaine Killdare scrutait le ballet des grues au-dessus du pont principal. Le chargement des dernières caisses n'en finissait pas, le navire aurait dû appareiller depuis plus de deux heures. L'officier voulait quitter l'estuaire le plus rapidement possible et doubler l'île de Wight avant un possible raid de la Luftwaffe. Si l'intensité des bombardements avait chuté depuis fin mai – l'Angleterre avait gagné la bataille de l'air grâce à ses escadrilles de Spitfire –, les Allemands envoyaient encore des piqûres de rappel sur les cibles stratégiques, militaires ou civiles. Southampton et Portsmouth continuaient de recevoir leur ration de fer et de feu. Immobilisé au port, le *Cornwallis* représentait une proie trop facile pour les vautours du gros Goering.

Agacé par le retard, Killdare décrocha le téléphone intérieur pour appeler le responsable de la cale.

— Bon sang, Matthew, ils font quoi vos dockers ? Vous voulez qu'on passe la nuit ici ?

— Encore une caisse et c'est terminé, capitaine. Le vérin de la grue s'est bloqué à cause d'une putain d'huile synthétique.

— Elle a bon dos l'huile, et pourquoi pas un sabotage des nazis tant qu'on y est ? Je vais vous dire le fond de ma pensée, même en temps de guerre les dockers se la coulent douce.

Le capitaine Killdare raccrocha, encore plus contrarié. De toute façon il était de mauvais poil depuis une

18

semaine. Depuis son rendez-vous dans les bureaux de l'armateur au centre-ville où, à sa grande stupéfaction, le directeur des opérations maritimes de la Cunard Line lui avait confié le commandement du *Cornwallis*, un navire de croisière de faible tonneau à destination de New York.

Un navire de croisière ! Killdare détestait ces navires.

Lui, sa spécialité d'avant-guerre, c'étaient les cargos. Il jouissait d'une solide réputation sur toutes les mers du globe pour acheminer à bon port n'importe quelle marchandise. Précieuse ou pas. Les armateurs se battaient pour l'embaucher depuis qu'il avait sauvé un cargo en perdition au large de Macao alors qu'une partie de l'équipage s'était empressée de quitter le navire.

Et voilà qu'on le réquisitionnait pour diriger le *Cornwallis*. Même pas un paquebot de classe A, du type *Queen Mary*. Le *Cornwallis* devait convoyer du matériel de haute technologie aux États-Unis. Une nouvelle stratégie mise en place par l'état-major. Un officier de la flotte de l'Atlantique présent lors de l'entretien avait argumenté ce choix : « Les sous-marins U-Boot chassent en meute dans l'Atlantique, ils prennent pour cible les convois militaires et les gros cargos. Les torpilles sont trop précieuses pour les gaspiller sur des navires de transport civil. »

La porte de la cabine s'ouvrit dans un grincement désagréable laissant passer un homme de haute stature sanglé dans un imperméable brun clair. Il avait un chapeau de feutre mou à la main. Killdare lui adressa un regard glacé en guise de bienvenue.

— Bonjour capitaine, je suis John Brown, dit l'intrus sur un ton posé. Ravi de faire votre connaissance.

Le marin dévisagea Mr Brown avec méfiance. On l'avait prévenu de son arrivée. Une huile, selon le secrétariat de la Cunard. L'homme avait la cinquantaine, le visage fin et blanc, typique des bureaucrates londoniens qui pullulaient dans les ministères ou dans les banques. Son nom sentait le pseudonyme à plein nez. Ça puait les emmerdements. Le capitaine grommela un bonjour et serra la main, plus ferme qu'il ne l'aurait cru, du quinquagénaire souriant.

— Que puis-je pour vous ? demanda Killdare d'une voix aussi morne que possible.

— Vous comptez partir dans combien de temps ?

— Je dirais d'ici une demi-heure.

— Parfait. L'un de mes subordonnés embarque avec vous pour cette traversée. Pouvez-vous être attentif à son bien-être ?

Le capitaine haussa les épaules.

— Vous voulez parler du barbu malpoli qui empeste le tabac, scotché à une mallette plombée, et qui occupe la cabine 35 B ? Il sera traité avec tous les égards dus à son rang de passager du pont supérieur, ni plus ni moins. Maintenant, si ça ne vous ennuie pas, j'ai un navire à faire partir. Je transmettrai vos sollicitations à mon second et vous souhaite une bonne journée.

Le marin se détourna pour mettre fin à l'entrevue et se mit à inspecter les manomètres du tableau de pilotage. Une poignée de secondes s'écoula, la porte de la cabine n'avait pas bougé.

— Capitaine, nous nous sommes mal compris.

Killdare se retourna, une carte militaire dansait sous son nez, ornée de la photo de Mr Brown.

Commander James Malorley, division stratégique, armée de terre.

— Voyez-vous, ce passager, le barbu malpoli, est mon adjoint. Et il est en mission confidentielle de la plus haute importance pour le gouvernement britannique. Il serait souhaitable que vous lui accordiez toutes les facilités pendant son séjour sur votre bateau. Notez que j'emploie le conditionnel par politesse.

Killdare se redressa. Il avait fait quatre ans dans la Royal Navy et, par réflexe, se tenait droit face à un haut gradé.

— Désolé, commander, mais vous auriez dû vous présenter plus tôt. Avec les raids des Boches, je suis un peu nerveux. Plus vite j'aurai appareillé, mieux je me porterai.

— Un réseau d'espions allemands a été démantelé la semaine dernière à Portsmouth, je me méfie des oreilles qui traînent. J'ai un pli à vous remettre.

Le commander Malorley lui tendit une enveloppe de plastique jaune cachetée du sceau du cabinet du Premier ministre.

— Ce sont vos instructions, à ouvrir quand vous serez en pleine mer. Vous remarquerez qu'elles

émanent de la plus haute autorité. Lisez-les attentivement. Le type malpoli, le capitaine Andrew, viendra
vous expliquer de quoi il s'agit.

— Si la mission est d'une si haute importance,
n'est-il pas dangereux de mêler des civils ? J'ai
une trentaine de passagers à bord. Je sais que nous
sommes en guerre, mais utiliser des innocents comme
couverture ce n'est pas… sportif.

Malorley sourit.

— Vous croyez qu'Hitler et sa bande sont spor-
tifs, eux ? Ce sentiment vous honore, mais ne vous
préoccupez pas des passagers, ce sont tous des professionnels. Ils connaissent les risques. Par ailleurs, vous
serez escorté par deux sous-marins tout au long de
votre traversée. En toute discrétion, je vous rassure.
Ils vous attendent à l'extérieur du port.

Une sirène retentit deux fois dans le poste de pilotage. Le signal de fin de chargement envoyé par le
second.

— Ah, je vois que l'heure du départ a sonné. Je
vous souhaite bonne chance.

Le commander le fixa pendant de longues secondes.

— Si je vous disais que vous avez entre vos mains
l'avenir de cette guerre, vous me croiriez ?

— À voir la dégaine de votre subordonné, je mise-
rais ma solde de l'année à cent contre un. Mais de nos
jours tout est possible, comme parler à un commander
de l'armée qui se fait appeler Mister Brown ou voir
l'Europe danser sous les ordres d'un type qui porte
la moustache de Charlot. J'emmènerai votre foutue

cargaison à bon port, même si je dois traverser la mer des Sargasses et affronter Neptune en personne.

Le commander lui tapa sur l'épaule et sortit du poste en rabattant les pans de son imper, la température avait baissé de plusieurs degrés, l'humidité s'infiltrait jusque dans le col de sa chemise.

Quand il mit un pied sur le quai mouillé, la sirène du *Cornwallis* résonna dans le bassin. Des employés du port en combinaison jaune moutarde détachaient les amarres et les lançaient aux marins qui grouillaient sur le pont.

Le commander James Malorley, alias Mr Brown, officier du SOE, observa l'étrave noire du *Cornwallis* qui s'éloignait du quai avec lenteur. Quelle ironie, le navire choisi pour emporter la swastika sacrée, la première des quatre reliques qui passait dans le camp des alliés, portait le nom du chef des armées anglaises pendant la guerre d'indépendance. Lord Cornwallis, l'ennemi juré de George Washington.

Une forte odeur de mazout imbiba l'air, le navire tournait sur lui-même pour mettre la proue en direction du canal. Dans le tréfonds de la coque, les machines grondaient à bas régime.

Malorley jeta un dernier coup d'œil au navire, vissa son chapeau de feutre sur la tête, puis tourna les talons pour rejoindre la capitainerie où l'attendaient l'Amilcar et, à l'intérieur, Laure d'Estillac.

Il ne voulait pas l'admettre, mais il était soulagé de voir la swastika partir de l'autre côté de l'Atlantique, à des milliers de kilomètres. Lui et ses collègues du SOE avaient risqué leur vie pour l'arracher aux griffes des nazis. Et certains l'avaient perdue.

Le visage de Jane surgit du fond de sa conscience. Il revoyait encore et encore l'expression étonnée, presque enfantine, de la jeune agente lorsqu'elle avait été fauchée par la rafale d'un soldat allemand. Ses cheveux blonds ondulaient sous la lumière des projecteurs de l'ennemi. Elle était tombée loin, quelque part dans le sud de la France, tout près des montagnes des Pyrénées. En terre hérétique, dans un champ à Montségur, à l'endroit exact où des cathares avaient été brûlés des siècles auparavant. Il n'avait rien pu faire pour la sauver, s'enfuyant comme un lâche pour mettre en sûreté la relique.

Malorley gardait encore le souvenir du baiser qu'elle lui avait donné pendant leur fuite du château. Un long baiser, comme si la courageuse jeune femme savait que ce serait le dernier.

De grosses gouttes maculèrent le quai. Il frissonna et resserra son écharpe autour du cou. L'averse dégoulina sur son chapeau, brouilla le visage de Jane et le laissa abandonné à lui-même.

Il était de ces solitaires qui avaient renoncé à une vie normale. Plus de femme, pas d'enfant, ni même un chien, il ne vivait que pour accomplir son devoir. Non pas par choix, mais le destin en avait décidé en le lançant dans la quête des reliques. Il pressentait qu'il n'était qu'une pièce sur un échiquier dont l'enjeu caché le dépassait. Un échiquier dont la partie se déroulait depuis des millénaires. Un simple pion ou une pièce maîtresse, il n'en avait aucune idée, en revanche il savait déjà que d'autres avant lui, en d'autres temps, d'autres civilisations, s'y étaient calciné l'âme.

Il pressa le pas, la capitainerie se trouvait de l'autre côté du bassin et il ne voulait pas arriver totalement trempé dans la voiture.

Soudain, une sirène stridente retentit dans le port. Le sang de Malorley accéléra dans ses veines, les muscles de ses jambes s'actionnèrent mécaniquement. Depuis le début de la guerre, comme pour une majorité d'Anglais, le réflexe devenait instinctif. Il courut le long du quai jusqu'à perdre haleine. Il ne lui restait que quelques minutes de survie devant lui. Ce n'était pas la sirène d'un navire, c'était celle de la défense antiaérienne. Un cri qui annonçait le retour de l'aigle allemand. Et son vol cruel était promesse de sang, de feu et de mort.

2

Crète
Cnossos
Novembre 1941

Karl se réveilla en hurlant. Aussitôt, il chercha le pistolet posé près du lit. Quand il sentit la crosse sous sa paume, les battements de son cœur s'atténuèrent. Du moins, il n'entendit plus ce bourdonnement insoutenable qui frappait ses oreilles chaque fois qu'il se réveillait en pleine nuit, la bouche sèche et la respiration haletante. La peur. Il lui avait fallu venir en Crète pour connaître cette sensation innommable. Peur de la mort, de la nuit, de l'inconnu… Il ne savait même plus de quoi il avait le plus peur. Lui qui n'avait jamais manié que la pelle et la brosse sur les chantiers de fouilles, il ne jurait maintenant que par l'arme qu'il tenait entre ses mains. Et puis il avait soif. Tout le temps. Malgré le plein automne, la chaleur était insoutenable en Crète. Surtout la nuit. Et encore, il avait de la chance, il résidait dans un abri en dur, une des maisons réquisitionnées de l'île, mais, pour les soldats qui vivaient sous la tente, le sommeil n'était le plus souvent qu'un lointain souvenir. Et le travail s'en ressentait.

Il avait plusieurs fois alerté Berlin pour qu'on lui envoie des renforts – le chantier ne cessait de se développer – mais son chef, le colonel Weistort, avait été grièvement blessé en mission. Et puis, en Allemagne, plus personne ne s'intéressait vraiment à la Crète. C'était l'Est qui aimantait désormais tous les regards depuis que des millions de soldats allemands s'étaient lancés à l'assaut de la Russie. Une marée irrésistible qui allait bientôt submerger Moscou. Karl Häsner se leva en secouant la tête. La politique ne l'intéressait pas. Et encore moins la guerre. Quant aux nazis… dans le fond, il les méprisait. Lui était un intellectuel, rien de commun avec ces exaltés qui hurlaient dans les stades, ces SS qui claquaient des talons en uniforme noir, et surtout ce nabot à moustache qui vociférait comme un damné. Comment l'Allemagne avait pu tomber entre ses mains ? Karl plongea sa tête dans l'eau tiède du lavabo comme s'il voulait se laver d'une souillure. En fait, il trichait. Pendant que des milliers de jeunes Allemands mouraient sur le front de l'Est, il maniait délicatement une brosse à dents sur le revers d'une amphore. Au lieu de rejoindre l'armée, il avait joué de ses diplômes pour se faire recruter par l'Ahnenerbe, l'institut de recherche d'Himmler. Archéologue officiel plutôt que cadavre en sursis.

Karl se mit à trembler.

Il avait cru échapper à la mort.

Désormais, c'était pire.

Une seule chose l'apaisait face à l'angoisse qui le réveillait la nuit : c'était l'étude. À l'étage, l'ancien propriétaire avait fait aménager une bibliothèque aux fenêtres aussi étroites que les meurtrières d'un donjon. Sans doute pour se protéger du vent glacial l'hiver ou du soleil harassant l'été, mais pour Karl, cette pièce était devenue un sanctuaire. Dès qu'il y pénétrait, il se sentait en sécurité. Les murs couverts de livres, les casiers remplis d'artefacts lui redonnaient l'impression d'un monde sans violence ni menace. Une illusion, il le savait, mais il s'y accrochait de toutes ses forces, même s'il gardait toujours son arme à portée de main. Face à la porte, se dressait une longue table en bois où Karl réunissait les trouvailles les plus précieuses lors des fouilles.

L'équipe d'archéologues de l'Ahnenerbe était arrivée en juin sur le site de Cnossos, alors même que les parachutistes allemands, malgré de violents combats, n'avaient pas encore sécurisé toute l'île. Et elle s'était mise à l'œuvre aussitôt. Himmler était fasciné par la légende du Minotaure et de son labyrinthe et il voulait absolument que l'on en retrouve la trace. À la surprise de Karl, il n'avait manifesté aucun intérêt pour les autres trésors archéologiques de la Grèce. Il voulait des résultats précis, et vite. Quelques semaines avaient suffi pour faire des découvertes exceptionnelles. Les pièces les plus rares étaient encore là. Il aurait dû les envoyer à Berlin, mais il ne parvenait pas à s'en séparer. Dans un monde en guerre, ces fragments de fresque où l'on voyait des adolescents nager avec des dauphins, ces statues de déesses aux seins de marbre et aux poignets entrelacés de serpents, toute cette beauté, immobile et sereine, lui était devenue absolument vitale.

Un objet l'attendait sur la table. De forme ovale avec une bordure finement ciselée, il aurait fait penser à un miroir de poche s'il n'avait été entièrement en or. C'était la première fois que l'équipe mettait la main sur un artefact en métal précieux. On l'avait trouvé à l'angle d'un mur en brique, sur un lit de cendres, où il semblait n'avoir été ni jeté ni perdu, mais déposé intentionnellement. Comme une offrande. Karl le fit miroiter à la lumière. Depuis combien d'années cet objet n'avait pas vu le jour ? Sûrement des siècles et des siècles et malgré tout il semblait à peine sorti des mains de l'orfèvre. Karl remarqua un trou, délicatement foré, sur le bord supérieur. Sans doute pour faire passer une chaîne. Était-ce un bijou qu'une femme avait détaché de son cou afin de l'offrir aux dieux ou un objet de culte que l'on ne portait que lors de cérémonies sacrées ? Karl souffla. Le sentiment d'oppression qui ne le quittait pas depuis son réveil était en train de s'apaiser. La beauté l'emportait sur la peur. Et pourtant un signe l'inquiétait, car la surface de l'objet n'était pas pure. L'orfèvre y avait gravé un symbole. Un symbole qui envahissait tout.

Une swastika.

Fasciné, Karl la regardait. Il résistait à la tentation

de la caresser du doigt comme s'il craignait d'être contaminé par son pouvoir obscur surgi du fond des âges. N'importe quoi ! Häsner secoua la tête. Il était archéologue, pas médium. Son travail, c'était d'analyser et d'interpréter. Pas de délirer. Il avait encore soif. Il devait descendre à la cuisine, boire, puis tenter de dormir. Il ne devait plus travailler en pleine nuit ou il finirait par voir des choses qu'il ne devrait pas. Et pourtant, il restait immobile, figé devant ce symbole qui ne le laissait pas en paix. Pourquoi un homme, des milliers d'années plus tôt, avait-il éprouvé le besoin de graver ce signe avec autant de soin ? Quelle était sa signification ? Sa valeur ? Et surtout, comment cette croix avait-elle traversé le temps pour resurgir à nouveau en pleine Allemagne, frappée au centre de tous les drapeaux ? C'était la véritable question. Karl avait comme un pressentiment obscur. La sensation funeste que ce symbole oublié pendant tant de siècles n'avait pas ressuscité pour rien. Durant sa longue éclipse, il en avait profité pour puiser de l'énergie, se remplir de puissance et, désormais, il était prêt à agir.

Karl porta la main à son front. Il avait de la fièvre. Ce n'était pas possible sinon. Comment pouvait-il avoir des idées aussi irrationnelles ? Il retourna l'objet d'un geste brusque comme pour conjurer un sort. Demain, il l'enverrait à Berlin. Himmler serait ravi. La moindre croix gammée le faisait jubiler. Quant à lui, Karl, ses délires insensés, ses peurs irraisonnées, c'était terminé.

Définitivement.

Un coup de poing ébranla la porte d'entrée qui résonna jusqu'à l'étage.

— Herr Häsner !

Karl se précipita à la fenêtre et, à travers la fine embrasure, aperçut deux soldats éclairés par une torche. Leur uniforme était en désordre et chacun tenait une arme à la main. Revenu près de la table, il replaça délicatement l'artefact dans une boîte numérotée, qu'il glissa dans un tiroir avant de le fermer à clé. Chacun de ses gestes était exagérément minutieux. Sans oser se l'avouer, il retardait le moment fatal où il lui faudrait se retourner. Et s'il n'était plus seul dans la bibliothèque ? Et si, entre l'escalier et lui, se dressait une ombre ?

— Herr Häsner ! Ouvrez ! Vite !

Le bois de la porte résonnait comme un tambourin. Il n'avait plus le choix. Il se retourna d'un coup. La pièce était vide. Il la traversa en trois enjambées, dévala l'escalier et se rua dans l'entrée. Il fit jouer la serrure. Les deux soldats apparurent, le visage terrifié.

— *Ça* a recommencé !

Tout près du chantier se dressait le village. Des ruelles étroites bordées de maisons basses d'où seule émergeait la coupole bleue de l'église. Les militaires en faction avaient installé un projecteur qui balayait le moindre recoin. Dérangé par la lumière aveuglante, un chien en maraude disparut dans une venelle. Tous les habitants se tenaient terrés derrière leurs volets. Seul le pope était visible, agenouillé en prière devant une bâche froissée. Karl s'arrêta net. L'officier de garde s'avança et, sans le saluer, le saisit par le bras pour lui parler à l'écart.

— Trois de plus !

— Vous les avez trouvés ici ?

— Non, à la sortie du village. Ils étaient de corvée d'eau.

— En pleine nuit ?

— Le pays est infesté de rebelles. Nous craignons qu'ils empoisonnent les fontaines publiques. Alors nous allons puiser l'eau dans des puits à l'écart. Et chaque fois, nous changeons de secteur.

Häsner se passa la main sur le front. Il était brûlant. Pour qu'on ne devine pas son malaise, il montra du doigt la bâche en espérant que sa main ne tremblerait pas.

— Pourquoi ne pas les avoir laissés sur place ? On aurait pu trouver des indices, des preuves…

— Les preuves, mais elles sont ici ! Toute la population est complice, c'est elle qui renseigne les partisans. Et cette fois, elle doit payer ! Cher !

En un instant, Karl vit la répression s'abattre sur le village. Et sa mission définitivement compromise.

— Vos hommes, comment les avez-vous retrouvés ?

L'officier, un capitaine, recula d'un pas.

— C'est à cause des chiens, ils crèvent de faim dans ce pays maudit. Ils ont dû sentir le sang et comme ils n'arrêtaient pas d'aboyer, une patrouille est allée voir…

— Ça suffit. Montrez-moi.

Un garde écarta le pope d'un coup de crosse. La lumière du projecteur se reflétait sur la bâche, une toile de jute crasseuse qu'enleva un soldat en tournant précipitamment la tête.

Au début, Karl ne comprit pas. Les corps semblaient avoir été piétinés, martelés, puis déchirés en tous sens. Il s'approcha. De la viande. De la viande qui noircissait déjà. Et il ne voyait rien. Ni articulations ni organes. Tout semblait rongé, émietté, désagrégé. Malgré sa répulsion, Karl se pencha. Un des cadavres avait le crâne éclaté en plusieurs endroits. Des fragments d'os avaient ruisselé sur le visage. Karl fit signe à l'officier d'approcher.

— Mais il s'est passé quoi ?

Le capitaine se racla la gorge.

— Herr Häsner, quand nous sommes arrivés, les chiens étaient devenus fous. Il était impossible de récupérer les corps. Alors nous avons dû tirer, d'abord en l'air, puis après…

Karl chercha un point d'appui de la main, mais ne trouva rien pour le soutenir.

— Les corps… Transférez-les auprès du médecin militaire… Qu'il pratique une autopsie. S'il le peut encore.

Désormais le village ressemblait à un camp assiégé. Chaque rue qui menait à l'extérieur était bloquée par une escouade de soldats. D'autres groupes, plus mobiles, surveillaient les maisons qui donnaient sur les champs d'oliviers. Des véhicules, phares allumés,

33

visaient les façades tandis que le projecteur installé sur la place scrutait, de son œil inquisiteur, les demeures de notables.

— Le site est totalement bouclé, capitaine.

L'officier acquiesça d'un mouvement de tête. Désormais, le spectacle pouvait commencer. À ses côtés, Karl manifesta son inquiétude.

— Qu'allez-vous faire ? Réprimer tout le village ? Le chantier a un besoin impératif des autochtones. Comment trouver du ravitaillement sinon ? Ces fouilles sont une priorité, vous le savez ?

Le capitaine montra la tête de mort qui ornait son col.

— J'appartiens à la SS et on vient de tuer trois de mes hommes. Alors moi aussi, je vais faire des fouilles, maison par maison.

— Vous savez bien que si ce sont des partisans, ils sont déjà loin. Vous ne les retrouverez pas.

— Eux non, mais leurs proches, oui.

— Et vous allez faire quoi ?

— Prendre des otages. Une femme et un enfant par famille.

Affolé, l'archéologue s'insurgea :

— Vous n'allez quand même pas tuer des civils !

— Nul besoin car les langues vont se délier très vite.

— Vous croyez ? reprit Karl.

— Absolument. Surtout dès que j'aurai fusillé le pope, le maire et tout le conseil municipal du village.

34

L'hôpital de campagne avait été installé à distance du village. Un groupe de tentes entouré d'une enceinte de barbelés où une équipe de médecins et d'infirmières traitaient les derniers soldats blessés qui n'avaient pas encore été rapatriés en Allemagne. Les combats des parachutistes allemands pour la conquête de l'île avaient été d'une rare violence et le cimetière qui jouxtait l'hôpital de campagne était saturé de tombes fraîchement creusées. Karl, en voyant ces tertres qui se perdaient dans la nuit, hâta le pas. Il devait se rendre dans la tente K. C'est là qu'avaient été déposées les dépouilles des soldats tués au village de Cnossos.

— Herr Häsner ?

Accoudé à un pilier en bois, un homme en blouse claire fumait une cigarette en expirant lentement des volutes blanches qui s'effilochaient dans l'obscurité.

— Entrez, les corps sont sous la tente.

Éclairés par une lampe tempête, les trois cadavres reposaient sur une longue table incrustée de sang.

— Il y a longtemps qu'on ne nettoie plus, commenta le médecin comme si cette négligence était devenue une tradition.

— Comment ont-ils été tués ? prononça l'archéologue tout en se rendant compte du ridicule de sa question.

Le médecin jeta sa cigarette au sol et l'écrasa méticuleusement.

— Impossible à déterminer. Les corps ont subi trop de dégradations.

Karl se racla la gorge.

— Avant que les chiens ne les attaquent, ils étaient…

— Vivants, c'est bien ça ? Non, ils étaient déjà morts sinon ils auraient tenté de se protéger le visage. C'est un réflexe inné, même quand on est gravement blessé. Et comme on ne trouve aucune trace de morsures sur les mains et les avant-bras…

— Merci Seigneur, laissa échapper Karl.

Le médecin haussa les épaules.

— Maintenant que vous avez remercié Dieu d'avoir laissé ces pauvres bougres se faire dévorer par les chiens, si vous m'expliquiez ce que vous faites ici. C'est aux militaires de prendre en charge le problème sécuritaire, pas aux archéologues, non ?

— Sauf que c'est moi qui dois rendre compte au Reichsführer Himmler. Alors, soit il s'agit d'une affreuse, mais simple attaque des partisans et je n'en fais pas état, soit il s'agit d'autre chose.

Comme le légiste restait silencieux, Karl insista :

— Si, par exemple, vous aviez relevé des traces de coups qui entraînent des lésions caractéristiques…

Le médecin enfila une paire de gants et s'approcha des corps.

— Ou bien des blessures par balles dont le calibre ne serait pas celui de l'armée allemande.

— Aucun de ces hommes n'a été tué par une arme à feu, j'en suis certain.

Il fit signe à Häsner de s'approcher. Chaque corps était un champ de labour sanglant.

— Regardez. Juste là.

Karl se pencha vers un tas indistinct de tissus putrides et de viscères en lambeaux. Tout ce qu'il remarqua, à part l'odeur insoutenable, fut un trou plus large et profond que les autres.

— Et c'est la même chose sur les deux corps suivants. Si j'étais vous, je préviendrais Himmler.

— Mais pour lui dire quoi ? s'agaça Karl. Que j'ai vu un trou au milieu d'un amas puant de chair ?

— Pour lui dire qu'on a arraché le foie à trois de ses hommes.

3

Laure tourna la tête vers la casemate de béton surmontée d'une sirène peinte en rouge vif. Le hurlement s'était arrêté en même temps que la pluie, plus fugace qu'elle ne l'aurait cru. Elle marcha vers le soldat en poste devant l'entrée et qui retirait son casque en forme d'assiette renversée.

— Que se passe-t-il ?

— Ne vous inquiétez pas, mademoiselle. C'est juste un essai. Tout va rentrer dans l'ordre.

À côté de la casemate, il y avait une batterie de la DCA reconnaissable à son long canon pointé vers le ciel. Un soldat assis sur la tourelle la siffla et lui lança un compliment qu'elle ne comprit pas.

Laure d'Estillac soupira et s'alluma une Morland en scrutant le quai qui menait au bassin D, où mouillait le *Cornwallis*. Malorley lui avait promis qu'il ne s'éterniserait pas pour le départ du navire.

Avec la fausse alerte il allait revenir plus vite que prévu.

Elle avait préféré l'attendre dans la voiture, en face de la capitainerie. L'atmosphère brumeuse des ports, l'air iodé vicié par l'huile et le mazout, les marins qui empestaient la mer clapoteuse et la vase, ce n'était pas sa tasse de thé. Elle était une fille des montagnes, élevée à l'air pur et habituée aux vastes espaces.

Elle s'adossa au capot de l'Amilcar et aspira la fumée presque caramélisée. Sa consommation de tabac avait grimpé en flèche depuis son arrivée en Angleterre, pourtant elle ne s'était jamais sentie aussi forte. L'entraînement intensif du SOE avait remodelé son corps et endurci son âme. Quatre mois de souffrances, de discipline et de privations avaient été autant d'épreuves initiatiques. Laure, dernière descendante de la lignée cathare des d'Estillac, n'était plus. Dans sa jeunesse en pays cathare elle n'avait rêvé que de châteaux éblouissants, de beaux chevaliers et d'amour courtois. Elle s'était vue en princesse, la folie des hommes l'avait transformée en guerrière. Au SOE, on lui avait appris l'art pervers de détruire, de donner la mort et la souffrance sous toutes ses formes. La jeune aristocrate farouche s'était métamorphosée en une nouvelle femme. Plus dure, plus sûre d'elle-même.

Avec un nom de guerre. Matilda. Agent Matilda.

Elle détestait ce prénom insipide et en avait exigé un plus élégant. En vain, au SOE on ne perdait pas son temps avec ces coquetteries. Si Laure avait disparu, Matilda, elle, sentait toujours le poison de la vengeance couler dans ses veines. Son père gisait dans la demeure familiale de Montségur à mille kilomètres de là. Assassiné par les nazis. Désormais, elle faisait sienne la devise du SOE : porter le fer dans la chair de l'Allemand. Matilda n'avait qu'une hâte, repartir en France pour accomplir le destin qu'on lui avait imposé.

Des claquements de talon résonnèrent sur le sol détrempé. Son supérieur arrivait en courant, le visage en feu.

— Ne vous pressez pas, commander, c'était juste un exercice, comme à l'entraînement, lança-t-elle d'un ton amusé.

Comme beaucoup d'Anglais, la peau blanche de Malorley prenait vite une teinte rose du plus bel effet. Il ralentit le pas, soulagé, et retira son écharpe.

— Le commander Malorley a-t-il accompli sa mission ?

— C'est fait. Si Dieu daigne nous accorder ses faveurs, le *Cornwallis* arrivera à Chesapeake Bay dans sept jours. Les gardes-côtes américains viendront récupérer l'objet pour le mettre je ne sais où. J'espère vraiment que cette satanée relique fera pencher la balance de notre côté.

— Nous ne sommes plus seuls face à Hitler. Depuis qu'il a envahi la Russie, Staline est devenu notre nouvel allié.

— Oui, mais ce n'est pas suffisant. Aux dernières nouvelles, il se fait rouler sur les moustaches par les

Panzer. Si seulement les Américains pouvaient déclarer la guerre et se joindre à nous. Alors là, oui, on aurait une chance de renverser la vapeur.

— Pourquoi le *Cornwallis* ne débarque-t-il pas la relique au port de New York ?

— Nos amis américains sont prudents, des sous-marins allemands ont été repérés au large de Manhattan. Et ils croient…

Il ne put finir sa phrase, la sirène se déchaîna à nouveau.

— Ça devient pénible, dit Laure en observant deux gardes monter à toute allure sur la tourelle du canon de la DCA.

Un homme en vareuse beige jaillit de la capitainerie et faillit bousculer Laure.

— Eh… Vous pourriez faire attention, hurla-t-elle.

— Les Allemands arrivent ! Cachez-vous là-bas, dans les abris situés dans la caserne des pompiers.

Un bourdonnement sourd fit vibrer l'air humide. Laure et Malorley tournèrent leurs regards en direction de l'entrée du port et aperçurent une nuée de gros oiseaux noirs dans le ciel.

— Et merde, cria Malorley.

Un grondement s'abattit. Un chasseur Messerschmitt BF 109 s'était engouffré par le chenal et fonçait sur eux. Ils eurent juste le temps de se coucher à terre, deux rafales cisaillèrent le bitume à quelques mètres de l'Amilcar et fauchèrent de plein fouet le type qui les avait bousculés.

Le chasseur rugit en passant au-dessus de leur

tête, il était si bas que Laure distingua l'écharpe blanche du pilote. Au moment où ils se redressèrent, une énorme explosion pulvérisa le bâtiment de la capitainerie. Une averse de pierres, d'éclats de bois et de carreaux de verre pilonna le sol. Des hurlements jaillissaient de partout. Malorley aida Laure à se relever, un filet de sang lui coulait de la tempe.

— Laure !

— Ce n'est rien, juste un éclat. J'en ai plus bavé pendant l'entraînement.

Une épaisse fumée noire se répandait dans le port, empêchant de voir à plus de quelques mètres. Une odeur d'huile brûlée infestait l'air ambiant. La jeune femme eut l'impression que ses poumons allaient éclater. Au-dessus, les bourdonnements redoublaient d'intensité. C'était la curée. À dix mètres d'eux les canons de la défense aérienne crachaient leurs obus vers le ciel.

Un homme enflammé sortit en titubant de ce qui avait été un hangar. Il s'arrêta au bout de quelques mètres et tomba en se tortillant comme un ver. Une nouvelle explosion retentit, cette fois en provenance du bassin principal. Une gerbe d'écume éclaboussa leurs chaussures.

Malorley prit une paire de jumelles dans la boîte à gants de la voiture et tenta de voir le navire à travers le mur de fumée. Une trouée se dessina dans les volutes anthracite et son sang se glaça.

— Le *Cornwallis* !

Le navire penchait sur son flanc droit, un épais

panache gris jaillissait de la grosse cheminée. Autour de lui ce n'étaient que flammes et désolation, juste devant l'entrée de la rade deux cargos avaient été frappés de plein fouet et s'enfonçaient dans les eaux sombres du port. Des grappes de marins sautaient de partout. Au moment où le bateau reprenait son équilibre un hululement étrange vrilla le ciel.

Deux bombardiers Junkers JU 87 « Stukas[1] », reconnaissables à leurs ailes pliées vers le haut, fonçaient en piqué sur le port. Malorley était médusé. La dernière fois qu'il avait vu ces engins infernaux en action c'était à Madrid, pendant la guerre d'Espagne. Leur précision était inégalable.

— Les trompettes de Jéricho…, murmura-t-il.

— Pourquoi vous les appelez comme ça ? Ce sont des Stukas, je les ai vus aux Actualités. Ils mitraillaient les populations pendant l'exode, dit Laure.

— Les Allemands ont installé sous le train d'atterrissage des sirènes destinées à terroriser l'ennemi. Les Espagnols les ont surnommées les trompettes de Jéricho. Le *Cornwallis* n'a aucune chance de s'en sortir.

Le capitaine avait dû apercevoir la menace, le bateau s'infiltra entre les deux cargos agonisants qui crachaient de gros nuages de fumée noire.

----

1. *Stuka*, abréviation de *Sturzkampfflugzeug*, qui est une contraction de trois mots : *Sturz* (chute), *Kampf* (combat), *Flugzeug* (avion).

— Il est fou ! Il ne passera pas, cria Laure.

— Non, je crois comprendre la manœuvre. Il cherche à se cacher entre les épaves.

Les Stukas oscillèrent dans leur trajectoire et passèrent en rase-motte au-dessus du bassin, puis lâchèrent leurs bombes sur des dépôts d'essence plantés au bout de la jetée. Les citernes explosèrent dans une gigantesque boule de feu.

Malorley braqua à nouveau ses jumelles sur le bassin.

— Je ne vois rien… Ah si ! Bon sang, il est passé. Killdare a réussi.

La sirène du *Cornwallis* résonna dans le port comme un cri de victoire. Il avançait à toute vitesse sur la dernière jetée qui séparait le port de l'estuaire.

Au moment où Malorley lâcha ses jumelles un cri retentit derrière lui. Il se sentit propulsé en avant, face contre terre. Un choc, suivi d'un grincement infernal, fit trembler le sol. Le corps de Laure était plaqué contre le sien. La voix de la jeune femme murmura à son oreille :

— Vous vous rouillez, commander.

Elle l'aida à se relever. Il s'épousseta et vit un énorme palan de fer tordu gisant sur le sol, là où il se tenait trois secondes plus tôt.

— Merci Laure, jolis réflexes. Un placage digne des meilleurs joueurs de l'équipe de rugby d'Angleterre.

— C'est grâce à l'entraînement. Vous m'avez appris à poser des bombes, à saboter des voies ferrées, à tuer mon prochain d'au moins cinq manières et sans arme.

Deux hommes en treillis bleu s'approchèrent. Ils portaient des casques d'acier où l'on avait peint en blanc la lettre W[1].

— Vite, suivez-nous vers l'abri souterrain. On annonce une seconde vague.

Malorley et Laure coururent vers un groupe massé devant l'entrée du bâtiment des pompiers. Une nouvelle explosion retentit vers le nord du port. Des flammes orangées jaillirent dans le ciel noir. Un souffle chaud les enveloppa.

— Bombe incendiaire !

Ce fut la panique. Malorley et Laure furent emportés dans l'escalier, comme charriés par un courant tumultueux.

— On se calme ! criait une voix forte à l'intérieur, les blessés sur la file de droite.

D'autres gardes de l'ARP postés en bas des marches tentaient de canaliser le flot des arrivants. En vain. Malgré eux, Malorley et Laure se retrouvèrent dans la salle des éclopés.

— Vous pensez que le *Cornwallis* s'en sortira ? questionna-t-elle en voyant affluer des gens portés sur des brancards.

— S'il a réussi à quitter le port oui. Les Allemands ne vont pas gaspiller leurs bombes pour un petit navire

---

1. Gardes bénévoles de la sécurité civile, l'ARP. Le W pour *Warden*, gardien.

de croisière, ils iront s'en donner à cœur joie au nord de la ville où se trouvent des entrepôts de munitions.

— Je me demande comment les gens peuvent encore vivre ici.

— Southampton a subi plus de trois cents bombardements depuis le début de la guerre. La ville est aux trois quarts détruite et pourtant ils tiennent bon. Le port est à chaque fois reconstruit. La ténacité anglaise.

— On ne l'a pas beaucoup vue en action à Dunkerque la ténacité anglaise, ironisa Laure.

Une odeur écœurante de brûlé monta jusqu'à leurs narines. Deux brancardiers venaient de déposer une femme dont la moitié du corps était comme recouverte de charbon.

— Aidez-moi…

Laure s'approcha et vit que les infirmiers repartaient par où ils étaient arrivés.

— Vous ne pouvez pas la laisser là !

— Elle n'en a plus pour longtemps. Brûlures au troisième degré et un éclat de verre dans la poitrine. On lui apportera des tranquillisants pour soulager sa douleur. Si on en trouve…

Le visage de la pauvre femme n'était plus qu'une croûte noirâtre d'où émergeaient deux yeux d'un bleu presque irréel. Du sang coulait de la fente qui avait dû être une bouche.

— Mais elle souffre !

— Que Dieu ait pitié d'elle.

Les brancardiers repartirent en trombe, les laissant

avec l'agonisante. Laure prit sa main encore intacte, la peau était douce et souple.

— Je… vous… supplie. Mal… Trop mal, tentait d'articuler la femme.

Malorley s'approcha à son tour et tendit son pistolet d'ordonnance à Laure.

— Il faut abréger ses souffrances, tenez.

— Vous êtes fou !

— On ne vous a pas appris à tuer au centre ?

— Des Allemands, pas des Anglais. Je ne peux pas l'exécuter de sang-froid.

— Et si c'était l'un de vos collègues pendant une mission ? Qu'il faille le supprimer avant qu'il ne tombe entre les mains des Allemands et se fasse torturer ?

Laure secoua la tête, les yeux embués de larmes. Malorley colla le canon du pistolet contre la tête de la femme tout en fixant la Française.

— Vous pouvez regarder ou pas. Dans le premier cas ça fait partie du travail, dans le second je comprendrai.

— Comment pouvez-vous…

— Elle ne souffrira plus.

Laure détourna les yeux de la brûlée.

Un coup de feu retentit. Les gémissements cessèrent.

Malorley rangea son pistolet dans sa veste.

— Je suis désolé, Laure. Vraiment désolé. Mais vous devez apprendre à apprivoiser la mort. C'est votre seule chance de rester en vie.

— Rester en vie, mais, en… enfer, répondit-elle en essuyant ses larmes. Quand cette maudite guerre finira-t-elle ?

Il s'assit à côté d'elle, le regard absent.

— Je n'en sais rien. Peut-être jamais.

4

Crète
En direction de Cnossos
Novembre 1941

La route qui s'éloignait d'Héraklion n'était plus qu'un chemin de terre. Le chauffeur ralentit pour éviter les ornières. Tristan en profita pour se retourner. À travers la vitre arrière, la capitale de la Crète blanchissait sous le soleil. Seule la Méditerranée échappait à l'étincellement : un bleu profond qui se perdait à l'infini.

— *La mer, la mer toujours recommencée*, récita Tristan, citant de mémoire un vers de Valéry.

Un cahot le ramena sur terre. Tout le long du chemin, c'était une autre mer qui l'environnait. Celle des oliviers. Sous les feuillages, des ânes erraient, grattant le sol poussiéreux de leur sabot dans la recherche vaine d'un brin d'herbe. La terre, brûlée de soleil, était craquelée comme si elle allait s'ouvrir sur des profondeurs brûlantes d'obscurité. À croire que l'enfer était tout proche. Le conducteur donna un brusque coup de volant pour éviter un olivier renversé dont les racines noires pointaient vers le ciel. Tristan remarqua que le chauffeur venait de saisir une croix émaillée sous sa vareuse et la portait à ses lèvres. C'était un soldat, à peine sorti de l'adolescence, dont l'invasion de la Crète était sans doute le premier engagement.

— Superstitieux ?

— En Crète, tout le monde est superstitieux. Et si vous ne l'êtes pas, vous le devenez. Vous avez remarqué l'arbre abattu au bord de la route ?

— Oui, un coup de vent sans doute.

— Ici, les gens disent que, dans chaque arbre, se cache une âme. Une âme de damné.

Tristan ne répondit pas, comme s'il se désintéressait de la conversation. Le meilleur moyen pour que son interlocuteur en dise plus.

— Alors quand un arbre se renverse, l'âme s'échappe par les racines. Le monde d'en bas vient hanter le monde d'en haut.

Tristan regarda à côté de lui. Pelotonnée contre le siège, Erika dormait. Dans l'abandon du sommeil, ses traits s'étaient adoucis, elle ressemblait presque à une jeune fille. Ses cheveux nattés qui tombaient sur son épaule ajoutaient à cette impression de jeunesse adolescente. Marcas sourit. Sur le visage d'une femme amoureuse, ni la guerre ni la mort n'avaient de prise. Et pourtant…

— Vous arrivez de Berlin ? demanda le conducteur.

Tristan hocha la tête. Directement affrété par Himmler, un avion venait de les déposer sur le nouvel aéroport militaire qui servait à ravitailler les troupes allemandes. Leur départ s'était décidé en quelques heures. Ordre spécial du Reichsführer.

— Ça doit être la fête dans la capitale, reprit le chauffeur. Nos troupes se couvrent de gloire en Russie. On dit que Moscou tombera avant la fin de l'année.

— Elles combattent avec autant de courage que vous, ici en Crète. Les affrontements ont été féroces, non ?

— Pires que ça. Les habitants de cette île sont des sauvages. Croyez-moi, il ne faut se fier ni à la grandeur des paysages, ni à la beauté de la mer, ce sont des pièges…

La voiture freina brusquement. Un barrage venait d'apparaître au bout du tournant. Derrière une barrière improvisée, des silhouettes noires bloquaient la route.

— Ce sont les nôtres, annonça le chauffeur, soulagé. Je reconnais les uniformes.

Marcas avait vu beaucoup de barrages, surtout durant la guerre d'Espagne. Et il avait appris à s'en méfier en détectant instantanément les signes sensibles de nervosité – mains crispées sur les crosses, intensité saccadée de la voix – tout ce qui pouvait mener à un drame si on le jaugeait mal.

— Coupez le moteur, intima-t-il.

— Mais pourquoi ?

— Faites ce que je vous dis.

Derrière la barrière, les soldats ne bougeaient pas,

fusils pointés sur la voiture. Aucun ordre, aucun mouvement. *Ils sont terrifiés*, pensa Tristan, *au moindre geste brusque, ils tirent.* Il se retourna pour vérifier si Erika ne s'était pas réveillée, mais elle dormait toujours, épuisée par le voyage aérien. Intrigué, le chauffeur commençait à s'inquiéter.

— Je ne comprends pas, ils devraient me demander de m'identifier, non ? D'ailleurs, j'ai un mot de passe.

— Vous reconnaissez leur unité ?

Le conducteur se pencha vers le pare-brise.

— Trop loin pour voir leurs écussons.

Tristan aperçut un bref éclat de lumière à proximité du point de contrôle. Il connaissait ce scintillement : le reflet du soleil sur une lentille.

— Ils nous observent à la jumelle. Sans doute l'officier qui commande le barrage.

— Mais pourquoi, nous sommes à moins de trente mètres !

— Ils veulent voir nos visages. Ils ont peur. Et le problème, c'est qu'on ne sait pas de quoi. Vous vous appelez comment ?

— Otto.

Tristan observa le visage du garçon. Les cheveux quasiment orange, la peau pailletée de taches de rousseur. Il avait dû être le persécuté d'office dans toutes les cours de récréation. En comparaison, partir au front avait dû être une bénédiction.

— Vous vous êtes engagé, n'est-ce pas ?

— Oui, mais comment avez-vous deviné ?

— Peu importe, ce qui compte c'est que vous soyez un garçon courageux. Alors, écoutez-moi bien, vous allez…

Marcas n'eut pas le temps de continuer qu'un ordre retentit, amplifié par un porte-voix :

— La zone de Cnossos est sous couvre-feu militaire. Nul ne peut y pénétrer. Reculez lentement et faites demi-tour au prochain embranchement. Si vous continuez de stationner ou si vous avancez, vous serez considérés comme hostiles et nous tirerons sans sommation.

— Que se passe-t-il ?

La voix encore ensommeillée d'Erika fit sursauter Tristan. Il allait répondre quand elle interrogea à nouveau. À chaque mot, Marcas sentait son haleine chaude sur son cou.

— Nous sommes arrivés ?

— Nous sommes bloqués par un barrage et les soldats sont très nerveux. Alors pas de geste brusque.

Erika releva et piqua sa natte blonde sur sa nuque en sueur. Ses seins brûlaient sous son chemisier. Elle avait affreusement chaud.

— Quelqu'un leur a parlé ?

— Ce sont eux qui parlent et ils nous demandent de dégager.

— Ou alors ils menacent d'ouvrir le feu, ajouta Otto, on n'a pas le choix : il faut retourner à Héraklion pour qu'ils appellent le poste de commandement de Cnossos. Ils enverront un ordre au barrage et…

— Il est hors de question que je reste une minute de plus dans cette fournaise.

Erika fit cliqueter la serrure de la portière et glissa ses longues jambes dehors. En touchant le sol, ses bottes soulevèrent un bref nuage de poussière.

La cible parfaite, pensa Tristan, *ils vont la descendre comme à l'exercice.*

— N'avancez pas ! le cri fusa du barrage.

— Je suis Erika von Essling, envoyé spécial du Reichsführer Heinrich Himmler. Vous me menacez, je vous fais passer en cour martiale, vous posez un seul doigt sur la détente de votre arme, je vous fais fusiller.

— Elle dit vrai ? s'exclama le chauffeur.

— À votre avis ? répliqua Marcas.

— Maintenant je veux parler à l'officier responsable de ce point de contrôle, qu'il sorte et avance devant moi. Et vite, je suis pressée.

Une silhouette se détacha de la ligne de soldats qui barraient la route.

— Lieutenant Friedrich Horst, les ordres sont stricts. Nul ne peut accéder à Cnossos qui est sous couvre-feu. Une opération de police est en cours.

— Et vous pensez que ceux que vous cherchez vont faire la queue devant votre barrage ridicule ?

— J'exécute les ordres.

— Et moi ceux du Reichsführer. Et il y en a un auquel je vais me faire un plaisir d'obéir : celui qui va vous envoyer directement sur le front de l'Est, vous et vos hommes !

Tristan se pencha vers Otto dont les mains tremblaient sur le volant.

— Glissez votre tête par la portière et donnez-leur le mot de passe. Tout de suite.

— Je ne sais pas si je vais y arriver…

— Erika est juste devant vous. S'ils tirent, c'est elle qui mourra. Vous n'avez même pas besoin d'être courageux.

En un instant, le rouge de la honte fit disparaître les taches de rousseur du visage du chauffeur. Il abaissa la vitre et hurla :

— *Ehre und Treue !*

Derrière son dos, le lieutenant Horst sentait monter le doute et bientôt l'hostilité de ses hommes. Tous connaissaient les méthodes expéditives d'Himmler. Si cette femme disait vrai, ils risquaient de finir dans un camp. Et lui en premier.

— Vous avez un ordre écrit ?

Lentement, Tristan sortit de la voiture. La croix de fer brillait sur sa poitrine.

— Les papiers officiels de la mission sont dans la poche inférieure de mon uniforme. Ils sont signés directement par le Reichsführer.

Cette dernière information acheva la résistance du lieutenant. Le tout maintenant était de ne pas perdre la face.

— Je n'ai aucun moyen de joindre rapidement le poste de commandement. Le secteur est infesté de partisans et ils coupent systématiquement les lignes téléphoniques que nous posons. En revanche, je dispose de deux side-cars, ils vont vous escorter jusqu'à Cnossos où vos ordres de mission seront vérifiés.

Erika se précipita vers la voiture.

— On passe avant que cet imbécile change d'avis. Je veux prendre un bain.

Otto démarra sans se faire prier. Devant la voiture, un side-car se positionna pour leur ouvrir le chemin. Engoncés dans des capotes noircies de poussière, d'épaisses lunettes sous leurs casques sombres, le conducteur et son passager ressemblaient à deux cavaliers échappés de l'Apocalypse. Au moment de franchir le barrage, Tristan baissa la vitre et interrogea l'officier qui rengainait son arme de service.

— Mais il se passe quoi ici ?

Un ricanement lui répondit.

— Regardez les arbres et vous comprendrez.

Aux champs d'oliviers avaient succédé des collines à la végétation de plus en plus dense. Même en Espagne, Tristan n'avait jamais vu des taillis aussi épais et enchevêtrés. La route s'était resserrée, bordée par des talus couverts de buissons de myrte sauvage. Devant la voiture, la moto rugissait à chaque cahot et perdait de la vitesse à éviter les obstacles, ornières et glissements de terrain.

— Pas de meilleur endroit pour une embuscade, lâcha Otto, si les partisans attaquent, ils nous tireront comme des lapins.

— Ils commenceront par tuer le soldat dans le

side, puis le conducteur de la moto, répondit d'une voix calme Erika. Ce qui nous laissera le temps de comprendre d'où viennent les tirs et de sauter du côté opposé. Le talus est en pente douce et ensuite c'est un maquis sans fin. Une fois dedans, même le diable ne nous retrouverait pas.

— Vous êtes toujours aussi attentive, madame ? s'étonna le chauffeur

— Je suis archéologue, Otto, je passe ma vie à faire parler des morts et, croyez-moi, ils n'ont pas beaucoup de conversation. Alors je ne néglige jamais aucun détail.

Tristan n'intervint pas. Erika savait exactement comment désamorcer une situation sous tension. Un mélange habilement dosé d'autorité sereine et d'humour à froid.

Le chemin s'élargissait et montait vers un plateau cerné de ciel bleu. Ils n'étaient plus qu'à quelques kilomètres de Cnossos selon la carte militaire que consultait Tristan. Il allait se plonger dans le plan détaillé du site archéologique quand brusquement le side-car fit une embardée et pila sur le côté.

Devant eux, presque en haut de la pente, les deux soldats après avoir sauté de leur side-car s'étaient figés comme devant un spectacle qui les dépassait.

— Je ne comprends pas, s'alarma Otto, on dirait qu'ils ont vu le diable.

— Le diable n'existe pas, j'y vais.

L'archéologue posa la main sur l'épaule de Marcas pour le retenir.

— Attends. Ils vont bouger.

Sans prévenir, un des soldats se retourna et, d'une démarche titubante, se dirigea vers la voiture. Méfiant, Otto dégaina son Luger et le posa sur la cuisse.

— Je n'aime pas ça.

À quelques mètres de la voiture, le soldat dut s'appuyer contre le talus. Visiblement les jambes lui manquaient et son visage avait la pâleur d'un linceul. Cette fois Tristan n'hésita pas. Il sortit de la voiture, suivi d'Erika, prit le pistolet que lui tendait Otto et marcha vers le side-car.

— N'y allez pas, murmura le soldat avant de s'écrouler en vomissant.

Juste en haut du chemin s'élevait un arbre gigantesque. Un vieux chêne qui, des siècles durant, avait dû coloniser la terre de ses racines pour trouver de l'eau. Trois hommes n'auraient pas suffi à faire le tour de son tronc dont l'écorce brune luisait comme la peau d'un serpent.

— Les branches, laissa échapper le conducteur du side-car.

Tristan leva les yeux. Les feuilles calcinées par la chaleur s'étaient rétractées sur elles-mêmes, mais ce qui frappa Marcas c'était une nuée vrombissante d'ailes et de becs qui s'acharnait sur une branche. Il arma le Luger et tira en l'air. En un instant, un essaim tumultueux de corbeaux envahit le ciel.

Mais ce qui pendait au bout de l'arbre n'était pas une branche.

Mais un corps.

Ou plutôt ce qui restait d'un corps.

Les mains n'existaient plus.

Le visage était un trou.

Le ventre une fosse à ciel ouvert.

Suspendue à une botte, une pancarte oscillait lentement. Tristan sentit les mains d'Erika s'agripper à son bras tandis que, dans un souffle, elle traduisait les lettres grecques tachées de sang : « Étrangers, bienvenue à Cnossos ! »

5

Vienne
Octobre 1908

Quand le professeur Wilhemster sortit de son immeuble cossu de la Kärntner Strasse, il était déjà de mauvaise humeur. Était-ce le pavé luisant de pluie ou l'ombre froide de l'Opéra qui tombait sur la rue, en tout cas il jeta un regard furibond sur le monde qui l'entourait. Le bruit d'une calèche, qui remontait la rue, raviva son agacement et la vue d'un officier dont le sabre claquait sur ses bottes lui fit lisser sa moustache d'un air de défi. Ce matin, il ne supportait personne. Vêtu d'un pardessus noir, d'un costume noir et d'une cravate noire, le professeur aurait pu passer pour un employé des pompes funèbres, s'il ne portait, sur le sommet de son crâne, un haut-de-forme luisant comme un phare. Ce couvre-chef était son orgueil : chaque soir il le brossait avec dévotion, car il ne le quittait jamais de la journée. D'ailleurs, aucun de ses étudiants n'avait le souvenir de l'avoir vu sans son *tuyau de poêle* et certains prétendaient même que, selon son inclinaison, on pouvait deviner l'humeur du professeur. En tout cas, ce matin, le haut-de-forme était droit comme une tour et indiquait à tout le monde que Herr Wilhemster était d'une humeur fracassante.

— Bonjour, professeur, comment allez-vous ce matin ? demanda le serveur du Café Tannenberg en tendant le bras pour recevoir canne et pardessus.

Wilhemster répondit par un grognement et traversa la salle pour s'asseoir à sa place favorite. Il retira ses gants, pianota de la main droite sur le marbre de la table et commanda :

— Un café et une corbeille de Buchteln.

Le serveur s'inclina et disparut en direction des cuisines

— Alors Ernst, c'est le grand jour ?

À la table voisine, un consommateur interpellait Wilhemster qui secoua la tête avec désespoir comme si on venait de lui annoncer la fin du monde. Dans le café, les habitués savaient que tous les 20 octobre étaient marqués d'une pierre noire pour le professeur. C'était le jour où il devait décider quels élèves de sa classe préparatoire allaient intégrer la prestigieuse école des Beaux-Arts de Vienne. Une sélection impitoyable d'autant que, selon lui, la plupart de ses élèves étaient des moins-que-rien.

— Des fainéants auxquels je me tue à apprendre les règles de l'art, s'emporta Wilhemster, des ratés qui ne savent même pas tenir un pinceau…

Heureusement, sa diatribe fut interrompue par

l'arrivée d'une assiette de Buchteln dont le parfum de prune s'échappait de la brioche dorée à point.

— Je n'ai même pas le cœur à manger ! Ces misérables me gâchent jusqu'à mon petit déjeuner.

D'un geste ample, il prit la salle à témoin.

— Vous ne devineriez jamais ce que l'un d'eux m'a fait. Il a peint un portrait de femme uniquement avec des motifs géométriques. Il appelle ça le cubisme…

Un murmure de réprobation parcourut le café. Ici, on était pour la tradition et on ne plaisantait pas avec les valeurs. D'ailleurs, un gigantesque portrait de François-Joseph trônait face à la porte d'entrée. Moustache triomphante et regard d'acier, l'empereur, qui régnait depuis cinquante ans, était l'idole des habitués. Un roc à jamais immobile dans un monde qui ne l'était plus.

— Il y a trop d'étudiants !

— De juifs !

— De Hongrois !

— De Slaves !

La salle était entrée en ébullition. D'un coup de fourchette rageur, le professeur étripa son gâteau. La colère des habitués qui résonnait dans la salle le confortait dans la sienne. Il jeta un œil à François-Joseph, impassible au-dessus de la mêlée et, soudain, il se sentit investi d'une mission sacrée : protéger l'art, le véritable, de tous les coups de pinceau, jaloux et rageurs, de ces dégénérés qu'il avait comme étudiants. Il se leva brusquement.

— Vous partez déjà ? s'inquiéta le serveur en voyant la tasse de café encore pleine et fumante.

— Oui, le devoir n'attend pas !

Dans l'atelier, chaque étudiant avait installé un chevalet sur lequel était posé le tableau présenté pour l'admission à l'école des Beaux-Arts. Certains avaient choisi de se placer face à la verrière pour profiter d'un maximum de luminosité, d'autres, sans doute plus malins, avaient choisi des coins moins exposés, comptant sur une relative obscurité pour atténuer les défauts possibles de leur toile. Tous craignaient Wilhemster. D'ailleurs, quand la porte de l'atelier claqua et que la haute silhouette du professeur se projeta sur le parquet piqueté de taches de couleur, chacun se figea derrière son œuvre. L'heure du couperet avait sonné.

Trois catégories de tableaux étaient en concurrence : le paysage, le portrait et la scène historique. Croyant s'attirer les bonnes grâces de Wilhemster, beaucoup d'élèves avaient choisi de traiter un événement à la gloire de l'Empire austro-hongrois. Ainsi les scènes de batailles, souvent de grande taille, encombraient les chevalets. Le professeur venait de se poster devant une charge de cavalerie et déjà son regard devenait furibond. Comment pouvait-on être nul à ce point ? Les cavaliers avaient l'air déguisé pour le Carnaval et les chevaux tout juste dételés d'une charrue. Il haussa les épaules de mépris et le candidat comprit aussitôt que son rêve de devenir élève des Beaux-Arts venait de partir en fumée.

— J'espère que les portraits sont de meilleure qualité, fulmina le professeur.

Un regard lui suffit pour confirmer le contraire. Désespéré autant que furieux, il se tourna vers les paysages. Déjà, il avait éliminé plus des trois quarts des élèves. Désormais, il serait plus terrible encore, en espérant quand même un miracle

Il n'eut pas de chance.

Le premier tableau était une aquarelle. Un mince rectangle de toile où un pinceau balbutiant avait tenté de représenter une maison de paysan au bord d'une mare. Wilhemster manqua de s'étrangler. De la perspective aux couleurs, tout était ratatiné, bancal, nul. Jusqu'aux personnages qui ressemblaient à des nains de jardin débités à la hachette. Comment pouvait-on peindre aussi mal et surtout comment pouvait-on avoir l'inconscience de lui présenter une pareille croûte, à lui, Wilhemster ? Furieux, il leva le regard pour identifier le coupable d'un pareil outrage.

Et là, il comprit. Les cheveux gras plaqués sur le front, le regard fiévreux, un menton renfrogné et une moustache envahissante, le peintre ressemblait à ses tableaux. Un instant, le professeur eut presque pitié. Un étudiant pauvre, tombé de sa province, et qui croyait avoir du talent. Des comme lui, Vienne en regorgeait. Au début, ils tentaient de vendre leurs toiles à des marchands, puis à des touristes et, à la fin, ils les proposaient dans la rue contre un quignon de pain ou un bout de saucisson. Arrivés à ce stade d'humiliation, ils finissaient par rentrer chez eux, trop contents de retrouver un coin de terre à cultiver. Mais celui-là avait dans les yeux quelque chose de lancinant que le professeur n'aimait pas. Un obsessionnel – il en était certain – incapable d'accepter son absence de talent. Un acharné qui tournerait vite aigri et agressif. À exclure d'urgence. Qu'on ne le revoie plus jamais oser concourir aux Beaux-Arts.

Mais pour ça, il fallait son nom.

— Comment vous appelez-vous, mon ami ? demanda le professeur en caressant le rebord de son haut-de-forme.

Un murmure incertain sortit de sous la moustache.

— Parlez plus fort, que diable !

— Hitler. Adolf Hitler.

Dehors, la température était encore tombée. Le jeune peintre, sans chapeau, ni écharpe, se courba autant pour échapper au vent glacial que pour tenter d'atténuer les crampes qui lui tordaient le ventre : il n'avait rien mangé depuis la veille. Mais plus que le froid ou la faim, c'était la colère qui le dévorait. Jamais il n'avait été aussi humilié. Pour la seconde fois, il venait de se faire recaler aux Beaux-Arts. La première, c'était juste avant la mort de sa mère et il n'avait pas osé le lui avouer. Klara était partie convaincue que l'avenir de son fils était assuré. Et voilà qu'une fois encore, il se retrouvait à la rue. Il avait pourtant changé de classe préparatoire en s'inscrivant dans le cours du professeur Wilhemster, espérant qu'enfin quelqu'un reconnaîtrait son talent. Et tout avait été pire. Il avait été traité avec dédain et mépris.

Adolf rejeta la mèche qui lui tombait sur le front. Il l'avait plaquée, le matin même, avec de l'eau sucrée. Même le plus miteux des coiffeurs était trop cher pour lui. Une bouffée de rage l'envahit. Wilhemster ! Ce vieux salaud ! Qu'est-ce qu'il pouvait bien comprendre à la peinture, ce nanti avec son haut-de-forme ? Depuis quand n'avait-il pas peint un seul tableau ? Vingt ans, trente ans ? Adolf se mit à gesticuler. Il les haïssait ces bourgeois, ces citadins de malheur, c'était eux, ces profiteurs qui saignaient le peuple, sacrifiaient les provinciaux... Un coup de vent, sifflant entre les grilles du Burggarten, le fit vaciller. Depuis son arrivée à Vienne, il n'avait cessé de maigrir. Ses colocataires disaient qu'il ressemblait à un cintre sur lequel était suspendu un costume de loqueteux. Les rires qui avaient accompagné cette plaisanterie le faisaient encore souffrir. Comme il n'avait plus les moyens de louer une chambre, même minable, il avait fini dans un foyer pour hommes. Un trou à rats où venaient échouer tous les rebuts de Vienne. Étudiants ratés, chômeurs professionnels, alcooliques invétérés, voyous qui voulaient se faire oublier... Des brutes, des dégénérés, qui ne cessaient de le harceler parce qu'il essayait de se tenir encore propre.

Épuisé, Adolf s'arrêta devant une échoppe ambulante qui vendait des livres d'occasion et des gravures jaunies. De sous sa veste élimée, il sortit le tableau qui venait de lui faire perdre l'entrée des Beaux-Arts.

— Vous achetez de la peinture ?

Le vendeur, un vieil homme aux yeux enfoncés et à la barbe mal taillée, lui jeta un regard méfiant avant d'examiner la toile.

— C'est vous qui avez fait ça ?

Ravalant son orgueil, Adolf secoua la tête.

— Non, c'est l'héritage d'un oncle.

— Eh bien, le moins que l'on puisse dire, c'est qu'il ne vous a pas gâté.

— Ça vaut quand même quelque chose ?

— Même pas le prix de la toile, vu ce qui a été barbouillé dessus. Un vrai gâchis.

— Rendez-le-moi ! s'écria Adolf qui se sentait rougir de honte.

— Avec plaisir. Et un bon conseil, ironisa le marchand qui avait deviné, arrêtez de peindre !

Tournant le dos à son humiliation, Hitler se retrouva face à la bibliothèque nationale. Inspirée par l'art baroque, elle ressemblait à un gigantesque bonbon glacé posé en plein centre de Vienne. Intimidé par le nombre ahurissant de colonnes et de statues, il n'avait jamais osé y entrer de peur de se faire expulser comme un mendiant. Mais le froid était trop fort. Il rabattit sa mèche en arrière, lissa sa cravate fripée et, avant de se présenter, jeta son tableau dans un bosquet du parc. À l'intérieur, à sa grande surprise, aucun gardien ne l'interpella. Discrètement, il se coula vers un long bureau tout en boiserie où des bibliothécaires en uniforme attendaient les lecteurs.

— Monsieur désire consulter un livre ?

Hitler était un lecteur compulsif. Il lisait tout ce qui lui tombait sous la main. Des prospectus qu'on lui tendait dans la rue, des journaux abandonnés dans les jardins publics, des livres oubliés qui traînaient dans les gares. Il avait fini par développer une culture comme on développe une maladie qui envahit tout. D'abord, il s'était passionné pour l'architecture, devenant subitement imbattable sur des sujets totalement abscons. Puis il s'était enflammé pour la musique, voulant même écrire un opéra. Un projet qui n'avait, bien sûr, jamais vu le jour et qui lui avait valu le surnom moqueur de *Wagneribus*. L'histoire était sa véritable passion. Il dévorait le moindre bout de papier qui parlait de grands conquérants. Les empereurs du Moyen Âge surtout le fascinaient. Il était attiré par les innombrables revues qui fleurissaient à Vienne discutant de littérature, d'art et surtout de politique. Justement on lui avait parlé d'un nouveau titre qui venait de sortir.

— Vous auriez la revue *Ostara* ?

Le bibliothécaire eut un sourire condescendant.

— Vous savez que vous pouvez la trouver dans le moindre kiosque pour quelques pièces de monnaie ?

— Je voudrais consulter tous les numéros.

— Asseyez-vous à la place 621, tout au fond à droite. On va vous les apporter.

Tout en remontant les travées de lecteurs, Adolf comprit rapidement pourquoi on l'avait exilé au fin fond de la bibliothèque. Si les premiers rangs étaient réservés aux habitués, universitaires ou chercheurs, les yeux rivés sur des livres anciens qu'ils touchaient comme le saint Graal, il n'en était pas de même à l'extrémité de la bibliothèque. Là, tous les crève-la-faim de Vienne semblaient s'être donné rendez-vous. Hitler eut un haut-le-cœur. Partout où il allait, la misère le précédait. Il s'installa à sa place, entre un ivrogne qui cuvait son vin et une vieille édentée qui marmonnait des phrases sans suite. Chacun d'eux avait devant lui un livre qu'il n'avait pas ouvert.

— Hitler, c'est ça ?

Un employé lui tendit une pile de fascicules dont la première couverture intrigua aussitôt Adolf. On y voyait un château cerné de neige, d'où jaillissait une troupe de guerriers brandissant haches et épées. Le sous-titre était encore mystérieux : « Reconquête aryenne ».

En un instant, Hitler oublia l'endroit où il se trouvait, les humiliations et la faim qu'il endurait. Il fixait le château, sombre et isolé et il y reconnaissait la métaphore de sa propre vie. Des années durant, il avait subi violence et mépris. Chaque jour, depuis qu'il était enfant, il avait dû monter une nouvelle rangée de pierres pour se protéger des autres. Il s'était muré dans son château attendant, espérant, qu'une main amie vienne enfin frapper à sa porte, mais jamais personne ne s'était présenté. Le monde avait continué sans lui, toujours plus dur, plus injuste. Il fallait être lucide : personne n'attendait Adolf Hitler. S'il voulait un jour trouver sa place, il fallait la conquérir, comme ces nobles guerriers qui partaient à l'assaut de leur destin.

Une sonnerie retentit à la porte de la salle de lecture. Des lecteurs se levèrent enfilant leur maigre pardessus pour affronter le vent et la pluie. Hitler restait assis, les yeux rougis d'avoir trop lu. Derrière les larges fenêtres, la nuit venait de tomber. Il devait rentrer au foyer, mais désormais ce n'était plus un problème. Il prit le dernier fascicule, feuilleta avidement les pages jusqu'au sommaire et trouva le nom qu'il cherchait : « Jörg Lanz, rédacteur ».

Il devait rencontrer cet homme.

6

Sud de l'Angleterre
Novembre 1941

L'Amilcar fonçait à travers la campagne. Malorley pilotait le bolide avec dextérité, il évitait les nids-de-poule qui trouaient la route plus que de raison. Sur les côtés, à l'abri de clôtures sans fin, des troupeaux de moutons broutaient paisiblement. Laure n'avait pas dit un mot pendant la première heure du trajet, puis elle s'était forcée d'oublier la scène effroyable dans l'abri. N'était-elle pas une professionnelle ?

L'Amilcar ralentit à l'approche d'un hameau. Au détour d'un virage, ils aperçurent un gros paysan en casquette, assis devant sa grange et qui fumait une pipe. Il regarda passer la voiture d'un œil vitreux.

— Après l'enfer, le paradis, dit Malorley. On ne dirait pas que la guerre s'est invitée dans ce trou paumé. Si ça se trouve, ce gars-là n'a jamais entendu parler d'Hitler. Le jour où je prendrai ma retraite ce sera dans un coin du même genre.

— Vous n'êtes pas si vieux.

— Je sais, c'est juste pour me convaincre que je survivrai à cette guerre.

— Ça m'étonne, vous paraissez tellement...

— Dur ?

— Sûr de vous. Inflexible, comme tout à l'heure avec cette femme brûlée.

Les maisons avaient disparu, il accéléra progressivement.

— Ne vous fiez pas aux apparences. Si je m'écoutais, je m'arrêterais dans un hôtel au prochain village, je prendrais deux bouteilles de whisky et je me saoulerais à mort.

La route devint droite et la voiture reprit sa vitesse de croisière.

— Vous êtes donc humain... Profitons-en pendant que ça dure. Je peux vous poser une question sur l'un de vos agents ?

— Je me doute de son identité.

— L'agent double que vous avez sorti du chapeau à Montségur. Je me suis bien fait avoir par ce type. Un excellent acteur.

— Tristan Marcas... Et séduisant.

— Je ne me souviens pas d'avoir fait ce genre de commentaire.

— C'est ce que disent les femmes qui l'ont connu.

— Moi, il m'a laissée de glace. Ce n'est pas du tout mon type d'homme. Trop prétentieux, imbu de lui-même.

Malorley réprima un sourire.

— Ça commence toujours comme ça les histoires d'amour. Que voulez-vous savoir de plus ? Je vous ai tout dit. Il a travaillé avec moi pendant la guerre civile espagnole et il était chargé de retrouver la trace des swastikas. Je devrais recevoir un rapport de sa part dans les prochains jours, *via* l'un de nos réseaux à Berlin.

— Est-il marié ? A-t-il une famille ?

— Oui, son épouse vit en Normandie, ils ont cinq enfants magnifiques.

— Vraiment ?

Il lui jeta un œil à la dérobée, elle n'avait pu masquer sa surprise.

— Vous devriez voir votre tête… Je plaisante. Il est célibataire et je ne connais pas grand-chose sur sa vie sentimentale. Le dossier Marcas est clos pour le moment. Vous ne saurez rien de plus.

— Ça m'est égal, ce Tristan présente autant d'intérêt à mes yeux que le papy que l'on a croisé tout à l'heure.

— Tant mieux, même si je ne vous crois pas. N'oubliez pas que j'ai été formateur en action psychologique dans le centre d'entraînement, j'ai un sixième sens pour détecter les mensonges.

Elle soupira et tourna la tête vers sa fenêtre pour regarder le paysage.

— De toute façon, reprit-il, vous allez vous intéresser à un autre homme.

— Comment ça ? Il était convenu que je parte en mission. Sur le terrain. C'était le deal pour intégrer votre commando de chasseurs de reliques et de fantômes.

— Tout dépendra de Marcas, je n'ai aucune idée d'où se trouve la troisième relique. Tout est stoppé de ce côté-là dans l'attente de ses nouvelles. Pour l'heure, je dois compléter mon équipe. Je voudrais vous faire rencontrer un des candidats pour avoir votre avis. Ce type pourrait m'être utile pour tirer les vers du nez de Rudolf Hess à propos des swastikas et du *Thule Borealis*. Mais si mes supérieurs savaient que je voulais m'adjoindre ses services, ils me crucifieraient sur place.

Le paysage s'était modifié brutalement. Les champs disparaissaient pour laisser place à des friches industrielles. Des rangées de pavillons de briques se multipliaient de chaque côté de la route. Ils arrivaient dans les faubourgs de Croydon, Londres n'était plus qu'à une demi-heure.

— Vous m'intriguez, qui est ce charmant monsieur ?

Malorley obliqua sur la droite pour rejoindre une nationale encombrée de camions.

— Vous le découvrirez en m'accompagnant à mon bureau, j'ai une réunion de service avec la direction du SOE. Pendant ce temps, vous lirez son dossier et nous lui rendrons visite demain dans sa résidence londonienne. Il est très sensible au charme féminin.

— Merci de me réduire au rôle de potiche... Et moi, serai-je excitée par sa présence virile ?

— Vous êtes d'origine noble, ce n'est pas une remarque digne d'une lady.

— Ça tombe bien, je n'en suis pas. Grâce à votre école de tueurs patentés au service de Sa Majesté. Et donc ?

— Notre homme a eu beaucoup de succès auprès des femmes dans toute sa carrière, pourtant il est d'une laideur remarquable.

— Je suppose qu'il a d'autres qualités.

— Oui, des tas… Il est pervers, égoïste, obsédé sexuel, mégalomane, déviant, menteur, manipulateur, sadique, immoral et probablement meurtrier.

— Ça existe chez un seul homme ? C'est l'Antéchrist que vous me décrivez.

Il se tourna vers elle, son visage soudain froid comme la glace.

— Tout juste. Il veut d'ailleurs qu'on l'appelle comme ça.

7

Crète
Novembre 1941

Reclus dans sa bibliothèque, Karl Häsner attendait fébrilement l'arrivée d'Erika et de Tristan. Que Himmler ait choisi d'envoyer directement la directrice de l'Ahnenerbe, ici à Cnossos, était un signe fort, mais il ne savait pas comment l'interpréter. Il s'était posté face à l'une des fenêtres et fixait la route qui montait d'Héraklion. Depuis la découverte des trois corps mutilés, il s'était terré chez lui, tremblant de panique à chaque coup de feu. Les sentinelles avaient la détente rapide et tiraient à la moindre alerte. Sans compter le peloton d'exécution...

Les images des corps du pope et du maire, déchiquetés de balles et exposés à l'entrée du village, ne cessaient de le hanter. Il avait tout fait pour s'opposer à cet acte de représailles, mais les autorités militaires n'avaient pas cédé. Encore plus que de punir le village, il fallait montrer aux hommes que le meurtre sauvage de leurs camarades ne demeurait pas impuni. Le seul moyen de maintenir la discipline, avait martelé le capitaine, sinon… Depuis, Karl vivait porte close et fenêtres barricadées comme s'il était assiégé par des forces invisibles. Il ne sortait que lorsqu'une escorte militaire venait le chercher pour le conduire à l'église où s'étaient réfugiés les autres archéologues. Désormais, il n'était plus question de reprendre les fouilles de peur d'une attaque des partisans. À chacune de ses sorties, Karl ne pouvait que constater combien la paranoïa gagnait du terrain chez ses collègues. Certains refusaient même de se nourrir de peur d'être empoisonné. C'est en rentrant d'une de ces visites accablantes qu'il apprit qu'un soldat était de nouveau porté disparu. Si c'est son cadavre que l'on retrouvait, les représailles seraient féroces. La folie meurtrière était en marche et allait tout emporter. Karl joignit ses mains. Jeune, il accompagnait ses parents à l'église. À l'époque, il savait prier, mais aujourd'hui, quel dieu pouvait encore l'entendre alors que le Mal avait pris possession du monde ?

La voiture s'arrêta sur la place du village. Tristan descendit le premier pour ouvrir la portière à Erika. Les militaires, postés aux fenêtres, surveillaient les accès. Juste avant d'atteindre les maisons, Tristan avait aperçu deux cadavres, placés bien en évidence. L'un devait être celui d'un prêtre vu les bouts de soutane, il ne restait pas assez de l'autre pour pouvoir l'identifier. Otto, le chauffeur, les avait aussi aperçus, mais il était resté muet. Le corps en lambeaux pendu au chêne avait épuisé ses capacités d'écœurement.

— Karl Häsner, je suis le responsable des fouilles.

Tristan le salua d'un signe de tête tandis qu'Erika ne réagissait pas, surprise par l'état de délabrement du personnage qui les accueillait. Les cheveux en tignasse, le visage dévoré de barbe, les yeux rougis par le manque de sommeil, c'était une carcasse sur le point de s'effondrer qui se tenait devant eux.

— Il n'y a pas d'officier présent ? interrogea Marcas, surpris.

Karl se racla la gorge.

— Le capitaine n'est plus en état d'assurer son commandement. La fièvre…

Il fit un geste d'impuissance de la main comme s'il avait tout dit.

— Et qui assure ses fonctions ?

— Vous avez dû passer un barrage, l'officier, le lieutenant Horst, dès son retour, il prendra le commandement.

Karl montra une maison à l'angle de la place.

— J'habite là. Venez avec moi et je tenterai de vous expliquer.

Ils montèrent directement à la bibliothèque. Otto, lui, était resté quelques instants près de la porte d'entrée pour en surveiller l'accès. Pendant qu'Erika examinait les artefacts posés sur la grande table, Tristan s'était installé près de la cheminée qui avait été condamnée par des planches hâtivement clouées.

— Je doute que quelqu'un puisse s'introduire par le conduit. Il est trop étroit.

— Un homme, non, répliqua Karl en s'emparant d'une bouteille d'ouzo largement entamée, mais nous ne nous battons plus contre des hommes.

— Si vous m'expliquiez, dit Marcas d'une voix calme.

L'archéologue saisit deux verres qu'il remplit à ras bord. Il jeta un œil hésitant vers Erika, mais elle était complètement absorbée dans sa contemplation.

— Nous fouillons Cnossos, depuis l'été, protégés par une compagnie SS, spécialement détachée d'Héraklion. Ils sécurisent l'accès au site et surveillent nos installations. Ils sont stricts, mais nous nous sommes habitués.

— Ils gèrent aussi la population ?

— Au début, nous avions obtenu que les militaires ne soient pas en contact direct avec les villageois. C'est nous qui négocions avec eux les rapports du quotidien.

— Et, avant les exactions, ça se passait comment ?

— Les gens d'ici ont l'habitude des étrangers. Les fouilles durent depuis le début du siècle. Pour les habitants, c'est une véritable manne tombée du ciel dans ce pays qui crève la faim. Certains travaillent sur le chantier où ils nous sont très utiles, d'autres fournissent les vivres, les femmes s'occupent des maisons. La relation est plutôt bonne. Jusqu'il y a une semaine.

Erika s'était rapprochée. Elle tenait dans les mains

l'artefact à la swastika. Himmler aurait donné une fortune pour avoir pareil objet dans ses collections privées. Étonnant que ce Karl ne l'ait pas envoyé immédiatement à Berlin… Elle fourmillait de questions, mais n'interrompit pas la conversation. Tristan fit signe à l'archéologue de continuer.

— Les soldats sont cantonnés dans plusieurs maisons aux différentes entrées du village. Ils les ont sécurisées de manière à pouvoir résister à une attaque. Les fenêtres du rez-de-chaussée ont été murées, celles de l'étage rétrécies à la taille d'une meurtrière. Quant aux terrasses, elles ont été crénelées.

— Il y a d'autres éléments de défense ?

— Les portes ont été précédées de chicanes pour éviter des actions suicides. Comme les lignes téléphoniques de campagne sont régulièrement sabotées, un système de signal optique a été installé sur chaque terrasse. En cas de problème, chaque garnison fortifiée peut immédiatement alerter les autres.

— Rien n'a été laissé au hasard, commenta Marcas. Mais je suppose que cela n'a pas suffi ?

— Lundi dernier, le capitaine en charge de la sécurité du site a décidé d'une opération de protection surprise du site archéologique. Un exercice. Les hommes ont investi la zone des fouilles et puis ont débuté une opération de nettoyage comme s'ils cherchaient des partisans. Pendant ce temps, chaque maison fortifiée était gardée par une simple escouade de trois hommes.

— Et l'une d'elles a été attaquée, c'est ça ?

Karl se resservit une rasade d'alcool. Il aperçut l'artefact qu'Erika tenait dans la main, mais ne fit aucun commentaire.

— Nous avons retrouvé trois gardes morts, oui.

— Dans quel état étaient les corps ?

— Décapités.

Erika faisait tourner l'artefact entre ses mains. De l'index, elle suivit les lignes croisées de la swastika. Qui l'avait gravée ? Un orfèvre crétois, ou l'objet venait-il de plus loin ? Un pillage, un échange ? Au sud, au nord ? Tant qu'on n'aurait pas analysé la densité en or pur pour en déterminer l'origine, on n'en saurait pas plus. Plutôt que de se poser des questions sans réponse, Erika intervint dans la conversation. À sa manière.

— Les cadavres ont-ils été autopsiés ? Les murs éclaboussés de sang analysés ? L'arme des meurtres retrouvée ?

Karl secoua la tête.

— Les murs étaient intacts. Même pas une tache.

— C'est impossible, une décollation à la hache ou au sabre provoque des jets de sang successifs et à la direction incontrôlée, réagit Marcas.

Erika regarda Tristan étrangement. La précision avec laquelle il venait de décrire une décapitation l'étonnait. Ce n'était pas la première fois qu'elle était surprise de certains de ses propos. Elle avait subitement l'impression de voir une lumière inconnue derrière une fente.

— Ni hache ni sabre, prononça l'archéologue

d'une voix pâteuse, ils ont été étranglés. Les agresseurs ont utilisé du fil de fer. Avec la seule force des mains, on tranche la gorge sans problème, mais ensuite quand on atteint la colonne vertébrale, alors là il faut scier…

Karl fit un geste de va-et-vient avec les mains.

— Et souvent la victime n'est pas complètement morte. Elle se débat, en revanche, il n'y a plus de cri. À la fin, elle s'étouffe dans son propre sang.

— Vous avez révélé aux soldats comment avaient été assassinés leurs camarades ?

L'archéologue ricana.

— Vous plaisantez ? Mais le médecin qui a procédé à l'autopsie s'est fait aider par des infirmiers. Ce sont eux qui ont vendu la mèche. À partir de là…

Tristan imaginait facilement la suite. Les plus folles rumeurs engendraient les pires peurs.

— Et depuis ? demanda Erika.

— On a retrouvé trois autres corps, hier. Une patrouille près d'un puits. Cette fois, les soldats ont été tués à coups de couteau. Apparemment par-derrière.

— Au moins, il n'y a pas eu de mutilation.

— Vous avez raison : ils se sont juste contentés d'arracher le foie à chaque cadavre.

Les yeux de Karl devenaient de plus en plus vacillants comme s'il avait peur de fixer des fantômes. Tristan n'enviait pas ses nuits peuplées de cauchemars qu'un nouveau jour risquait de rendre pires.

— Et depuis ce matin, un homme manque à l'appel, ajouta l'archéologue.

Erika l'affranchit aussitôt.

— Nous l'avons retrouvé. Pendu à un arbre. Après, dire si c'est la tête ou le foie qui lui manquent… C'est difficile… Vu le nombre d'oiseaux de charogne auxquels il sert encore de repas.

Karl jeta un regard effaré à Erika. Elle n'avait donc pas de compassion ?

— Donc si je résume, trois têtes en moins, trois foies enlevés et un cadavre suspendu. Et personne ne sait rien ?

— Les militaires affirment que ce sont les partisans, qu'ils mutilent les corps pour nous effrayer.

— Et que dit la population, si elle parle encore, vu que vous venez de fusiller son maire et son pope ?

— Elle dit que c'est l'*Abba*.

Erika et Tristan se penchèrent d'un même mouvement vers l'archéologue comme s'ils avaient mal entendu.

— L'*Abba* ?

La voix d'Otto retentit au rez-de-chaussée.

— Le lieutenant Horst demande que vous vous rendiez immédiatement sur le chantier de fouilles.

Karl leva son verre vide comme pour porter un toast au destin invisible.

— Vous allez vite comprendre.

Londres
Service des Opérations extérieures
Novembre 1941

Laure était assise dans un petit bureau gris et impersonnel : une armoire à rideaux métallique, une table nue, une chaise mal rembourrée et un tableau criard représentant une scène de chasse à courre. L'administration anglaise dans toute sa splendeur.

La nouvelle secrétaire de Malorley frappa à la porte et entra sans attendre de réponse. Elle déposa sur la table un carton gris fermé par une ficelle verte et scruta Laure d'un air suspicieux.

— Voici le dossier que le commander m'a demandé de vous remettre. Il m'a dit aussi qu'il vous donnait rendez-vous demain devant le British Museum à dix-huit heures trente. Ne traînez pas trop. Vous le connaissez, il est l'incarnation même de la ponctualité.

— Merci, mademoiselle Banbridge, je vous le

remets sur votre bureau en partant, répondit Laure avec son plus beau sourire.

Elle inspecta le dossier. Une étiquette blanche était collée sur la couverture de la boîte avec un nom écrit à l'encre rouge : *Edward Alexander « Aleister » Crowley.*

— Ce sont des documents classés secret-défense, grommela la vieille fille. Je me demande bien pourquoi le commander vous a autorisée à le consulter. Surtout celui-là, il n'est pas convenable pour une jeune fille bien élevée. Il est rempli d'insanités. Vous serez horrifiée.

— Ne vous en faites pas, en France nous sommes assez ouverts sur la question.

La vénérable secrétaire lui jeta un regard outré comme si la jeune femme entamait un strip-tease, puis tourna les talons et referma la porte derrière elle. Elle n'aimait ni les Français ni les Allemands, et se pinçait le nez quand on évoquait devant elle d'autres nationalités européennes. Seuls les sujets de Sa Gracieuse Majesté méritaient sa considération, et encore, seulement ceux nés en Angleterre. Elle méprisait copieusement les Irlandais et les Écossais, peuplades ignares à peine dignes d'appartenir au Royaume-Uni.

— Vieille sorcière, marmonna Laure en desserrant la ficelle de la boîte, voyons voir le dossier du malfaisant ami de Malorley.

Elle posa le couvercle sur le côté et inspecta le contenu de la boîte. Elle contenait un long rapport dactylographié à en-tête du MI5[1], le service de renseignement intérieur britannique, des extraits de journaux anglais et étrangers et une enveloppe ouverte d'où dépassaient des photos. Elle retira la plus grande.

Laure ne put s'empêcher de sourire en contemplant le tirage qu'elle avait sous les yeux. Un homme d'âge mûr regardait fixement l'objectif l'air halluciné, les coudes collés à une table, les poings plaqués contre les joues. Ses traits étaient grossiers, le nez fort, les sourcils arqués et la bouche volontaire. Mais le plus insolite était le chapeau posé sur sa tête. Une sorte de gros sac de toile de forme triangulaire floqué d'un delta lumineux[2]. Le bord du chapeau retombait sur ses poings pour former comme un chapiteau. À sa gauche, sur la table, un livre relié tenait en équilibre sur la tranche avec une inscription gravée : *Perdurabo*.

Laure se renversa sur le dossier de son siège.

— Je ne sais pas de quel cirque tu sors, mon cher Edward Alexander « Aleister » Crowley, mais j'espère que tu ne te balades pas dans la rue dans cet accoutrement, tu auras droit à l'asile direct.

Contrairement à ce qu'elle avait cru il lui fallut plus d'une heure pour parcourir tout le dossier.

---

1. MI5 : Service secret de renseignement intérieur britannique. Le MI6 est chargé du renseignement extérieur.
2. Triangle avec un œil à l'intérieur. Représentation symbolique de Dieu dans les églises ou du Grand Architecte de l'Univers chez les francs-maçons.

Elle n'en revenait pas.

Élevé par des parents adeptes d'une secte de protestants bigots, le jeune Edward s'était plongé par réaction dans toutes les déviances possibles et imaginables. Fasciné par l'ésotérisme, Aleister – un prénom auto-attribué – avait entamé son parcours singulier dans le monde de l'occultisme. Initié dans les plus grandes sociétés secrètes d'Angleterre et d'Europe, Golden Dawn, Théosophie, franc-maçonnerie, ordres multiples de templiers, il avait ensuite fondé son propre culte. Un culte en rupture avec les traditions initiatiques conventionnelles, fondées sur un mélange de magie et de sexe. Le cocktail avait fait fureur dans la haute société. Crowley s'était même illustré en ouvrant un bordel sadomaso en plein centre de Londres, où il mettait en pratique ses théories les plus sulfureuses.

Laure s'était attardée sur une série de dessins érotiques du mage assortis de textes explicites et comprit vite la réaction outrée de la vieille secrétaire.

Quand la presse britannique finit par révéler ses exploits, le mage décampa en Inde, puis en Égypte. Tour à tour écrivain, explorateur, journaliste, alpiniste, médium, gourou, il avait attiré l'attention des services secrets pendant la Première Guerre mondiale. Suspecté d'être un agent à la solde des Allemands, l'aventurier avait été incarcéré, puis relâché sans explication.

Au fil des pages, Laure eut la sensation de lire un

roman tant les frasques se multipliaient aux quatre coins du monde. On le retrouvait à Paris en 1923, arrêté par la sûreté parisienne dans un appartement de Montmartre, gorgé d'opium, prostré à côté du cadavre de son amant du moment. L'homme pratiquait les deux sexes avec un appétit vorace. Il se rendit ensuite régulièrement en Allemagne et en Italie ; là il fonda en Sicile, à Cefalù, l'abbaye de Thélème, où il se livrait à tous ses vices en compagnie d'un groupe d'adeptes, hommes et femmes. À la mort d'un de ses fidèles, le gouvernement de Mussolini l'expulsa sans ménagement. On retrouvait sa trace en Angleterre, puis à nouveau en Allemagne dans les années 1930, en pleine montée du nazisme.

Les photos prises à différents moments de son existence dévoilaient la déchéance physique du personnage. La tête de chérubin qu'il affichait pendant sa jeunesse se muait en masque de dépravé au fil des décennies.

Laure en avait assez lu, il émanait quelque chose de fascinant et de répugnant chez ce personnage. Un sentiment partagé par l'officier du MI5 qui l'avait surveillé durant des années. Elle referma le carton et l'entoura à nouveau de son cordon. Une phrase prononcée par Crowley et reproduite dans un journal avait retenu son attention. Elle avait été cerclée de rouge par l'agent de renseignement. « Avant qu'Hitler ne soit, je fus. »

Une maxime qui pouvait s'interpréter de plusieurs façons, mais qui conduisait à la même conclusion :

son auteur était dérangé. Elle ne voyait vraiment pas ce que Malorley pouvait en tirer pour son service.

Laure consulta sa montre. Presque sept heures, il était temps de rentrer chez elle. L'épisode tragique de Southampton l'avait vidée de son énergie. Le regard bleu et désespéré de la pauvre inconnue restait gravé dans son esprit. Ainsi que son odeur. Une odeur répugnante de chair brûlée. Laure ne désirait qu'une chose, prendre une douche et se purifier de cet arôme qui s'était insinué dans ses narines. Mais il n'y avait pas que ça qui la révulsait. Pour la première fois de sa vie, elle avait assisté à un meurtre de sang-froid. Son cerveau comprenait le geste de Malorley, mais pas son cœur. Jamais elle ne pourrait tirer sur un innocent. En revanche, sur ces salopards de nazis et leurs collaborateurs oui, mille fois oui. Et elle brûlait de se mettre à la tâche. Mais elle ne voulait pas devenir un monstre froid.

Laure frissonna et se leva. Elle prit son manteau et passa au secrétariat pour rendre le carton à la gardienne du temple. Quand elle arriva dans la pièce, elle était vide. D'un bureau à l'autre bout du couloir, on entendait des rires, des éclats de voix et la musique radiodiffusée d'un orchestre de jazz. Il devait y avoir un pot comme parfois en fin de journée. Une façon pour les employés du SOE d'apporter un peu de baume à leur existence. Une façon d'oublier des journées de travail à planifier des opérations commando qui envoyaient des hommes et des femmes à une mort probable.

Laure n'avait aucune envie de les rejoindre. Elle entra dans la pièce et posa le dossier sur une console. Mais au moment de tourner les talons elle vit que l'armoire d'archives était ouverte. Avec les dossiers des agents du service France.

Tristan...

Et si...

D'un coup, la curiosité la saisit.

Malorley l'avait percée à jour. Oui, elle était troublée par cet homme mystérieux qui avait surgi dans sa vie par un jour de grand vent. Lors de leur première rencontre au château familial d'Estillac, elle l'avait détesté. Ne s'était-il pas présenté comme un collaborateur de ces maudits Allemands ? Et puis elle avait appris son double jeu. Ainsi il faisait partie lui aussi des légions célestes face à l'armée de démons. C'était l'expression employée par Malorley. Mais Tristan était un archange d'un genre particulier. Ses ailes étaient noires, son front cornu. Un archange déguisé en démon. Pour mieux combattre le Mal.

D'où tirait-il un tel courage pour continuer à opérer dans la forteresse du mal ? Et prendre le risque d'être démasqué à chaque instant et de subir les pires tourments ? Au centre, on lui avait lu les rapports sur les atrocités dont étaient capables les tortionnaires de la Gestapo. Des sévices abominables.

Tristan...

À portée de dossier...

Laure s'approcha de l'armoire et la contempla avec avidité. Comme un affamé devant un festin. Elle devait en avoir le cœur net. Malorley ne voulait rien lui dire ? Eh bien elle se passerait de son accord.

Que risquait-elle à consulter son dossier au regard des risques pris par l'agent double ? Au pire elle se ferait éjecter du SOE. Et puis, n'était-elle pas devenue une espionne ? C'était le moment ou jamais.

Laure s'approcha de l'armoire et parcourut les étiquettes des classeurs suspendus. Elle s'arrêta à la lettre M. Il y avait une dizaine de dossiers d'agents, chacun était archivé dans une chemise grise ou verte, avec une photo d'identité collée en haut de la couverture. Elle parcourut rapidement les dossiers et stoppa sur l'avant-dernier. C'était bien lui. Le même visage, mais avec quelques années de moins. Le regard doux et profond, un léger sourire qui flottait sur ses lèvres, une expression presque insolente.

Elle tourna la tête vers la porte, aucun bruit. Si elle se faisait surprendre, c'en était fini de sa carrière. Son cœur accéléra. On l'avait pourtant prévenue pendant l'entraînement au centre.

Il y a deux dangers à surmonter quand on cambriole un bureau, le premier vient de l'extérieur et il est bien réel, le second naît dans votre cerveau et il a un nom : la peur. Ce danger, fruit de votre imagination, est bien plus pernicieux que le premier. Vous reconnaîtrez les symptômes, votre cœur va accélérer sans raison. Pensez à calmer votre respiration et après… Faites confiance à votre chance.

Elle inspira posément, puis sortit le dossier et le posa sur la table. Elle repassa une tête dans le couloir, toujours désert, et revint au bureau. D'une main fébrile, elle ouvrit la chemise.

Ses yeux s'écarquillèrent, il n'y avait rien du tout à l'intérieur. Seulement une feuille blanche et un nom :

« JOHN DEE »

9

Crète
Novembre 1941

Le chantier n'était éloigné que de quelques centaines de mètres du village. Un léger vent faisait bruisser le feuillage des oliviers auquel répondait le crissement incessant des cigales pourtant terrassées de soleil. En à peine quelques pas, les éléments réunis de la terre, de l'air et du feu avaient une action fulgurante, purifiant les terreurs du village et les miasmes de la mort. C'est du moins ce que ressentait Tristan dont la fatigue mêlée d'angoisse s'évaporait au fur et à mesure qu'il montait la route pavée menant aux premières ruines. Déjà les murs surmontés de colonnes surgissaient dans l'air saturé de chaleur.

— Il n'y a pas de soldats ? s'étonna Erika.

— Le périmètre de sécurité doit englober le village et le site. Les points de contrôle et les patrouilles sont donc plus loin.

— Pour un spécialiste d'art, je trouve que tu as des connaissances militaires assez surprenantes.

— J'observe et je déduis, se justifia Marcas.

— Tu sembles aussi t'y connaître en égorgement. Ta remarque, tout à l'heure, sur les jets de sang, saccadés et irrépressibles, ça sonnait très juste.

Tristan répliqua en souriant :

— J'ai l'impression que tu m'observes en archéologue. À l'affût du moindre détail imprévu. Au fait, c'est quoi l'*Abba* ?

— Une sorte de croquemitaine, je pense. Un de ces êtres de la nuit qui hantent les mémoires et les légendes. Mi-imaginaire, mi-vérité.

Erika montra une colonne dont les interstices débordaient de ciment séché. Une véritable lèpre grise.

— Visiblement les maçons crétois d'aujourd'hui ne sont pas aussi doués que leurs ancêtres, commenta Tristan.

— Le site a été révélé à la fin du XIXᵉ siècle. À l'époque, la recherche était balbutiante et les fouilles n'avaient rien de scientifique. Ce qu'on voulait, c'était trouver. Vite. Alors on n'hésitait pas à détruire un vestige pour voir si on n'en découvrirait pas un plus prometteur dessous, quitte à le reconstruire ensuite.

Ils s'étaient arrêtés sous un chêne afin de dénicher un peu d'ombre. La chaleur devenait harassante. Tristan tendit une gourde à sa compagne. Devant eux s'étendait un immense champ de ruines qui semblait sans fin. Si Erika regardait ces vestiges en spécialiste, Tristan, lui, avait la sensation de découvrir un monde vierge. Là où durant des décennies avait résonné le bruit des pelles régnait désormais le silence. Là où des hommes n'avaient cessé de rêver régnait désormais la solitude.

— Comment le site a-t-il été découvert ?

— L'histoire habituelle, expliqua Erika en reposant la gourde. Des paysans qui labourent des terres incultes et butent sur des restes de murs dès les premiers sillons. Ils en parlent au village, au maire, au pope qui en parle à un autre prêtre. Et un beau matin de 1877, débarque à Cnossos un certain Andreas Kalokairinos. C'est le fils du propriétaire de ces terres qui n'ont jamais donné que de la poussière.

— C'est un archéologue ?

— Non, un marchand de savon. Ce qui, à l'époque, n'a rien d'étonnant. Je te rappelle qu'Heinrich Schliemann, qui a découvert la ville de Troie, était épicier.

Tristan connaissait l'histoire de ce commerçant allemand, fou d'Homère, qui avait consacré toute sa vie et fortune à prouver que la cité qui avait vu mourir Achille avait bien existé. Et qui avait gagné.

— Alors pourquoi ton vendeur de savon n'est-il pas aussi connu que Schliemann ?

— Parce que lui aussi a eu des difficultés pendant les fouilles et que…

Erika s'interrompit. Sur leur gauche venait de surgir le lieutenant Horst. Il avait meilleur visage que sur le barrage, même si une ride profonde barrait son front comme une interrogation perpétuelle.

Après avoir salué, il se retourna vers le village dont on apercevait, plus bas, les volets clos et les terrasses désertes.

— *Ils* ne veulent pas qu'on fouille. *Ils* ont peur.

— Peur de l'*Abba* ? demanda ironiquement Erika.

Le lieutenant s'assit sur un muret, cherchant la protection du feuillage dru d'un olivier. Le ciel étincelait sans pitié.

— Avant, mes hommes craignaient la chaleur plus que tout, maintenant, c'est de l'ombre qu'ils ont peur. Comme les gens d'ici qui sont terrifiés à l'idée qu'on réveille cette ombre de l'*Abba*.

Erika tordit une de ses mèches blondes, signe que son humeur se gâtait.

— Nous avons donc un village en état de siège, des meurtres en grappe, des soldats épouvantés et des archéologues terrorisés à cause d'une rumeur de fantôme ?

Le lieutenant fit comme s'il n'avait pas entendu. Le ton sur lequel Erika l'avait apostrophé sur le barrage lui était resté en travers de la gorge. Il n'aimait pas qu'un civil lui parle de cette manière. Et encore moins une femme. Il décida de l'ignorer et se tourna vers Marcas.

— Les soldats assassinés ne l'ont pas été par des partisans. Nous savons qu'ils opèrent beaucoup plus loin dans la montagne. Ils ne descendront jamais jusqu'ici. Trop dangereux.

— Ce qui veut dire que ce sont les villageois qui ont commis ces meurtres, avança Tristan. Mais pourquoi risquer des représailles sanglantes plutôt que de laisser des fouilles continuer ?

Horst se retourna en sursautant, mais, derrière lui, seule la pinède qui descendait jusqu'au village bruissait sous le vent monté de la mer.

— Vous avez vu un fantôme, lieutenant ? demanda Erika.

L'officier faillit répliquer, mais renonça. Même si cette archéologue le traitait avec dédain, il devait impérativement se maîtriser : s'attaquer à une des valkyries d'Himmler, c'était mettre sa vie en jeu. Mieux valait tenter de s'entendre. Il esquissa un sourire poli et reprit :

— Lors de la première attaque, quand trois de nos hommes ont été décapités, nous avons ratissé tout le village maison par maison dont celle de Kalokairinos. Sa famille l'avait transformée en musée local. Dans les archives, que personne n'avait classées, nous avons retrouvé son carnet de fouilles.

L'archéologue lui fit signe de poursuivre.

— Quand le Grec a commencé ses recherches, il a d'abord découvert des pièces de stockage. Mais, ce dont il rêvait, c'était de trouver quelque chose qui le rendrait célèbre, alors il s'est rapidement lassé de fouiller des placards à conserves !

Tristan sentait le dénouement arriver et, à la différence d'Erika dont l'impatience était manifeste, il adorait jouir de ce moment d'attente juste avant une révélation.

— Kalokairinos avait remarqué que, lorsque les

villageois employés aux fouilles faisaient des sondages, ils évitaient systématiquement une zone : celle de la chapelle.

— Il n'y a pas de chapelle sur le site, affirma Erika, aucune carte ne la mentionne.

— Au siècle dernier, il en existait une, dédiée à saint Georges. Et c'est là que Kalokairinos a décidé de concentrer ses fouilles.

Le lieutenant se dirigea vers l'entrée de la zone archéologique. Un dédale de murets de hauteur inégale menait jusqu'aux vestiges du palais dont les colonnes dressées vers le ciel tenaient tête aux plus hauts cyprès. Horst contourna l'allée principale destinée aux visiteurs et s'enfonça dans un secteur où la végétation avait repris ses droits. Des taillis odorants masquaient les vestiges et des chênes verts enfonçaient leurs racines entre les pierres éboulées.

— Dans ses carnets, Kalokairinos a laissé plusieurs plans du site dont un avec la position de la chapelle. Je l'ai comparé avec les relevés actuels et…

Il montra du doigt une masse de pierre grise d'où dégoulinait, figée comme une coulée de lave, un essaim de tuiles brisées.

— Voilà ce qu'il en reste.

Tristan s'avança comme s'il voulait voir les traces des sondages.

— Pas la peine de chercher, le temps a tout nivelé.

Erika intervint :

— Le temps… Et les hommes. Surtout si Kalokairinos a trouvé quelque chose.

Horst sortit un carnet de cuir de sa poche d'uniforme, l'ouvrit sur une page dessinée à l'encre brune et le tendit à l'archéologue.

— Ils l'ont repérée à l'arrière de la chapelle. À un peu plus de deux mètres de profondeur.

— Ce n'est pas possible…

Tristan saisit le carnet. Le dessin était très sobre. Quelques coups de plume à peine. Il n'en fallait pas plus pour dessiner une porte. Une porte murée. Erika se rapprocha.

— Regarde la forme de l'ogive, des pierres d'angle… C'est bien une porte médiévale. Qu'est-ce qu'elle fait sous un site antique ?

Incrédule, Marcas fixait le dessin. Le lieutenant reprit :

— Sauf que, dès le lendemain de la découverte, tout le village se précipitait devant les autorités turques, accusant Kalokairinos de réveiller les démons sous les ruines. Les Turcs, craignant des débordements, ont immédiatement interdit les fouilles et fait remblayer l'accès à la porte.

Tristan tourna les pages suivantes du carnet : il n'y avait plus que quelques notes éparses. La brève carrière d'archéologue de Kalokairinos s'arrêtait là.

— C'est pour ça que vous nous avez convoqués sur le site, pour nous montrer le carnet et la chapelle ?

— Vous en avez parlé à Karl Häsner, reprit Erika, c'est lui le responsable des fouilles ?

— Aujourd'hui, c'est vous. Quant à Häsner, il ne vit plus tout à fait dans le même monde que nous. Il est convaincu que des forces invisibles sont à l'œuvre à Cnossos. Il est devenu incapable de prendre les bonnes décisions.

— Et pour vous, la *bonne décision*, c'est laquelle ?

Le lieutenant se dirigea vers les ruines de la chapelle, puis les dépassa de quelques pas. Il frappa le sol d'un coup de pied qui résonna sur les pierres.

— Il faut ouvrir la porte.

10

Londres
Hellfire Club
Novembre 1941

Des corps souples gainés dans de rigides corsets noirs. Des bottes et des gants taillés dans un cuir rouge. Des lèvres écarlates et des paupières anthracite sombre. Les parures des deux amazones qui officiaient dans le salon tendu de velours écarlate s'accordaient aux teintes fétiches du Hellfire Club. Le rouge et le noir. Sang et ténèbres.

Il existait bien d'autres maisons closes dans la capitale, mais le Hellfire était la seule à offrir à ses clients une égale promesse de plaisir et de douleur. Autre particularité, l'établissement accueillait de temps à autre des clientes qui s'épanouissaient dans la domination.

La brune, au visage aussi ouvert que celui d'un horseguard, tenait en laisse trois hommes nus et encagoulés. Elle contemplait son reflet dans un grand miroir au cadre pourpre. Sa voix sèche fusa :

— Assis, chiens !

Ils s'exécutèrent sans discuter et tendirent les mains.

À l'autre bout de la pièce la blonde assise sur un fauteuil de velours écrasait son talon sur le torse d'un barbu couché sur la pierre, jambes et mains attachées à des anneaux de fer.

— Répète ce que je t'ai appris, petite grenouille française, siffla la femme.

— Je suis un être arriéré.

— Quelle évidence... Tu n'as pas terminé la phrase.

Elle exerça une pression supplémentaire avec son talon à la pointe cerclée d'un anneau de métal. Le barbu poussa un gémissement et glapit.

— Non... C'était pas prévu.

Elle appuya de plus belle. Un cri de douleur jaillit à la seconde.

— D'accord ! Quand je rentrerai dans mon pays je...

— Je quoi, larve ?

— Arghhh... Je donnerai le droit de vote aux femmes. Comme en Angleterre.

La blonde paraissait satisfaite.

— Bon garçon, mais ta réponse manque de sincérité. Tu ne seras pas puni.

— Non ! J'y ai droit.

Derrière le miroir sans tain, dans une pièce attenante, un être à l'allure singulière se délectait du spectacle offert. Le crâne pâle et lisse, le visage

comme celui d'un poupon qui aurait vieilli préma-
turément, les yeux bleus et vifs enchâssés dans des
paupières flétries, la silhouette imposante empaquetée dans une robe de soie noire, le voyeur se fendait
d'un sourire acide.

— Les Françaises ne peuvent pas élire leurs
responsables politiques… Quel étrange pays. Ils
coupent la tête de leur roi et continuent à traiter les
femmes en citoyens de seconde zone. Qui est-ce, ma
petite Moira ?

Une femme grande et rousse se tenait à ses côtés.
Elle était d'une beauté singulière, sa chevelure
épaisse et soigneusement ondulée adoucissait le
triangle de son visage. Sa peau pâle faisait ressortir
des yeux et des lèvres aussi sombres qu'un bloc de
charbon. Moira O'Connor, directrice du Hellfire,
arborait les couleurs de son club jusque dans son
apparence.

— Un ancien ambassadeur français, qui a rejoint
Londres après la débâcle, répondit-elle, je me
dévouerais bien pour lui administrer une correction
si ça pouvait faire avancer la cause du féminisme.

— Et les chiens ?

— Aleister… Tu sais très bien que nous n'avons
que des meutes d'élites. Un député Tory, un évêque
anglican et, pour le dernier, je mettrais ma main au
feu qu'il s'agit d'un membre éminent de la maison
du roi. Quant aux deux furies, elles sont…

— Inutile, je les connais. La blonde est la femme
d'un ministre en exercice et la brune dirige l'une des

plus grandes chorales féminines de la ville. Pas de chance pour le Français, c'est une suffragette[1] de la première heure.

La rousse alluma la lumière et posa une liasse de papiers sur un bureau.

— Et si nous réglions nos affaires ?

Crowley leva la main pour la faire patienter. Il n'arrivait pas à détacher son regard de la scène derrière le miroir. La brune s'était mise à fouetter avec entrain ses animaux de compagnie qui jappaient bruyamment.

— Quel vertueux retour de bâton, murmura-t-il d'une voix traînante. Dire que le premier Hellfire du XVIIIe siècle ne pratiquait que la domination masculine. Songe à toutes ces pauvres servantes martyrisées par les bons bourgeois hypocrites de l'époque, elles seraient fières de voir l'évolution du club. Évolution que j'ai imposée quand j'ai repris l'affaire il y a vingt ans. Je te le dis, Moira, je suis le plus grand féministe du royaume.

— Tu me l'as raconté mille fois, soupira la rousse, on dirait presque que tu ne veux plus vendre tes parts.

— Oh non. J'ai trop besoin d'argent. Et puis je t'ai bien formée, ma salope de fée. Tu gères divinement ce bordel.

---

1. Manifestantes qui réclamaient le droit de vote pour les femmes, droit interdit avant 1918.

— Je préfère Fée écarlate. N'est-ce pas le surnom que tu m'as trouvé ?

— En effet… Bon sang, ce spectacle échauffe mes sens.

La femme aux cheveux rouges repoussa les tentures qui pendaient le long de la vitre.

— Mon gros chaton, tu pourras satisfaire tous tes vices. Une fois les papiers signés.

— Avant tu me parlais différemment… Ai-je vieilli à ce point ?

Elle le regarda avec un mélange de compassion et d'ironie.

— Allons, Crowley… Tu m'as « initiée » il y a vingt ans et tu étais déjà dans la force de l'âge. Tout grand mage que tu es, tu restes un être humain.

— Tes paroles sont des lames chauffées à blanc, tu me provoques en duel : je vais te prouver que ma vigueur est intacte.

Il se plaqua contre elle et tenta de coller ses lèvres contre les siennes. D'un mouvement rapide, Moira O'Connor fit jaillir un poignard miniature de son corset et le colla contre la gorge de son agresseur. Elle inclina la tête comme un félin qui observe sa proie avant de la dévorer.

— Touche-moi encore une fois et je te tranche le cou de part en part. Tu pourras t'astiquer quand nous aurons terminé notre transaction. Signe ou dégage !

Une goutte de sang perla sur la peau de Crowley. Il battit en retraite piteusement et s'épongea le front avec un mouchoir de soie bleue.

— J'avais oublié que tu portais toujours ton poignard de sorcière avec toi. D'accord… Finissons-en.

Il prit la plume, parapha nerveusement chaque page, puis apposa sa signature sur la dernière.

Ils quittèrent la pièce alors que les claquements et les gémissements de douleur dans le salon montaient en puissance. Après avoir longé un couloir sombre et étroit, ils pénétrèrent dans un bar qui ressemblait à celui d'un hôtel de luxe. Des lampes art déco placées aux angles de la pièce diffusaient une douce lumière sur la vingtaine d'hommes et femmes, dévêtus ou non, qui riaient et buvaient, assis autour de tables basses. Une barmaid en guêpière rouge proposait des cocktails pendant que deux marquises poudrées, entièrement nues excepté leur perruque, servaient l'assemblée. Autour d'eux, tout n'était que dorures, tentures et… armures. Trois chevaliers du Moyen Âge, manteaux blancs frappés d'une croix rouge, épées plantées au sol et heaumes menaçants, montaient la garde devant un mur aux pierres apparentes.

— Une nouvelle touche de décoration, interrogea Crowley, quelle est sa signification ?

— Aucune, échange de marchandise avec l'un de mes habitués les plus fidèles, un antiquaire de Kensington. Cinq séances pour une armure.

Ils firent une halte au bar. Moira fit un discret signe à la barmaid, une petite blonde au regard espiègle, qui leur déposa deux coupes de champagne sur le comptoir.

106

— À ta santé, Aleister, dit Moira, merci de m'avoir vendu tes parts.

— Faire plaisir est ma raison de vivre, répondit-il en jetant un regard insistant à la blonde. Suggestive, ta reine des cocktails.

— Méfie-toi, Banshee connaît aussi bien les plantes qui guérissent que celles qui empoisonnent, elle maîtrise les breuvages de l'aube et les onguents du crépuscule. Je l'ai initiée moi-même aux forces des forêts, du vent et de la nuit. Si le grand dieu Pan le veut, elle me succédera un jour à la tête de ma confrérie des sorcières.

— Quel chemin… Et dire que quand je t'ai connue, tu n'étais qu'une oie irlandaise qui ne jurait que par le crucifié et son bréviaire pour châtrés et frigides.

— Je te reconnais le mérite de m'avoir ouvert les yeux.

— Et je suppose que ta barmaid est aussi ta partenaire de Kâmasûtra, ricana Crowley. J'aimerais beaucoup assister à vos cérémonies.

Moira lui jeta un regard méprisant.

— Notre enseignement n'a rien à voir avec tes pratiques libidineuses.

— Bêtises, le phallus et la vulve sont les seules portes d'accès au grand Tout cosmique.

— Le sexe n'est qu'un pas de danse dans le grand bal de l'univers. Et pour les obsédés comme toi, la dernière mesure se termine toujours au cimetière. Pour ma part, je me contenterai de t'offrir une petite mort. Suis-moi.

Ils quittèrent le bar et gravirent un escalier en colimaçon. Des flambeaux éclairaient les marches par intermittence. Le sorcier ventripotent peinait à monter les marches, sa respiration se faisait de plus en plus courte. Arrivé à l'étage, il s'arrêta pour souffler. Sa tête tournait.

— Déjà fatigué, Crowley ? Tu peux te reposer si tu veux avant d'ouvrir ton cadeau.

— Pas du tout, juste un manque d'exercice. Allons-y.

Ils arrivèrent devant une porte peinte de laque rouge entrouverte devant laquelle attendait une jeune femme en tenue de soie verte.

— Je te présente Lei-Ling, qui nous vient de Shanghai.

— Je suis votre humble servante, monsieur Crowley, dit la jeune femme en s'inclinant. J'ai beaucoup entendu parler de vous.

— Admirable... J'ai hâte de goûter à cette... Je...

Crowley sentit le sol se dérober sous ses pieds. Moira et la Chinoise le rattrapèrent juste avant qu'il ne s'écroule.

— Ce n'est pas le moment de fléchir, Aleister. Je t'ai préparé une autre surprise à l'intérieur.

La rousse poussa la porte de son pied, laissant s'échapper une forte senteur de fumée d'opium. Au centre de la pièce, il y avait un lit à baldaquin sur lequel était couchée une jeune femme à la chevelure dorée. Son corps était replié sur le côté, ses hanches pleines et pâles affleuraient dans un tourbillon de satin noir. Crowley ne parvenait pas à distinguer son visage, sa vue se brouillait. Moira chuchota à son oreille :

— Cette demoiselle attend ton offrande, ne la déçois pas.

— Je ne sais pas ce qui m'arrive…

Moira et la Chinoise aidèrent le mage à s'asseoir sur le lit.

— Ma tête… Ça tourne.

— Allonge-toi.

La chambre entière dansait autour de lui, mais il n'était pas effrayé. Au cours de sa vie son esprit s'était égaré dans tant de paradis artificiels que chaque expérience inédite le fascinait. Et tant pis pour les risques. Il sentit son corps s'affaisser sur le matelas moelleux. Juste à côté de son cadeau. Son épaule se colla à celle de la jeune femme.

— Aleister, ta nouvelle compagne attend tes baisers…

La voix de Moira résonnait, comme en écho.

Une douce senteur vanillée s'exhalait de sa nouvelle compagne et s'insinuait dans son cerveau. Il tourna la tête et tenta de l'enlacer, mais ses bras ne lui obéissaient plus. La fille le regardait fixement, les yeux écarquillés. Un curieux collier entrelacé de rouge et de noir cerclait son cou. Une image jaillit dans l'esprit de Crowley. Il avait déjà vu ce collier, c'était il y a bien longtemps dans un pays sauvage dont il avait oublié le nom. Dans un village martyrisé. Des hommes, des femmes, des enfants étendus au soleil, leurs gorges tranchées.

Il tenta de se lever.

— Moira ? Elle est…

Le néant l'emporta et avec lui le visage de la belle jeune femme égorgée.

11

Crète
Novembre 1941

Tristan venait de se lever et contemplait l'éclat du ciel par la fenêtre. Il n'y avait qu'en Méditerranée qu'un tel bleu existait. C'était l'heure, proche de l'aube encore, où la chaleur ne tombait pas comme un couperet, où le vent frémissait dans les buissons comme si ce matin était de nouveau le premier du monde. Marcas avait l'impression d'être lavé, purifié de toute mémoire comme s'il n'avait jamais existé auparavant. Pendant quelques instants, tout son passé tumultueux semblait avoir disparu. Mais quel passé, celui qu'il connaissait ou celui que croyait connaître Erika ? Il ferma délicatement la fenêtre pour ne pas la réveiller et se dirigea vers le lit. Seule la chevelure dénouée émergeait des draps qui modelaient la forme de son corps.

À quoi rêvait-elle ? Tristan en savait si peu sur elle. Fille unique d'une famille d'industriels proches des nazis, familière d'Himmler, de Goering et une des rares archéologues femmes que comptait l'université allemande. Depuis la blessure grave de Weistort elle était désormais la dirigeante toute-puissante de l'Ah-nenerbe, rendant compte directement et uniquement au Reichsführer. Tristan abaissa le drap jusqu'à la lisière des épaules. Comment pouvait-il savoir aussi peu de chose sur la femme dont il partageait le lit ? Quels étaient ses rapports avec ses parents dont elle ne parlait qu'avec réticence ? Même issue des classes supérieures, comment s'était-elle retrouvée dans les plus hauts cercles du pouvoir ? Pourquoi avait-elle la confiance d'Himmler ?

Erika se mit à bouger sous le drap dévoilant l'envol de ses seins. Dans cette chambre, à peine éclairée par le jour naissant, ils ressemblaient à un couple mythique d'amants. Et pourtant, qui disait la vérité à l'autre ?

— Tu es réveillée ?

La voix légèrement enrouée d'Erika fit sortir Tristan de ses interrogations.

— Je viens juste de me lever. Le jour aussi.

— Les soldats ont déjà pris position ?

Marcas consulta sa montre.

— Dans une demi-heure.

La veille, pendant la réunion avec le lieutenant Horst, ils avaient pris la décision de boucler le village dès l'aube, de réunir la population sur la place cen-trale et de perquisitionner systématiquement chaque maison. Bien sûr, c'était une diversion. Pendant ce temps, un commando d'élite prendrait le contrôle du site archéologique pour protéger la chapelle et commencer les fouilles. Horst était très optimiste. Ils trouveraient la porte rapidement. Erika sortit du lit, enroulée dans le drap, tiède de la chaleur de son corps, et vint s'asseoir à la table où s'étalaient les objets découverts par Karl.

— Tu as vu la swastika ?

Elle tendit à Tristan le bijou gravé. Il le fit tourner entre ses doigts. Au contact du métal précieux, il tentait d'imaginer la peau qui l'avait porté. Une seule femme avait-elle aimé ce bijou ? Ou avait-il orné plusieurs corps ? Si les objets n'ont pas d'âme, ils ont une mémoire. Et il la sentait presque.

— J'ai réfléchi. Karl a dû indiquer sur son plan des fouilles où il avait trouvé cet artefact. Quelque chose me dit que c'est à côté de la chapelle.

— Difficile de le lui demander. Hier, tu as réquisitionné sa maison et tu l'as envoyé dormir sur une paillasse dans l'église. Je doute qu'il soit coopératif.

— Pas la peine, le plan des fouilles est dans le tiroir de gauche du meuble de la bibliothèque. Je l'ai remarqué le premier soir où nous sommes arrivés.

Marcas ne manifesta aucune surprise. Pourtant ce n'était pas la première fois qu'il notait chez sa compagne des réflexes professionnels qui relevaient plus d'un policier que d'un archéologue. À nouveau, il fit tourner l'artefact entre ses doigts. Était-ce vraiment un bijou destiné à une parure, ou un objet votif dédié à une puissance divine ?

— Tu en penses quoi ?

— La même chose que toi. C'est un signe, peut-être même une preuve.

— Les archéologues que vous avez envoyés, ici à Cnossos, sont au courant du but véritable de leur recherche ?

— Absolument pas. D'ailleurs ils repartent dès demain pour Berlin. L'équipe sera dissoute, les rapports de fouilles mis sous scellés, et chaque membre envoyé sur un site de recherche différent. Ils ne se rencontreront plus.

— Ils risquent pourtant de parler. Sept meurtres en quelques jours…

— Alors, ce sera à leurs risques et périls. Je les préviendrai clairement avant leur départ.

Erika avait revêtu une chemise kaki, un pantalon de toile et une paire de bottes éraflées. Elle nouait ses cheveux en une tresse de jeune fille sage.

— La première fois que je t'ai vue, tu étais vêtue exactement pareil.

— C'était Montségur, dans l'enceinte du château, sauf que moi je ne t'ai pas vu.

Marcas sourit avant de répondre.

— Quand Himmler t'a envoyée dans le sud de la France, tu savais ce que tu devais chercher ?

— Non.

Tristan replongea dans le silence. Comme il n'aimait pas réfléchir sans rien faire de ses mains, il ouvrit le tiroir où se trouvait le plan des fouilles et le déplia sur la table. Karl avait fait du bon travail. Il avait daté et positionné chaque découverte sur la

114

carte. Un point noir pour les céramiques ; pour les objets métalliques, un triangle bleu ; pour les œuvres d'art, une étoile rouge. Du bout des doigts, Marcas suivait l'évolution des fouilles : la majeure partie des trouvailles consistait en restes d'amphores, marqués par des points noirs, qui constellaient toute la carte. Les objets métalliques étaient, eux, beaucoup plus rares. Quant aux étoiles rouges, il n'y en avait qu'une seule. Juste à côté, d'une écriture fine, Karl avait noté « swastika ».

Erika, qui venait de réunir ses instruments de fouilles – truelle, pinceaux, grattoirs –, s'approcha.

— L'ancienne chapelle est…

Erika se pencha vers le plan et suivit une courbe de niveau qui délimitait le point le plus haut du site.

— … Juste à côté. Pile à cet endroit.

L'étoile rouge se trouvait à quelques centimètres. Erika posa une boussole et orienta le plan pour faire coïncider le nord magnétique et celui indiqué dans la marge de la carte.

— Le point de relevé est trop imprécis pour calculer la distance entre la chapelle et le lieu de découverte de l'artefact. En revanche, il va nous indiquer la direction où chercher. Et là… il faut s'orienter plein est, à partir de la chapelle.

— Avec un peu de chance, on retrouvera la trace des fouilles.

— À moins que les villageois ne les aient fait disparaître. Après la deuxième série d'assassinats, le site est resté de nombreux jours sans protection.

— D'après Karl, ils ont peur de l'*Abba*. Si déjà on savait pourquoi…

Erika s'était assise près de la fenêtre pour se rafraîchir au vent matinal qui caressait la façade. Sa peau avait déjà pris une teinte dorée. Quelques heures au soleil avaient suffi pour hâler son visage et adoucir son ovale un peu strict. Elle n'en était que plus désirable aux yeux de Tristan. Elle venait d'ouvrir un dictionnaire pris dans la bibliothèque.

— En grec ancien, *Abba* veut dire « le père », mais pas que dans le sens familial. On emploie aussi ce mot dans les monastères pour désigner le chef de la communauté religieuse.

— D'où sans doute le mot « abbé » en français et le mot « abbaye » qui en découle, remarqua Tristan.

— Mais le dictionnaire précise que le sens du mot a progressivement évolué en « guide » ou « saint ».

— En général, un village a rarement peur de son saint protecteur, non ?

— Ne t'y fie pas, les saints du Moyen Âge étaient autant craints que vénérés, car ils avaient le pouvoir redouté de passer entre les deux mondes, celui des vivants et celui des morts.

Erika se leva, recompta ses instruments, puis les plaça dans un sac à dos. Au rez-de-chaussée, l'horloge dans la cuisine sonna la demie de six heures.

— Les militaires ne vont pas tarder…

La jeune archéologue n'eut pas le temps de finir sa phrase. Des pneus crissèrent sur la place du village, suivis d'un martèlement de bottes qui résonnait déjà dans les rues adjacentes. Tristan regarda par l'une des petites fenêtres. Des hurlements montaient des maisons tandis que des hommes casqués défonçaient les portes à coups de crosse. Sans y prêter attention, Erika mis son sac à l'épaule.

— Il est temps d'y aller.

12

Londres
Hellfire Club
Novembre 1941

Le manoir était désert à l'exception de deux âmes, l'une vivante, l'autre morte. Les deux réunies dans la cave, qui faisait office de chambre froide. La première âme, celle que l'on surnommait la Fée écarlate, était habillée d'un épais pull noir à col roulé. Elle se penchait sur la seconde, une paire de ciseaux à la main. Sa victime, assassinée la veille, gisait sur une table, nue, les yeux grands ouverts. Son cou tranché, pudiquement occulté par un bandeau de soie rouge. Moira caressa la joue de la jeune femme avant de murmurer à son oreille :

— Si ça peut te consoler, un mal engendre toujours un bien. Grâce à moi, tu vas te réincarner à nouveau et tu connaîtras une existence plus heureuse.

D'un coup de ciseaux, elle lui coupa une mèche de cheveux et l'ongle de chaque index. Elle les déposa dans une boîte d'allumettes où était dessiné le portrait jovial d'un aviateur de la Royal Air Force qui faisait le V de la victoire.

Moira O'Connor appliqua un baiser sur le front du cadavre, puis lui écarta les paupières de l'œil droit et enfonça la pointe du ciseau dans l'orbite. L'acier pénétra sans difficulté entre l'os et le globe oculaire. En prenant appui avec son pouce sur le haut de la pommette elle sortit l'œil d'un geste rapide, puis sectionna le nerf optique. Elle inséra une boule de coton dans l'orbite vide et déposa l'organe mutilé dans la boîte, sur un tapis de cheveux et d'ongles.

— Dans une semaine, je te promets d'enterrer ton âme dans le cercle sacré de New Forest. Au pied du dolmen de notre sœur et reine, Boadicea[1], celle dont le nom resplendit par-delà les siècles. Celle qui ne s'est jamais couchée devant le mâle romain. Nous passerons la nuit en prières avec nos sœurs pour accéder à ta nouvelle incarnation.

La Fée écarlate rangea la boîte dans un tiroir. Un pâle sourire se dessina sur son visage tendu.

— Ton âme est désormais à l'abri. Avant de m'occuper de ton corps, je dois demander le soutien d'Hécate.

Elle s'agenouilla devant un autel où brûlaient deux flambeaux. Au centre, sur un plateau d'argent, était posée la statuette en bois noirci d'une femme assise sur un trône. En arrière-plan était sculpté un croissant

_____

1. Reine celte qui, au premier siècle de notre ère, se révolta contre les occupants romains de la Grande-Bretagne.

119

de lune doré aux pointes tournées vers le ciel. Deux points rouges scintillaient dans le visage noirci de l'idole.

— Hécate, déesse de la nuit, guide-moi dans mon œuvre de chair.

Moira O'Connor brandit devant la statuette un couteau à lame argentée et au manche ciselé dans une corne de bouc.

— Que mon poignard Athamé soit ta griffe. Que mon esprit soit ton esprit. Que ma volonté soit tienne. Que toutes tes incarnations se manifestent en moi.

Elle ferma les yeux et inspira longuement. Sa conscience se diluait pour laisser entrer l'âme de la déesse. Alors que la température ne dépassait pas dix degrés des gouttes de sueur perlaient sur son front. Une onde, chaude et intense, coulait dans ses veines. Sa voix se fit sifflante.

— Hécate, Durga, Kali, Beyla, Astarté, Bestia, Járnsaxa, Sekhmet, Bellone, Ishtar ! Donnez-moi la force. Donnez-moi le pouvoir !

Son regard étincelait. Moira s'était métamorphosée, une expression sauvage inondait son visage. Elle se redressa et se dirigea vers la jeune femme allongée sur la table.

La Fée écarlate appliqua la pointe de son Athamé juste au-dessus du nombril de la fille et appuya avec lenteur. L'acier argenté creva la peau tendre pour arriver en douceur dans l'intestin. D'un geste précis, elle agrandit la plaie et de son autre main sortit les boyaux déjà froids. Moira était comme en transe, elle ne sentait même pas l'odeur pestilentielle qui s'exhalait du corps éventré. Il lui fallut presque un quart d'heure pour extirper les entrailles qu'elle mit dans un seau au pied de la table. En lieu et place des intestins, elle déposa dans la cavité béante une feuille de parchemin sur laquelle étaient inscrites en gaélique ancien trois incantations de quatre lignes chacune. Deux étaient maléfiques, la troisième bénéfique. La première était destinée à damner l'âme d'Aleister Crowley, la deuxième à maudire le roi d'Angleterre, la troisième à attirer les bonnes grâces sur celui qui régénérait le monde et libérerait l'Irlande, Adolf Hitler.

Il lui fallut un autre quart d'heure pour recoudre le ventre. Elle coupa ensuite avec une scie les mains du cadavre, puis termina son œuvre en traçant une swastika sur son front.

Satisfaite, elle recouvrit le corps d'un drap blanc et quitta la cave l'esprit serein et le pas tranquille après avoir éteint les flambeaux. Elle longea un mur de pierres noircies, ancien vestige d'une muraille dont l'origine se perdait dans la nuit des temps anciens. Des temps d'avant l'arrivée des envahisseurs normands. Des grattements légers accompagnaient sa marche. Elle reconnut le bruit familier, ses amis les rats lui faisaient l'honneur de l'escorter. Elle éprouvait une véritable tendresse pour ces animaux haïs par l'homme et ne s'offusquait jamais de leur compagnie. Compagnie de plus en plus nombreuse à Londres depuis les bombardements qui avaient éventré les collecteurs d'égouts de la ville. Seul interdit : les étages supérieurs. Il ne fallait pas effaroucher les clients.

Quand elle arriva dans son bureau, les rats avaient disparu pour suivre un autre chemin, probablement vers un soupirail qui menait à la Tamise. Une douce température régnait dans la pièce. Moira referma les tentures sur la vitre du miroir sans tain, puis ouvrit une armoire où étaient entassés des accessoires en tout genre, fouets, ceintures cloutées, anneaux de métal, masques vénitiens et appuya sur la paroi du fond. Un petit déclic résonna. La cloison s'entrouvrit et Moira en retira une caisse montée sur roulettes qu'elle fit glisser dans la chambre.

Dix minutes plus tard, l'appareil de transmission était monté sur le bureau. Elle régla la fréquence sur 14 MHz et actionna le commutateur. Sa montre indiquait vingt heures, plus que quelques minutes avant la réception du message de Berlin. Satisfaite, elle ouvrit un tiroir et en sortit une enveloppe épaisse.

Moira étala les photos devant elle.

— Mon pauvre Aleister, si tu savais…

La dizaine de clichés représentait Crowley nu, son bras droit autour des épaules de la jeune femme égorgée. Son visage adipeux était penché sur celui de la fille et sa main gauche tenait un poignard posé sur le sein de la victime.

Moira O'Connor contemplait avec dégoût son ancien mentor. Ce vantard n'aurait jamais dû lui révéler qu'il avait été approché par les services secrets britanniques. Lors d'une précédente visite au club, il était venu lui proposer de vendre ses parts, pour commencer une nouvelle vie. Au service de la patrie.

Moira, tu dois me jurer de garder le secret. Un responsable important du SOE est venu me voir. Il veut que je l'aide à lutter contre Hitler en utilisant mes talents d'occultiste. Te rends-tu compte ? Moi, Aleister Crowley, la bête, je suis réquisitionné par le roi pour sauver le pays.

On lui avait demandé de se débarrasser de sa participation au Hellfire Club, les services de Sa Majesté ne pouvaient pas employer un tenancier de bordel, même s'il ne possédait qu'un dixième de l'établissement.

Tu comprends Moira, je dois me consacrer à ma mission sacrée.

C'était plus fort que lui, la vieillesse avait corrodé sa chair, mais pas son ego.

Moira avait accepté la proposition de bon cœur et transmis les divagations de Crowley à Berlin. À sa grande surprise, le RSHA[1] s'était montré intéressé par l'information et lui avait demandé de lancer une opération de chantage.

Quand le mage s'était réveillé dans la chambre rouge, le cadavre avait été enlevé et son esprit ravagé par les drogues se souvenait à peine des événements

---

1. RSHA : Le *Reichssicherheitshauptamt*, office central de la sécurité du Reich.

passés. Moira l'avait installé de force dans un taxi pour le ramener chez lui.

Le voyant lumineux de l'appareil de transmission se mit à clignoter. Moira prit l'écouteur et le colla contre son oreille. Le son familier de la transmission morse résonna. Elle saisit un petit calepin et commença à noter le message.

13

Crète
Novembre 1941

Pour attendre Erika et Tristan, le lieutenant Horst s'était installé sur le point le plus haut du site. Il surplombait les ruines de la chapelle et suivait d'un regard attentif les soldats qui, à intervalles réguliers, plantaient délicatement de longs bâtons en terre avant de les retirer avec précaution. C'est du moins l'impression qu'avait Marcas en voyant ces silhouettes arpenter les ruines comme si elles marchaient sur le dos d'un dragon qu'il ne fallait surtout pas réveiller.

— Vous tentez de délimiter une zone de recherche ? interrogea le Français.

— Exact, j'ai fait appel à des démineurs pour trouver l'accès que nous cherchons. Ils ont une ouïe très développée.

— Et vous avez déjà des résultats ?

Le lieutenant montra un repli du terrain.

— La terre a été bouleversée à cet endroit, puis rebouchée : le son n'est pas du tout le même qu'autour.

— Vous pouvez définir un périmètre plus large ?
demanda Erika qui venait de les rejoindre.

— Je vais essayer.

Le démineur le plus expérimenté commença à
frapper délicatement le terrain en progressant pas à
pas. Un de ses camarades le suivait et, quand il le lui
demandait, plantait un piquet de bois dans le sol. Déjà
Horst avait réuni une dizaine de ses hommes, équipés
de pelles et de pioches. Tristan effleura discrètement
les cheveux d'Erika et lui murmura à l'oreille :

— Tu vas bientôt ouvrir la porte des enfers.

En moins d'une demi-heure, un espace avait été
piqueté qui n'excédait pas quelques mètres carrés.
Aussitôt les terrassiers se mirent à l'action. Si de
l'humus mélangé à des aiguilles de pins et du gravier constituait la première couche, très vite apparut
un amas, hâtivement rassemblé, de cailloux et de
remblai. Il comblait un accès, creusé dans la terre,
dont on distinguait les parois encore griffées par les
coups de pelle.

— C'est bien là que Karl a fouillé, annonça Erika.

— Et c'est aussi à ce moment-là que les meurtres
ont débuté, répliqua Tristan. Il faut faire vite avant
que les habitants ne soupçonnent quelque chose.

— Regardez !

Horst montra du doigt deux pierres taillées qui se
rejoignaient en ogive. Ils venaient de trouver la porte.

À la demande d'Erika, les soldats s'éloignè-
rent. Fascinée, elle caressait les pierres d'angle

parfaitement préservées. La porte avait dû être enter-
rée juste après son érection, ce qui l'avait protégée
de toute dégradation.

— Il faut l'ouvrir, annonça Horst, et vite.

— Vous n'êtes pas archéologue, ça se voit, ironisa
von Essling, la porte est murée avec des moellons
scellés au mortier depuis six siècles.

— Justement, combien de temps pour enlever une
pierre ? questionna Tristan.

— Si on le fait selon les règles d'une fouille
archéologique, une bonne heure.

— J'ai beaucoup mieux.

Devant le froncement de sourcils d'Erika, il
expliqua :

— J'ai trouvé ça dans la cave de la maison de
Karl, ce matin.

Tristan posa son sac de toile et en sortit une boîte
en bois râpeux. Quand le couvercle sauta, Erika aperçut, sagement rangées comme à la parade, des bâtons
de dynamite. Les mèches étaient encore entourées de
papier huilé pour éviter que la poudre ne s'humidifie.

— Et tu comptes en faire quoi ? demanda-t-elle,
méfiante.

— Soit tu démontes ce mur pierre par pierre et il
y en a pour des jours de travail.

— Je ne pourrais pas tenir le village sous contrôle
aussi longtemps, précisa le lieutenant.

— Ou alors on déloge un moellon, on glisse
un bâton de dynamite, on allume, et on ouvre une
brèche.

— Avec le risque que le souffle de l'explosion détruise tout ce qui est derrière les murs !

Tristan la rassura.

— Détrompe-toi, on peut placer la dynamite de façon à ce que la poussée soit répartie strictement sur les côtés. Il n'y aura aucun dégât vers l'intérieur.

— Alors place la charge, trancha l'archéologue.

Après avoir choisi quelle pierre desceller, Tristan ôta sa chemise et attaqua au burin le mortier qui l'entourait.

Erika regardait le corps de son amant. Si elle en avait exploré bien des recoins de sa main ou de sa bouche, elle l'avait rarement vu en plein jour. Et ce qui la fascinait, ce n'était pas le mouvement des muscles en lutte avec la matière ou la saillie des épaules sous l'effort, non. C'était le nombre de cicatrices qu'elle découvrait. L'une d'elles, sur l'épaule gauche, partait de la clavicule et descendait jusqu'au coude. Elle était particulièrement impressionnante, cernée de nombreux points de suture irréguliers. Où Tristan avait-il pu se faire recoudre – et charcuter – ainsi ?

La pierre descellée vacilla sous un dernier coup et tomba bruyamment au sol. Un souffle âcre sortit de l'ouverture. *Les constructeurs n'ont pas pris la précaution de doubler le mur*, pensa-t-il, *comme s'ils étaient certains qu'on ne viendrait jamais violer cet endroit. La peur de l'*Abba *?* Le Français plaça le bâton de dynamite en position et craqua une allumette.

— Remontez en surface, ordonna le lieutenant.

Le souffle de l'explosion retentit dans la zone

d'accès. Une paroi en terre s'effondra tandis qu'un nuage de poussière envahissait l'entrée. À travers les volutes, Tristan aperçut le mur dont tout un pan s'était effondré.

— La brèche est assez large, on peut y aller.

Il sauta dans l'accès et commença à se frayer un passage entre les pierres. Derrière lui, Erika barra brusquement le chemin au lieutenant.

— Sauf l'Ahnenerbe, personne ne pénètre à l'intérieur !

— Je ne reçois aucun ordre de vous !

Erika montra le trou où Tristan venait de se glisser.

— Vous franchissez ce mur et c'est vous qui ne donnerez plus jamais un seul ordre.

— C'est la seconde fois que vous me menacez…, s'emporta Horst.

— Et la dernière, car la prochaine fois, je ne vous préviendrai pas.

Ahuri, le lieutenant SS la laissa filer dans la brèche sans oser la suivre. À l'intérieur Tristan avait allumé une lampe dont la lumière projetait des ombres mouvantes sur les parois. La salle était recouverte d'une voûte que des racines avaient fissurée, mais sans provoquer d'effondrement. Le sol, lui, était pavé de larges dalles plates parfaitement alignées malgré les siècles. Seul le fond de la salle restait dans l'ombre. Malgré son désir de percer le mystère, Tristan hésitait à avancer. Il suffisait pourtant de quelques pas et de lever la lanterne au bout du bras. Il était à Cnossos, la ville du roi Minos dont la légende disait que sa femme

Pasiphaé, dans sa passion zoophile, avait conçu un enfant mi-homme mi-taureau, si effrayant qu'il avait fallu l'enfermer au fond d'un labyrinthe.

— Tu as peur du Minotaure ? s'exclama Erika qui venait de le rejoindre.

— J'ai peur de ce que la folie des hommes a enfanté.

— Pas moi.

Elle saisit la lanterne et en projeta la lumière vers le fond. À leur grande surprise, il n'y avait rien. Juste un mur identique à celui qu'ils venaient de traverser. Stupéfaite, l'archéologue se précipita. Au moment où elle allait toucher les pierres, la main de Tristan la saisit et l'immobilisa.

— N'avance pas !

Juste devant elle, une longue dalle venait d'apparaître entre ombre et lumière. Plus haute que le niveau du sol, elle semblait flotter dans la pénombre. Sans la toucher, Erika souffla sur un angle dévoilant, sous la poussière des siècles, un marbre ocre, parfaitement poli, qui scintillait sous la lumière. La dalle était uniforme sans la trace d'une seule gravure, ni dessin, ni inscription.

— On dirait une pierre tombale, dit Tristan, pourtant…

— Et si ce qui est dessous n'était pas humain ?

— Tu penses à l'*Abba* ?

— Je pense que les villageois ont peur depuis la nuit des temps. Du Minotaure à l'*Abba*. Qu'ils ont peur jusqu'à tuer…

C'était la première fois que Marcas voyait Erika troublée par un phénomène inédit, un mystère qui semblait la dépasser. Était-ce la tension accumulée des dernières heures ou une peur irraisonnée au moment de connaître la vérité ?

— Le seul moyen de savoir…, annonça Tristan.

Il remonta chercher une masse, puis fit le tour de la dalle et détecta une veine plus sombre qui la striait de gauche à droite. Marcas la suivit du doigt jusqu'au centre.

— Si je tape là, j'ai une chance que la veine cède et que le marbre se fende.

— Une chance sur combien ?

Tristan n'attendit pas la réponse. Il frappa pile à l'endroit indiqué. Le bruit sourd du choc résonna sous toute la voûte. *Si l'Abba s'était endormi*, pensa Marcas, *cette fois on est sûr de le réveiller*. La dalle s'était fracturée et la partie droite avait brutalement cédé sous le choc, chutant dans la cavité qui venait de se dégager.

Erika se précipita, la lanterne à la main.

Il n'y avait pas de cadavre.

Pas de swastika.

Rien.

— Ce n'est pas possible. Tout concordait. Les fouilles de Kalokairinos, celles de Karl…

Von Essling resta figée, la lampe inutile et pendante au bout de ses doigts.

— Et tous ces morts pourquoi ? Pour protéger du vide ?

La lueur de la lampe battait en vain les parois du rectangle de pierre quand Tristan remarqua un reflet projeté sur la pierre du fond. Comme si la lumière accrochait un bout de miroir. Il enjamba le rebord, puis se courba.

— Tu fais quoi ?

— Descends la lampe à mon niveau.

Juste sous la dalle qui était encore en place, un reflet brillait par intermittence comme un feu follet. Tristan tendit le bras et buta sur du métal froid. Il tira d'un coup sec. La dalle, fragilisée par le coup de masse, se plia en deux. Marcas eut juste le temps de se dégager, levant vers Erika ce qu'il venait de sauver.

Une épée.

14

La nuit n'allait pas tarder à tomber sur le quartier de Bloomsbury. Le British Museum venait de fermer ses portes, déversant une foule de visiteurs qui s'égaillaient dans les rues aux alentours. Assise sur un banc qui faisait face aux colonnades faussement antiques du musée, Laure n'arrivait pas à chasser de son esprit le dossier fantôme de Tristan découvert la veille au bureau du SOE. Elle avait eu juste le temps de le remettre dans l'armoire avant l'arrivée de la secrétaire. Le dossier ne comprenait rien d'autre qu'un nom : John Dee. Un autre pseudonyme. C'était bien maigre. Peut-être que son statut d'agent double justifiait une mise sous clé dans un autre endroit. Elle regarda sa montre, une demi-heure de retard. Le commander Malorley, l'incarnation de la ponctualité, n'était plus à la hauteur de sa réputation.

— Ne jamais vous asseoir le dos exposé… Je pouvais vous poignarder en un clin d'œil.

La voix de Malorley était égale à elle-même. Neutre et précise. Laure ne lui donna pas le plaisir de se retourner.

— Bloomsbury n'est pas censé être un terrain hostile.

— Dans notre activité le monde entier devient hostile. Si vous ne comprenez pas ça, vous êtes déjà morte.

Elle se leva sans se presser et lui adressa un sourire ironique.

— Charmant, je me demande si je ne vais pas préférer la compagnie du mage libidineux à la vôtre. Avec lui, au moins, on doit s'amuser.

Malorley ne releva pas et embraya en direction d'une petite rue qui partait vers Holborn.

— Quelle est votre analyse de son dossier ?

— Un esprit dérangé et dépravé, doublé d'un charlatan sans scrupule. Et de plus un proxénète avec sa maison de tolérance pour pervers. Mon Dieu que les Anglais sont corrompus…

Malorley ralentit le pas.

— En dépit de toute sa perversité, je le pense fervent patriote. Ah… Nous sommes arrivés.

Ils s'arrêtèrent devant la devanture d'une librairie ésotérique qui portait le nom d'Atlantis. Derrière la vitrine, on voyait un étalage de livres d'astrologie, de magie et de sorcellerie. Des traités de kabbale côtoyaient des ouvrages de théosophie et de

134

spiritisme. Des reproductions grand format de cartes de tarot décoraient des étagères remplies de bijoux, colliers et bracelets en argent. Sur un présentoir isolé trônaient des ouvrages de Crowley dont la photo s'étalait dans un cadre cerclé d'or.

— On dirait que c'est l'auteur favori de la maison, commenta Laure.

— Quelle perspicacité… En sous-sol, se pratiquent parfois des cérémonies magiques.

— Des messes noires ?

— Non, pas à ma connaissance, pour ça il faut aller dans d'autres endroits de Londres, plus mal famés.

Malorley ne poussa pas la porte de la librairie, mais s'arrêta devant celle qui jouxtait la boutique. Il tira trois fois sur une sonnette surmontée de la face grimaçante d'un diable.

La porte s'ouvrit et la tête d'un vieux Chinois apparut dans l'entrebâillement.

— Votre maître nous attend, dit Malorley.

— En effet, si vous voulez entrer.

Les deux agents du SOE pénétrèrent dans un vestibule aux murs tendus de velours violet. Le domestique habillé en robe de soie noire prit leurs manteaux et leur indiqua la seule porte qui donnait sur l'intérieur de la maison. Ils marchèrent dans un couloir orné de tableaux, mettant en scène des couples enlacés dans des positions érotiques extrêmes. À un détail près, c'était toujours le même homme représenté sur les peintures alors que ses partenaires féminines changeaient. L'étalon était chauve. Laure sourit en interceptant le regard gêné de son supérieur. Le domestique asiatique s'inclina.

— Attendez, je vous prie. Mon maître termine un rendez-vous.

Une porte s'ouvrit à l'autre bout du couloir, laissant apparaître une femme rousse à l'allure élancée. Elle portait un imperméable beige et son visage était en partie masqué par un chapeau à large bord.

Elle s'avança devant Laure et Malorley en les gratifiant d'un sourire glacé. Malorley la suivit du regard jusqu'à ce qu'elle soit sortie.

— Vous avez l'air d'aimer les rousses, commenta Laure d'un ton espiègle.

— Pas du tout, mais ce visage ne m'est pas inconnu. J'ai déjà croisé cette femme quelque part.

— C'est sûr qu'avec sa chevelure incendiaire elle ne passe pas inaperçue. Elle me fait penser à l'actrice qui joue dans *La Taverne de la Jamaïque*. J'ai vu le film au Leicester Square. Réalisé par un homme bourré de talent, un certain Hitchcock. Vous connaissez ?

— Je n'ai pas le temps d'aller au cinéma, répliqua Malorley d'une voix sèche.

Le domestique leur fit signe d'entrer dans le salon. Quand ils y pénétrèrent, une forte odeur d'encens monta à leurs narines. Un homme au crâne luisant leur tournait le dos. Sa masse imposante était empaquetée dans une longue toge mauve qui descendait jusqu'à ses chevilles. Il se tenait droit face à une porte-fenêtre qui ouvrait sur un jardin de buis.

— Veuillez me pardonner, mais j'étais en affaire avec la jeune femme que vous venez de croiser.

Leur hôte se retourna. Il devait avoir une bonne soixantaine d'années, un visage bouffi aux chairs pendantes sur les joues, un crâne rond et lisse, strié de taches rousses, une bouche aux lèvres déformées, un nez large et épaté posé au-dessous de deux yeux globuleux. Des yeux fixes et perçants. Aleister Crowley n'avait plus grand-chose à voir avec les photos que Laure avait consultées dans son dossier.

— Qui était-ce ? demanda Malorley.

Aleister Crowley posa un doigt sur sa bouche.

— Voyons, cela ne se fait pas de révéler le nom d'une dame qui sort d'un rendez-vous, surtout avec un homme comme moi.

— Arrêtez votre cirque. Si vous voulez travailler pour moi, il ne doit y avoir aucun secret entre nous.

Le mage leva les yeux.

— Moira O'Connor, dirigeante et actionnaire principale de l'établissement de divertissement dont j'avais quelques parts. Parts que vous m'avez demandé de vendre. Elle venait m'apporter la copie de l'acte de cession validé par son avocat. Vous voulez vérifier ?

— Non... Moira O'Connor...

Crowley ouvrit les bras en grand.

— Oubliez cette femme. Soyez les bienvenus, chers amis, articula-t-il avec emphase. Entrez librement et sans crainte. Et laissez quelque chose de ce bonheur que vous apportez.

— Aleister, je ne sais pas trop comment je dois prendre votre invitation, répondit Malorley. N'est-ce pas la tirade du comte Dracula quand il accueille sa future victime, Jonathan Harker ?

— Ravi de constater que même les agents secrets ont de la culture. Bram Stoker, l'auteur, était l'un de mes amis. Et qui est cette charmante personne qui vous accompagne ?

Il braquait un regard extatique sur la jeune femme.

— Matilda. Tout simplement, répliqua la Française.

— La simplicité se pare de ses plus beaux atours…

Il prit l'avant-bras de la jeune femme et lui montra trois dessins posés sur un chevalet.

— Regardez, n'est-ce pas magnifique ? Le Fou, l'Étoile et le Diable ! L'une de mes disciples, Lady Frieda Harris, vient de me faire parvenir trois peintures d'illustration pour mon jeu de tarot.

Il s'interrompit comme s'il se parlait à lui-même, puis s'inclina devant Laure.

— Mais je manque à tous mes devoirs, chère demoiselle, je me présente. Je suis le Mage de Thélème, le grand Tau Mega Thirion, le Perdurabo, la bête de l'apocalypse ou 666. Je suis celui qui fut, qui est et qui sera.

— On va en rester à votre nom d'état civil. George Alexander Crowley, dit Aleister Crowley, riposta

Malorley. Depuis notre dernière rencontre, j'ai examiné votre candidature, je ne vous cache pas que votre réputation atteint des sommets dans la détestation. Mais dans la lutte contre Hitler, je pars du principe que l'on ne doit pas se montrer trop regardant.

Crowley gloussa.

— Ah, les nazis… Mouvement fascinant. Le Führer m'a pillé sans vergogne.

— C'est-à-dire ? demanda Laure, stupéfaite.

— Il a appliqué ma devise à la lettre : Fais ce que tu voudras ! Bon, j'admets qu'il est allé un peu loin. Au fait, quelle serait ma rétribution, mon cher Malorley ?

— Faites vos preuves sur une mission et on verra pour les émoluments. Et puis, n'êtes-vous pas censé avoir vendu vos parts du Hellfire ?

Une ombre rapide voila le visage de Crowley.

— Certes, mais « manque d'argent est une douleur sans pareille » comme dit le proverbe. Si vous m'en disiez plus sur cette mission ?

— Rencontrer un homme que vous avez croisé en Allemagne en 1931. Du moins selon votre dossier au MI5. Un certain… Rudolf Hess.

Crowley ferma les yeux comme s'il venait de s'endormir brusquement. Puis les ouvrit et se fendit d'un sourire jovial.

— Mmmm… Bien sûr. Hess le rabbin ! L'éminent spécialiste du Talmud.

Laure et Malorley échangèrent des regards incrédules.

— Je crois que nous ne parlons pas du même homme, dit Malorley. Il s'agit de Hess, l'ex-dauphin d'Hitler qui a atterri en Écosse en mai dernier. Vous avez dû au moins en entendre parler dans les journaux ?

Le mage eut un air blasé.

— Je ne fais pas d'erreur. J'ai bien rencontré cet homme en Allemagne. Et j'ai failli y laisser ma peau en découvrant son secret.

DEUXIÈME PARTIE

« Hitler était dirigé à ce point par des forces
démoniaques qu'il avait cessé d'envisager
de vivre normalement avec une femme.
L'extase du pouvoir sous toutes ses formes
lui suffisait. »

The Labyrinth,
Mémoires de Walter Schellenberg,
chef du contre-espionnage
du Reich.

15

Vienne
Octobre 1908

Les Viennois se méfiaient du quartier de Margareten. D'ailleurs, entre ce secteur mal famé et le centre riche et élégant, une frontière invisible mais farouche s'était depuis longtemps établie. On ne la franchissait, de part et d'autre, qu'avec réticence, convaincu que l'on entrait en territoire hostile. Pour la bourgeoisie aisée, c'est à Margareten, dans des immeubles sinistres et délabrés, que résidaient les classes réputées dangereuses : ouvriers des usines périphériques, provinciaux sans travail, Hongrois et autres Slaves. Tout ce que l'Empire contenait de déshérités échouait dans ce quartier dont la grisaille n'en finissait plus de s'étirer jusqu'à la morne banlieue. Autant dire qu'Hitler, lui-même, avait été surpris de découvrir que l'adresse d'*Ostara* se situait au cœur de Margareten. Pour autant, il n'avait pas renoncé à son projet : rencontrer Jörg Lanz, le maître à penser de la revue. Sa curiosité était d'autant plus vive qu'il avait appris que Lanz était un ancien moine cistercien, dont l'ordre créé au Moyen Âge par saint Bernard – l'inspirateur des Croisades et le fondateur des templiers –, fascinait Hitler depuis longtemps.

Pour la troisième fois, il venait de demander son chemin, ne tombant que sur des étrangers dont l'autrichien balbutiant ne servait qu'à l'égarer. Quoique né en Autriche, Adolf détestait l'Empire. Cette mosaïque de pays, de langues et de cultures différentes le révulsait profondément. Pour lui, une nation se devait d'être unie et cohérente exactement comme l'Allemagne, la grande et superbe voisine dont il avait fait son modèle politique. En attendant, il errait dans des rues sordides, à quelques pas, il en était sûr, de l'adresse d'*Ostara*. Changeant de trottoir pour mieux se repérer, il aperçut, derrière un pâté d'immeubles, deux tours d'ardoise grise qui s'élançaient dans le ciel matinal. D'un coup, il jubila. Ces tours, il les reconnaissait : elles étaient dessinées sur la quatrième de couverture de la revue. Aussitôt, il retraversa la rue, contourna les immeubles et tomba, en plein Margareten, sur une bâtisse aussi incongrue que provocante. L'architecte s'en était donné à cœur joie, mélangeant, pastichant tous les genres possibles. Si les tours rappelaient celles d'un château médiéval, la façade reprenait le style des fenêtres de Venise ; quant aux pignons ouvragés, ils faisaient irrésistiblement penser aux manoirs qui parsemaient la campagne anglaise. On se demandait comment pareil délire architectural

144

avait pu voir le jour ici. Adolf s'approcha de la grille monumentale qui semblait ouvrir sur un domaine oublié et mystérieux.

— Vous cherchez quelque chose ou quelqu'un ? demanda un jeune homme qui fumait une cigarette dans le jardin.

Il n'était guère plus âgé qu'Hitler, mais son visage était déjà orné d'une balafre qui finissait en queue-de-pie sous sa fine moustache.

— Avant que vous ne me posiez la question, c'est un coup de sabre. Un duel à l'université… et la fin de ma brève carrière d'étudiant. Mais je compte bien reprendre mes études dès que l'herbe aura poussé sur la tombe de mon adversaire. Mon nom est Weistort et vous ?

— Hitler.

Adolf venait de repérer à l'angle de la grille une plaque de cuivre gravée des lettres sombres d'*Ostara*.

— Et je souhaite rencontrer Herr Lanz.

— Après vous.

Weistort tira un des battants de la grille avant de tendre la main vers l'escalier.

— Les bureaux d'*Ostara* sont au premier étage. Frappez et entrez.

— Comme ça, s'étonna Hitler. Sans vérification ? Weistort le fixa du regard.

— Je sais reconnaître les âmes en quête de destin.

La salle de rédaction était vide. Seul le cliquetis d'une machine à écrire résonnait en solitaire derrière une porte vitrée. Adolf s'avança. Son ombre avait dû le trahir, car avant même qu'il ne frappe, une voix aiguë lui intima d'entrer. Il découvrit une pièce semblable à un terrier. Les fenêtres étaient occultées par des piles de livres, le parquet disparaissait sous des cartons de livraison et, au centre de ce royaume de papier, derrière un bureau, se tenait un homme comme un insecte lové au cœur d'une alvéole. Ce qui frappa Hitler, ce fut d'abord les mains, longues, fines, incroyablement blanches comme si le sang n'y parvenait plus. Le visage avait la même pâleur irréelle et dérangeante. Sans prononcer un mot, l'homme se leva pour examiner son visiteur. Il semblait manier un compas invisible.

— Vous mesurez moins d'un mètre soixante-quinze. Aucun muscle. Même pas soixante-dix kilos. Uniformément brun. Pilosité excessive. On le voit à votre moustache… Je dirais… Italie du Sud… En tout cas bassin méditerranéen.

— Je suis né en Autriche…

— Ça ne signifie rien. En revanche vos yeux… Gris. Gris très clair. Un bon signe. Vous avez du Germain en vous et il parle par votre regard. Que voulez-vous ?

Hitler bafouilla.

— Je suis un lecteur d'*Ostara*…

— Sinon, vous ne seriez pas ici. Ensuite ?

— Je voulais vous dire mon admiration.

Le compliment n'eut pas l'effet attendu. Lanz recula brusquement.

— Qui vous envoie ? Les juifs ou les francs-maçons ?

— Je croyais que c'était pareil, s'étonna Adolf.

— Détrompez-vous. Les juifs, on les reconnaît, on les sent. Les francs-maçons sont comme vous et moi, on ne peut pas les détecter. Voilà pourquoi ce sont les plus dangereux. Mais le temps est bientôt proche où les serviteurs du Léviathan vont payer pour leurs crimes. Et les larmes de leur sang enfanteront la nouvelle terre. Vous avez rencontré Weistort ?

— Oui, le jeune homme à l'entrée.

— C'est mon secrétaire. Vous l'avez observé ? Les traits de son visage ? La densité de ses épaules ? La clarté de ses cheveux ? Voilà l'homme nouveau, l'homme de la régénération. Tel qu'il a été écrit dans le Livre.

Lanz montra une bible posée sur le bureau.

— La véritable parole divine, mais pour qui sait la lire. Les juifs ont tout corrompu par leur ignorance, un peuple d'errants qui s'est cru capable de comprendre la volonté de la Toute-Puissance. Ils ont déformé, travesti, maquillé la vérité. Mais l'heure de la révélation approche.

Hitler avait toujours eu un dégoût inné pour la religion, mais ce qu'il détestait encore plus, c'était la morale des curés et des pasteurs. Cette tromperie insensée de l'amour de son prochain ! Une ignoble fumisterie qui ne servait que l'intérêt des puissants et maintenait tous les autres dans la servitude. Enfant, rien ne le mettait plus en colère que voir sa mère saluer bien bas les notables de la ville. Des hypocrites qui mangeaient le corps de Dieu le dimanche et dévoraient le peuple tout le reste de la semaine.

— Vous connaissez la Genèse ?

Adolf hocha la tête.

— Alors vous savez qu'Ève fut séduite par le serpent, ce qui précipita les hommes dans la déchéance ? Mais selon vous qui est le serpent ?

— Le symbole du Mal ?

Lanz sourit.

— C'est ce que j'ai cru pendant longtemps, mais c'est faux. Le serpent n'est pas un symbole, mais une métaphore. Les juifs ont fait du tentateur d'Ève l'incarnation du démon, mais c'est un leurre pour dissimuler la vérité. Une manipulation.

Le visage d'Hitler avait changé. Ses lèvres s'étaient figées, il observait Lanz d'un regard fiévreux. Au fond de lui, il l'avait toujours su. Tout ce que l'on enseignait n'était que mensonge. La société était un théâtre truqué au bénéfice de forces secrètes qui s'en servaient pour assouvir leur volonté de puissance et de domination. Sinon comment expliquer que, lui, Hitler, depuis des années, ne connaisse que le rejet et la misère, que toutes les portes se ferment devant lui ?

— Le serpent n'a jamais existé et ce que raconte vraiment la Genèse est une tout autre histoire, l'histoire secrète du monde.

La porte vitrée s'entrouvrit et Weistort s'installa dans un angle du bureau. Lanz reprit :

— Oui, l'homme a bien sombré dans la déchéance,

mais ce n'est la faute ni d'une femme, ni d'un vulgaire serpent.

— À l'origine, précisa Weistort, une seule race dominait le monde, des hommes blancs, aux yeux et aux cheveux clairs. Ils venaient du Nord et avaient conquis tout l'univers. C'est d'eux que vous tenez ce regard gris, presque bleu, ce regard qui prouve que vous êtes d'origine aryenne.

— Mais que s'est-il passé ? interrogea Hitler.

— Il suffit de savoir interpréter le mythe du jardin d'Éden. Peu à peu, ces hommes se sont avachis, ils ont cessé de conquérir, de chasser, de se battre… Leur peau s'est foncée à cause du climat… Ainsi est née la race sombre, oisive et corrompue.

— Et cette race a souillé le monde, se mélangeant à nouveau avec la race primordiale, la dépréciant, la réduisant, l'anéantissant.

— Le véritable sens d'Ève séduite par le serpent, c'est la contamination de la race supérieure par les inférieures.

Hitler était stupéfait. Jamais, il n'avait entendu pareille théorie. Il ne la comprenait pas encore bien, mais ce qu'il retenait surtout c'était que lui était d'origine aryenne. C'est pourquoi il était en butte à la haine instinctive des autres. Tous de race inférieure.

— Voilà, pour restaurer la race primordiale, énonça Lanz, il faut procéder à une *épuration raciale*, interdire les mariages impurs et se débarrasser des dégénérés. Quant aux femmes, seules pourront procréer celles qui seront racialement pures. Nous fonderons des couvents de la fertilité où elles ne seront fécondées que par de véritables Aryens.

Adolf avait l'impression de voir la lumière pour la première fois, mais son esprit critique reprit néanmoins le dessus.

— Et comment comptez-vous inverser le processus ? Comment remonter le cours de l'Histoire ?

Lanz s'adressa à Weistort.

— Ses yeux ne m'avaient pas trompé. Il a en lui l'héritage des anciens.

Puis, se tournant vers Adolf :

— Que faites-vous dans la vie, monsieur…

— Il s'appelle Hitler.

— J'étudie l'art, je peins, je…

— C'est-à-dire que vous êtes réduit à vous-même, sans ressource et sans amis, je me trompe ?

Hitler pâlit. Son échec de la veille lui revint comme un affront insoutenable.

— Ça ne m'étonne pas. La race sombre est partout et, dès qu'elle identifie un Aryen, elle le persécute. Pas d'aide, pas de travail. Elle préfère faire venir par dizaines de milliers des Slaves pouilleux, des Hongrois voleurs et surtout des juifs.

— Vous savez qu'à Vienne, ils ont leur quartier à eux, qu'on ne peut plus y pénétrer tant ils sont nombreux ? expliqua Weistort.

Adolf hocha silencieusement la tête. À la vérité, il ne connaissait aucun juif. Lanz reprit :

— Et vous savez pourquoi ils prolifèrent, pourquoi ils nous dépassent ? C'est parce qu'eux sont solidaires. Au contraire de nous qui n'avons plus rien en commun, ni histoire, ni famille, ni religion. La race sombre a fait de nous des déracinés sur notre propre terre.

Le rédacteur d'*Ostara* se leva et posa sa main pâle sur l'épaule d'Hitler.

— Et si vous retrouviez votre véritable famille, si vous vous retrouviez vous-même ?

16

Londres
Bloomsbury
Novembre 1941

Le domestique chinois avait apporté un plateau avec du thé et des gâteaux. Crowley le congédia et fit le service lui-même. Il versa le liquide ambré dans la tasse de Laure en la fixant avec une intensité dérangeante.

— Sucre ?

— Non merci, répondit la jeune femme, mal à l'aise.

— J'avoue que je ne comprends pas. Hess est juif ? Ça paraît absurde, dit Malorley.

Crowley s'était assis sur son fauteuil, les mains posées sur les accoudoirs. Son expression changea du tout au tout. C'était comme si ce n'était plus le même homme. Il arborait un air dominateur. Sa voix se fit plus grave.

— Écoutez-moi attentivement. Vos fiches sont inexactes. Ce n'était pas en 1931, mais en octobre 1932 que je l'ai rencontré. Ce fut lors d'un dîner en petit comité, à Berlin, chez le voyant le plus célèbre d'Allemagne, Hanussen. Adolf Hitler n'avait pas encore accédé au pouvoir et il était déprimé au dernier degré, il ne croyait plus à son élection. Il avait envoyé Hess dans tous les cénacles d'occultistes et d'astrologues pour traquer des signes favorables. Hanussen fut le seul à prophétiser sa future victoire, alors que tous les commentateurs politiques ne donnaient plus cher du nazisme. Bref, Hess et Hanussen devinrent amis, ils partageaient la même passion pour la science des étoiles. Ce soir-là, le dîner fut de bonne tenue, même si ça manquait de femmes. Hess me fit une piètre impression. Un homme plutôt borné aux opinions tranchées, ses logorrhées sur le national-socialisme et la supériorité de la race aryenne commençaient à nous endormir quand j'eus l'idée d'organiser une séance d'hypnose.

— Vous avez hypnotisé Hess ?

Le maître de maison plaqua ses mains contre ses yeux et les étira sur les côtés pour les masser. Puis il poussa un soupir de contentement. Comme un chat. Un gros chat dodu et vicieux.

— Oh oui, je possède ce modeste talent, répondit-il. À la fin du dîner, la conversation avait dérivé sur la réincarnation, doctrine à laquelle Hess, comme beaucoup de dignitaires nazis, croyait dur comme fer. Il était persuadé d'avoir été un grand roi viking au début du VIIe siècle. J'ai proposé de lui faire faire une régression temporelle et il s'est passé quelque chose de curieux. Juste après sa plongée dans un état second, il s'est mis à parler en yiddish ! Il se présentait comme un rabbin ayant vécu à Nuremberg au Moyen Âge, un érudit en sciences talmudiques. Imaginez notre stupeur. Ce proche d'Hitler, qui portait son antisémitisme comme un étendard, soliloquait avec verve sur la Torah et les livres sacrés juifs !

— Vous êtes sérieux ? demanda Laure, sceptique.

— Toujours quand il s'agit de réincarnation, répondit Crowley sans sourciller. Je ne vous raconte pas la tête d'Hanussen et des autres invités. La moitié était morte de rire, l'autre de peur. Si Hess apprenait qu'il avait été un juif et pas un Viking, il aurait envoyé une bande de SA dans l'heure pour se débarrasser de toute l'assemblée.

— Comment vous êtes-vous tiré de ce guêpier ?

— J'ai eu recours à une technique d'induction. Je lui ai implanté de faux souvenirs plus conformes à ses fantasmes. Grâce à moi, il s'est découvert en féroce seigneur suédois devenu prêtre au Ve siècle. Quand il s'est réveillé, il était aux anges et nous a assuré avoir éprouvé une expérience mystique extraordinaire. Évidemment, personne n'a rien dit sur le rabbin. Bref, pour terminer cette anecdote, je dois vous avouer qu'il s'est produit un effet secondaire inattendu. Une semaine plus tard, Hess est venu me voir, complètement exalté, pour me remercier. Il entendait la voix d'un dieu nordique du nom de Baldr. Une sorte d'ange gardien avec un casque et des cornes, qui le conseillait par intermittence. Hess était tellement enthousiaste qu'il voulait que j'aille hypnotiser son Führer sur-le-champ et enregistrer la séance pour l'histoire. J'ai prudemment décliné.

— Pourquoi ?

— Imaginez qu'Hitler ait été un charpentier juif en Palestine ou un esclave noir aux États-Unis ? J'aurais terminé la séance avec une balle dans la tête. Le lendemain, j'ai quitté Berlin pour revenir en Angleterre. Mais j'ai gardé une liste des nazis qui croient à la réincarnation, je note toujours mes souvenirs de voyages dans des carnets. Je dois en avoir une bonne cinquantaine.

— Vous pourriez nous les fournir ?

Crowley prit un air ennuyé.

— Il faudrait que je les retrouve, ils doivent être dans un carton, quelque part dans le grenier. Ça va prendre beaucoup de temps et puis je n'ai pas fait mes preuves… Voyons ce que ça donne avec Hess et, si vous êtes satisfait, nous aurons trouvé tous les deux quelque chose à faire de notre temps.

— Précisez…

— Moi pour fouiller mes archives et vous pour trouver le chemin du comptable de votre service et me ramener un bon paquet de livres sterling.

Laure restait silencieuse. Elle rectifia son jugement sur Crowley, les fous ont parfois le sens de la politique, rarement celui des affaires.

Malorley se leva.

— OK. Au moins, Hess aura gardé un bon souvenir de vous, ça facilitera nos affaires. J'espère qu'il vous reconnaîtra quand nous irons lui rendre visite. Je veux que vous lui soutiriez un maximum d'informations.

— À quel sujet ?

— Je vous en parlerai quand je viendrai vous chercher demain, en fin d'après-midi.

— Où est-il incarcéré ?

— Dans la prison la plus prestigieuse du royaume. Celle où l'on a décapité nombre de têtes couronnées. Il y est d'ailleurs le seul détenu. La Tour de Londres.

Malorley semblait absorbé lorsqu'ils sortirent de la résidence du mage. Il prit Laure par le bras.

— Je vais vous confier une mission.

— Là, tout de suite ?

— Oui. Je sais où j'ai vu la femme que nous avons croisée. C'est une Irlandaise sympathisante des chemises noires de Mosley.

— Je croyais qu'on ne trouvait ces modèles de confection qu'en Italie.

— Non, on en a eu aussi chez nous. Des fascistes admirateurs d'Hitler et de Mussolini. Un parti dirigé par un aristocrate pur jus, Oswald Mosley. Il a même défilé, avant-guerre à Londres avec quelques milliers de partisans.

— Et vous les autorisez à sévir ? demanda Laure d'une voix surprise.

— Non, avec la guerre ils ont été dissous. Mosley et ses cadres dirigeants croupissent en prison[1]. J'ai

---

1. Oswald Mosley sera libéré en novembre 1943.

156

rencontré cette femme, Moira O'Connor, en 1938, dans une soirée donnée en l'honneur de l'accord signé à Munich avec Hitler et Mussolini. Elle ne cachait pas sa sympathie pour le Führer et, comme Mosley, était aussi partisane de l'indépendance irlandaise. Qu'elle soit en rapport avec Crowley m'inquiète. Vous allez la suivre discrètement et me rapporter tous ses faits et gestes.

17

Berlin
Siège de l'Ahnenerbe
Novembre 1941

La bibliothèque était dans la pénombre. À cette heure, aucun chercheur de l'institut n'avait encore pris ses fonctions. Les bureaux étaient vides, les couloirs silencieux, la demeure endormie. Tristan s'était installé près de la porte-fenêtre qui donnait sur la terrasse. Bientôt le soleil passerait la cime des arbres du parc et la lumière ferait son entrée officielle, mais pour l'instant Tristan était enseveli dans une douce obscurité, où il se sentait particulièrement serein. Il aimait la dernière heure de la nuit quand la clarté était encore un rêve. Il avait l'impression d'être enveloppé dans une couverture invisible pourtant chaude et protectrice. Il prit la tasse de café entre les deux mains, comme une prière muette, et cala sa tête sur le cuir épais du fauteuil. À l'étage, Erika dormait toujours. La solitude de Tristan était complète. D'ailleurs, si quelqu'un était

158

entré dans la bibliothèque, il n'aurait rien remarqué dans la pénombre à part peut-être les livres ouverts sur le bureau. Une dizaine et tous traitant de la Crète. Cartes des siècles passés, récits de voyageurs, histoire de l'île, Tristan avait fait une crise d'érudition nocturne.

Posé à côté des livres, un carnet de notes était resté vierge. Malgré ses lectures, le Français n'avait rien trouvé qui puisse éclairer la découverte de la cache souterraine. Rien qui puisse expliquer une tombe vide et une épée anonyme. Erika et lui allaient devoir trouver rapidement une signification et une piste viable. Le Reichsführer voulait des réponses, pas des questions.

— Tu t'es levé tôt.

Erika venait de pénétrer dans la bibliothèque, enroulée dans une couverture qu'elle portait comme une toge. Tristan se leva et lui avança le fauteuil. Elle s'y lova comme au creux d'un lit.

— J'ai dormi dans l'avion, expliqua le Français. Comme le sommeil ne revenait pas, j'en ai profité pour faire quelques recherches.

— Et tu as trouvé quelque chose ? demanda l'archéologue en tirant du pied une chaise pour y allonger ses jambes.

— Rien, si ce n'est qu'au cours des siècles, la Crète a été le lieu incessant d'invasions, romaine, byzantine, franque, arabe, vénitienne, ottomane.

— Et à l'époque où le souterrain a été édifié ?

— Ce sont les Vénitiens qui occupaient l'île.

Erika remonta la couverture à hauteur de ses genoux. Un rayon de soleil naissant, coulissant par le haut de la fenêtre, rebondit sur l'épiderme de sa cheville.

— Venise, reprit l'archéologue, tu y es déjà allé ?

Tristan secoua la tête.

— Tu as beaucoup voyagé avant qu'on ne se rencontre ?

— Tu sais déjà que j'ai été en Espagne.

— Justement, je sais très peu de chose de toi. Par exemple, cette cicatrice sur ton épaule gauche, celui qui t'a recousu n'était pas un chirurgien hors pair.

— Il n'était pas chirurgien du tout.

Erika remonta la couverture de quelques centimètres sur ses jambes.

— À chaque information que tu me donneras sur toi et que je jugerai pertinente, je remonterai cette couverture de la largeur d'un ourlet.

— Que veux-tu savoir ?

— Que faisais-tu en Espagne ?

— Ton prédécesseur, le colonel Weistort, ne te l'a pas dit ?

— Il n'a pas eu le temps… Une balle dans la poitrine ralentit beaucoup le rythme de la conversation. Et comme il est toujours dans le coma… Alors ?

— J'étais en Espagne pour m'occuper du transfert d'une collection d'art, mais son propriétaire est mort avant.

160

L'archéologue fit coulisser le liseré de la couverture au-dessus de ses cuisses.

— Et tu t'es retrouvé à Montségur avec l'uniforme allemand ?

— Après avoir porté celui des Républicains. C'est le problème des guerres civiles qui s'internationalisent : le seul uniforme qui protège la peau est celui du moment.

La couverture remonta d'un cran supplémentaire.

— Serais-tu opportuniste ?

— Pas plus que toi. Après tout, le coma de Weistort arrange bien tes affaires. Te voilà responsable de l'Ahnenerbe en attendant son hypothétique réveil. Note que je ne m'en plains pas, ton prédécesseur se serait sûrement débarrassé de moi après le retour de Crète. Je ne lui aurais plus été d'aucune utilité. Qu'il reste endormi dans le néant jusqu'à la fin des temps.

— Tais-toi… dit Erika en rabaissant la couverture. On entend tout ici. Hitler serait furieux s'il t'entendait.

— Pourquoi ?

— Weistort et lui se sont connus dans leur jeunesse à Vienne, avant la guerre de 14-18. Ils se sont rencontrés dans les locaux d'une revue, *Ostara*, dont le fondateur, un certain Jörg Lanz, professait des idées qui annonçaient le national-socialisme. Himmler m'a confié un jour que Lanz et Weistort avaient joué un rôle capital dans la transformation idéologique du Führer.

Une voix retentit brusquement derrière la porte.

— Tout est prêt, madame, à quelle heure dois-je prévoir votre départ ?

Erika s'enroula dans sa couverture et bondit sur ses pieds nus.

— Dans deux heures.

— Tu pars ? s'étonna Tristan.

— *Nous* partons.

— Et où ?

— Au château de Wewelsburg.

Le siège de l'Ahnenerbe était situé dans la proche banlieue de Berlin, là où les familles nobles avaient construit leurs palais pour être au plus près du pouvoir tout en ne se mélangeant pas à la plèbe des faubourgs. Ainsi la demeure, située au centre d'un parc, protégée par des rideaux d'arbres centenaires, semblait en pleine campagne. Sans doute la raison pour laquelle Himmler l'avait choisie, lui qui aimait la discrétion pour ses recherches les plus confidentielles. Pendant qu'Erika préparait le départ pour le château de Wewelsburg, Tristan traversait le parc. Après les paysages arides de la Crète, marcher dans un sous-bois ombragé, entendre le froissement d'une aile d'oiseau, la fuite dans les taillis d'un animal invisible, lui faisait du bien. Les allées s'étaient réduites à des sentiers parsemés des premières feuilles mortes. Visiblement, personne ne venait ici. Pour se détendre, les chercheurs de l'Ahnenerbe préféraient sans doute de brèves promenades à proximité de l'ancien palais.

Tristan se retourna. Dans la trouée, il aperçut la colonnade de l'entrée surmontée d'une terrasse sur laquelle ouvraient des fenêtres à la française. Derrière l'une d'elles Erika se préparait.

Il ressentit un vif accès de désir. Leur tête-à-tête dans la bibliothèque avait été trop tôt interrompu. Elle aussi devait y penser. À moins qu'elle ne s'interroge encore sur son passé… Tristan se retourna pour écouter autour de lui. Un sous-bois frémissait toujours de mille bruits et on pouvait y pister quelqu'un en toute discrétion. Il quitta le sentier et obliqua à travers les arbres. En quelques secondes, il se fondit dans le feuillage. Les questions d'Erika l'avaient rendu méfiant. Surtout aujourd'hui.

Le parc était bordé par un mur d'enceinte destiné à le protéger des regards. Tristan le suivit sur une dizaine de mètres avant de s'arrêter devant une porte dont la serrure, quoique récemment huilée – sans doute une vérification des services de sécurité –, ne résista pas longtemps à ses talents de crocheteur. Aussitôt sorti, il la referma avec soin et s'engagea sur la route pavée qui longeait le domaine. De là, on voyait déjà les toitures grises des maisons. Passé les premières façades, le Français tourna vers la place centrale. À cette heure, elle n'était fréquentée que par les rares paroissiennes qui sortaient de la première messe. Tristan attendit qu'elles disparaissent, puis pénétra dans l'église.

Une odeur d'encens flottait dans l'air. Près de l'autel, un enfant de chœur pliait une chasuble. Tristan patienta jusqu'à ce qu'il l'apporte dans la sacristie et se dirigea vers la chapelle où se trouvait le confessionnal. Un jour incertain tombait d'un vitrail gris, le sol n'était pas balayé. Visiblement le sanctuaire respirait la gêne. Depuis l'avènement du nazisme, les catholiques se faisaient discrets dans les églises. Dans ses discours, Himmler n'hésitait plus à les mettre en cause. Et beaucoup se demandaient si, après les juifs, ils n'allaient pas devenir les nouveaux boucs émissaires du régime. Dans le confessionnal, Tristan s'assit sur le banc de bois, referma la porte et se pencha vers la fenêtre de séparation finement grillagée.

— Mon père, je veux me confesser, car j'ai péché, comme il est dit dans le grand livre.

À ces derniers mots, qui ne faisaient pas partie du rituel, l'ombre qui se trouvait de l'autre côté du confessionnal répondit d'une voix surprise :

— Nous sommes tous des pécheurs, mon fils.

— Certains plus que d'autres comme il est dit dans Isaïe.

— Vous m'étonnez, mon fils, je ne me rappelle plus cette citation.

— Chapitre 33, verset 11.

Un soupir de soulagement s'échappa du confessionnal.

— C'est donc vous !

— J'ai très peu de temps. Pouvez-vous transmettre un message ?

— S'il est suffisamment court, un de nos *amis* peut le transmettre tout de suite. Il sera diffusé, dans la journée, au cours d'une émission de la radio publique suisse.

Tristan regarda sa montre. Il devait rejoindre rapidement Erika avant qu'elle ne se mette à sa recherche.

— Court comment ?

— Une vingtaine de mots, pas plus. Les réseaux radiophoniques des pays neutres sont sur écoute constante. Il ne faut pas attirer l'attention.

Le Français ne commenta pas, mais le fait que ce prêtre connaisse tout le processus de transmission était bien plus dangereux qu'une hypothétique interception par les services d'écoute du Reich.

— Votre ami qui part en Suisse, il vous contacte comment ?

— Il ne me contacte jamais. Je laisse le message dans le tronc aux aumônes à l'entrée de l'église. Je ne le ferme jamais, de toute façon personne ne donne plus…

— Et c'est vous qui écrivez le message ?

— Mais je déguise mon écriture, se justifia le prêtre.

— D'accord. Vous avez de quoi noter ?

— J'ai toujours mon carnet sur moi.

— *Là où vit le minotaure/n'est plus le chemin de la croix/mais celui de l'épée.*

Tristan sortit du confessionnal, suivi du prêtre. C'était un homme frêle et voûté qui semblait émerger avec peine de sa soutane. Il montra le message.

— Je vais le déposer tout de suite. Je n'aime pas le garder sur moi.

L'enfant de chœur sortit de la sacristie. Il avait enlevé ses vêtements liturgiques et arborait l'uniforme des jeunesses hitlériennes. Un brassard à croix gammée ornait son bras gauche.

— Tu peux rentrer chez toi, Adrian, la prochaine messe n'est qu'à onze heures, annonça le prêtre.

Mais l'adolescent ne bougeait pas. Il contemplait fasciné la croix de fer que Tristan portait sur sa poitrine.

— Vous l'avez eue où, sur le front de l'Est ?

Le Français hocha la tête.

— Dès que j'aurai dix-sept ans, moi aussi je m'engagerai dans la SS et je tuerai des communistes.

Des deux mains, il fit le geste de tirer en rafale. Le prêtre soupira :

— Adrian, ce n'est pas le lieu, ici, pour de telles paroles. Je te l'ai déjà dit. On ne peut être chrétien et vouloir tuer son prochain.

L'enfant de chœur le regarda d'un air abasourdi.

— Pourquoi, puisque ni les juifs ni les communistes ne sont des êtres humains ?

Le prêtre allait répondre quand Tristan l'arrêta.

— Merci pour votre réconfort spirituel, mon père. C'est un grand secours avant de remonter au front. Bénissez-moi !

Étonné, le curé posa son majeur sur le front du Français. Ses ongles mal taillés firent une marque sur la peau. Comme le Français s'apprêtait à partir, Adrian fit retentir un retentissant *Heil Hitler* sous les voûtes de l'église. Tristan lui répliqua en claquant des talons.

Comme il allait franchir la porte d'entrée, il se retourna.

Le prêtre en soutane noire se tenait près de l'adolescent au brassard rouge sang. Le Français eut un étrange pressentiment.

Il y en avait un de trop.

18

Tour de Londres
Novembre 1941

Une pluie glacée se déversait sans interruption sur la forteresse sombre plantée au bord de la Tamise. Un inquiétant monument qui rappelait à tous les Londoniens la face sombre de la royauté britannique. Ici, depuis plus d'un millénaire, on avait emprisonné, torturé, jugé, pendu et décapité les plus grands opposants à la couronne. Souvent des innocents qui avaient juste eu le malheur de déplaire aux rois et reines du moment. Plantagenêt, York, Lancaster, Tudor, Stuart, Saxe-Cobourg, la plupart des dynasties régnantes avaient usé ou abusé des services offerts en ces lieux. Seule la dernière famille royale, les Windsor, ne semblait pas éprouver la même passion pour cet édifice infernal. Pour l'heure, un seul prisonnier y était enfermé, un étranger, un Allemand tombé du ciel. Et encore, c'était sur ordre personnel du Premier ministre.

Assis dans un bureau niché au deuxième étage du bâtiment ouest, Malorley, Crowley et le directeur de

18

168

l'établissement devisaient devant trois bols de choco-
lat chaud.

— Comment se porte le prisonnier ? demanda le
commander.

— Bien. Il mange à tous ses repas et fait sa pro-
menade dans la cour une heure par jour. Mais vos
collègues du MI5 n'en tirent rien. Il lit un peu et parle
parfois avec les gardiens, sauf que...

— Quoi ?

— Parfois il entend des voix et il fait aussi des
choses... bizarres.

Malorley ne manifesta aucune émotion : il devait se
concentrer sur l'entrevue. Pourtant le message transmis par Tristan *via* la radio suisse, juste avant qu'il ne
quitte le bureau, ne cessait de l'exciter. Encore une
fois, le grand jeu reprenait.

Ils étaient à nouveau dans la course pour les
swastikas.

Assis à ses côtés, Crowley restait muet, se contentant de prendre des notes sur un calepin. Il avait troqué
sa toge contre un complet marron d'où s'échappait en
pochoir un foulard de soie violette.

Le directeur de la prison essuya ses lunettes avec
un mouchoir qu'il plia précautionneusement avant de
reprendre la parole :

— Par exemple, il veut qu'on lui apporte des
insectes. Et ensuite il les mange. Il dit que c'est une
source de vie.

— Excellent ! Excellent ! Du Renfield pur jus,
commenta Aleister Crowley.

— Ren... field... Je ne vois pas. Un trouble du comportement ?

— Bien sûr et décrit avec force détails dans le roman *Dracula*. Renfield, le notaire, serviteur du comte, finit dans une prison et ingurgite des mouches et des cafards. Pour se régénérer. Vous n'avez pas lu ce chef-d'œuvre ?

— Si, il y a longtemps, un bon roman mais je ne...

— Un roman ? Vous divaguez, mon ami, c'est un document de première main sur le vampirisme. J'ai bien connu son auteur, Bram Stoker. Il faisait partie de la société initiatique de la Golden Dawn dont j'étais l'un des maîtres éminents. Stoker n'a rien inventé, vous pouvez me croire, à part quelques fariboles sur le pouvoir des crucifix.

Le directeur fronça les sourcils.

— Euh, rappelez-moi, qui êtes-vous exactement ?

Malorley se leva et coupa le mage.

— C'est le docteur Kenneth Anger, spécialiste du comportement. Si vous voulez nous excuser, nous sommes pressés.

Le directeur vérifia une nouvelle fois les papiers fournis par Malorley.

— Vous permettez que je passe un coup de fil, commander ? Juste pour vérification. Attendez-moi dans l'entrée.

Malorley et Crowley quittèrent le bureau et patientèrent dans un couloir lugubre.

— Ne me refaites plus un coup pareil, gronda Malorley, ce n'est pas le moment de faire de l'humour.

— J'étais sérieux.

Le directeur les rejoignit, quelques minutes plus tard, et fit un signe à un gardien.

— Accompagnez-les à la cellule 3.

Il rendit ses papiers à Malorley en le saluant et jeta un regard inquisiteur à Crowley.

— Il me semble vous avoir déjà vu… J'ai dirigé d'autres prisons avant-guerre. Vous êtes peut-être venu interroger des détenus ?

— Je suis sûr que non, coupa rapidement Malorley. Merci encore pour votre collaboration.

Le chemin fut rapide. Ils descendirent un escalier étriqué, empruntèrent un couloir humide puis débouchèrent dans une salle octogonale, surmontée d'une voûte en ogive, où se trouvaient sept portes en bois, toutes peintes en vert.

Le gardien inséra une lourde clé dans la serrure de l'une d'entre elles. Un grincement lugubre résonna entre les murs. Quand les deux hommes pénétrèrent à l'intérieur, une forte odeur de moisissure leur sauta au nez. On aurait dit que la cellule n'avait pas changé depuis le XIIe siècle. Des murs de pierres noircies, un sol pavé et une grossière entaille dans la pierre qui faisait office de fenêtre, barrée par d'épais barreaux de fer. Le décor respirait une authenticité exemplaire. L'administration pénitentiaire avait cependant accordé quelques concessions à la modernité, comme la présence d'un lit, une ampoule électrique qui déversait une lueur jaunâtre et un coin toilettes qui n'aurait pas déparé dans un taudis de Shoreditch.

Les deux visiteurs s'arrêtèrent au milieu de la cellule. Rudolf Hess se tenait assis sur son lit, il avait posé un livre sur la couverture et les regardait avec surprise. Malorley fut frappé par le contraste entre la pâleur des yeux et la noirceur des sourcils. L'homme avait maigri, il semblait avoir vécu dix ans de plus par rapport aux photos qui circulaient dans la presse. Il clignait sans cesse des yeux, comme un hibou.

— Nous sommes ravis de vous rencontrer, Herr Hess.

— Vous êtes du MI5 ou MI6 ? Je m'y perds un peu avec ces abréviations.

— Ni l'un ni l'autre. Nous venons de la part du Premier ministre, Winston Churchill.

Le visage de Hess s'éclaircit d'un coup.

— À la bonne heure ! Je n'arrivais pas à convaincre ces ânes des services secrets. Je suppose que vous venez pour me faire sortir de cet endroit horrible. Enfin ! Vous savez qu'il se passe des choses étranges, ici ?

— Justement ! rebondit Malorley, nous voudrions clarifier avec vous certains points…

— *Nein ! Fick dich !*

Hess s'était levé d'un bond, le visage rouge de mépris.

— Encore un interrogatoire ! Crétins d'Anglais. J'ai traversé mille périls pour vous apporter la paix et en échange vous me tourmentez. Est-ce ainsi que l'on traite les diplomates dans votre pays ?

— Je vous signale qu'Adolf Hitler lui-même vous a déjugé et…

— Vous ne savez rien des intentions du Führer. Rien ! Laissez-moi tranquille, je ne répondrai à aucune de vos questions stupides tant qu'on ne m'aura pas libéré pour voir Churchill.

— C'est justement de cela qu'il s'agit. Lors de votre premier entretien avec le Premier ministre, vous avez fait une allusion à des swastikas sacrées trouvées au Tibet et dans le sud de la France.

— Je ne vous dirai rien ! Partez.

Hess croisa les bras d'un air impérieux. Crowley s'approcha de Malorley et chuchota :

— Laissez-moi faire.

Aleister s'approcha du dignitaire nazi.

— Rudolf, vous ne vous souvenez pas de moi ? Aleister Crowley. Le dîner chez Hanussen à Berlin ? Je vous ai mis en relation avec Baldr. Le dieu Baldr…

Hess inspecta Crowley des pieds à la tête avant de répondre.

— Oui… Oui… Le mage anglais. Mais vous êtes différent de mon souvenir ! Vous avez pris du poids, mon ami, ce n'est pas sain.

Aleister le prit par les épaules.

— Peu importe mon apparence, ce qui compte c'est l'âme. Vous le savez. Nous partageons les mêmes valeurs spirituelles. Comment se porte Baldr ?

— Il est en colère et ne me parle plus depuis que je croupis dans cette maudite prison. Des esprits tourmentés rôdent ici et l'empêchent de se manifester.

— Quels esprits, Rudolf ?

— Il s'est déroulé des choses horribles dans cet endroit, on y enfermait les prisonniers de haut rang pour les exécuter. Dans cette cellule immonde ont été enfermées Anne Boleyn et Katherine Howard, les épouses d'Henri VIII. Il les a fait décapiter ! J'entends leurs hurlements la nuit. C'est pour ça que je mange des insectes, elles n'aiment pas ça et elles me laissent tranquille.

Il s'interrompit pour jeter un regard méfiant à Malorley.

— Lui, là-bas, il ne serait pas de la race de David ? Je ne lui dirai rien sur les swastikas.

— Non, c'est un pur Aryen. Rassurez-vous, Rudolf. Je suis venu pour vous aider.

Il lui posa la main sur l'épaule.

— Voulez-vous que je vous mette en état d'hypnose ? Comme chez Hanussen. Ça me permettrait de reprendre directement contact avec Baldr. Les fantômes ne peuvent rien contre moi, j'ai un talisman qui me protège.

— Vous feriez ça pour moi ?

— Bien sûr, ne sommes-nous pas amis ? Adossez-vous au mur et laissez-vous aller.

19

Château de Wewelsburg
Novembre 1941

La taverne du village n'accueillait qu'une poignée d'habitants qui tapaient le carton en dégustant de petits verres de schnaps. Himmler, qui avait restauré le château pour en faire la forteresse spirituelle des SS, n'avait sans doute jamais traversé le village, ni vu ses habitants. Ici, pas de grands Aryens au regard bleu, mais des paysans râblés, aux visages hâlés par les travaux des champs, piqués d'une barbe noire et rêche, sous des yeux de charbon délavé. Des Allemands qui ne ressemblaient en rien aux images de surhomme nordique, sans cesse célébré par la propagande nazie. Assis à proximité, Tristan écoutait avec attention leur conversation. Ils s'étaient installés dans cette taverne, car Erika souhaitait relire les différents rapports de la mission de l'Ahnenerbe en Crète. Sur les conseils de son compagnon, tous deux étaient en civil, ce qui les rendait quasiment invisibles pour les habitués qui les prenaient pour un couple de représentants de commerce. Et puis

Tristan, paupières baissées et bouche ouverte, semblait dormir depuis un bon moment. On ne se méfie jamais d'un homme qui ronfle en public.

— Je te dis que mon cousin m'a dit qu'on entendait des bruits bizarres la nuit. Que d'ailleurs, les femmes de service, elles veulent plus aller à la tour, lança une voix.

— Un rigolo, ton cousin ! Personne ne peut entrer dans la tour. Les SS bouclent tout.

— Mais pourquoi ?

— À cause de la tombe d'Hitler. C'est là qu'on le mettra quand il aura passé l'arme à gauche. Et en attendant…

Celui qui venait de parler baissa d'un ton.

— Ils font des cérémonies, des rituels pour tenter de prolonger la vie du Führer.

— Tais-toi ! Les murs ont des oreilles.

La conversation cessa aussitôt. Et Tristan n'entendit plus que le bruit régulier des cartes qui tombaient sur la table. Il pouvait se réveiller, mais il attendit qu'Erika lui secoue l'épaule.

— Tu t'es endormi ?

— Profondément, répondit le Français, et j'ai rêvé de toi.

Un lacis de ruelles étroites montait vers le nouveau Camelot d'Himmler. Comme ils s'approchaient de l'entrée du château, dont les murailles restaurées se perdaient dans un ciel gris cendre, Tristan demanda à sa compagne :

— De quoi parlaient les habitués à la taverne ?

— Aucune idée, j'étais plongée dans ma lecture. Pourquoi, ça t'intéresse ?

— Simple curiosité, la discussion avait l'air animé, quel est le programme ?

— Nous avons rendez-vous avec le professeur Waldenberg. C'est un médiéviste, spécialiste d'armes anciennes. Mais avant, nous allons visiter la salle des swastikas.

À ces mots, le Français s'arrêta net, provoquant la surprise d'Erika.

— Tu n'as pas envie de voir la relique que tu as sauvée à Montségur ?

— Si, mais je croyais qu'elle était interdite d'accès.

— Le Reichsführer a donné des ordres.

Tout en passant les contrôles, Tristan repensait à la conversation de la taverne. Que des habitants fantasment sur un lieu qui leur était désormais interdit ne le surprenait pas. Surtout que le château était la propriété exclusive d'Himmler, ce qui provoquait toutes les chimères. On disait qu'il adorait les dieux païens en secret, qu'il collectionnait jusqu'à l'obsession les livres de sorcellerie, en revanche Tristan n'avait jamais entendu parler de rumeurs de rituels ou de cérémonies magiques. Encore moins pour prolonger la vie d'Hitler. Comment pareille idée avait pu venir à l'esprit des habitués de la taverne ? Que faisaient exactement Himmler et ses âmes damnées avec les swastikas ?

Ils venaient de traverser la cour d'honneur, décorée

d'oriflammes noires frappées des deux runes SS, et empruntèrent l'escalier à vis qui menait à la tour.

— Tu es déjà venue, ici ? demanda Tristan qui voyait Erika s'arrêter devant une porte donnant sur le premier palier.

— Oui, Himmler m'a déjà fait découvrir la salle aux swastikas au retour de Montségur.

Un officier ouvrit, qui s'inclina devant l'archéologue, en montrant de la main un étroit couloir en pierre. Sans un mot, von Essling s'y engouffra suivie du Français tandis que la porte se refermait derrière eux.

— Je m'attendais à plus de gardes…

— Reste silencieux

Ils venaient d'entrer dans une salle ronde bâtie en pierre apparente. Un, deux, trois, puis quatre projecteurs dissimulés dans le sol s'allumèrent, projetant une lumière verticale sur la voûte qui se réverbéra dans toute la pièce. Taillées dans la pierre, quatre niches en forme de swastika marquaient les points cardinaux.

— À l'est se trouve la swastika récupérée au Tibet, expliqua Erika, au sud, celle de Montségur.

Tristan s'approcha de chacune d'elles. Elles étaient identiques, sauf que l'une était constellée de larges taches brunes. Tout à coup, Marcas eut l'impression de se trouver dans un lieu de sacrifices pour des divinités innommables. Il leva les yeux vers la voûte et remarqua une ouverture.

— Il y a quoi au-dessus ?

— À l'époque médiévale, ici, c'était le cachot. Comme le couloir que nous avons emprunté n'existait pas, on descendait les prisonniers par cette ouverture.

— Et aujourd'hui, il y a quoi ? insista Tristan.

— La chambre d'Hitler.

De retour dans le couloir qui menait à l'étage, Marcas tentait de dissimuler les interrogations qui le tenaillaient. Une expression, de plus en plus martelée par Himmler ces derniers mois, lui était revenue en mémoire. *Nous bâtissons un Reich pour mille ans.* Et si le vrai but de la quête des swastikas n'était pas que la victoire contre l'Angleterre de Churchill et la Russie de Staline, mais l'immortalité. L'immortalité d'Hitler.

— Nous y voilà.

Erika actionna la poignée d'une double porte qui ouvrit sur une immense salle dont les murs étaient couverts de livres jusqu'au plafond. Quelques fenêtres, tamisées par un store, éclairaient légèrement la pièce qui se perdait dans une semi-pénombre. Sur le parquet, de longues tables de chêne vernissé avaient été installées sur lesquelles s'entassaient des piles de livres. Chacune portait une plaque de cuivre avec un nom, systématiquement précédé du titre de professeur.

— Ce sont les noms des enseignants qui forment les cadres SS en séminaire au château.

— C'est curieux, mais en allemand, on donne plutôt le titre de *docteur* que de *professeur,* non ?

— Quand on est passé par l'université, oui, sauf

179

que certains qui enseignent ici n'y ont jamais mis les pieds. Alors pour ne froisser personne, on donne à tout le monde le titre de *professeur*. Himmler a choisi quelques enseignants aux idées marginales, pour ne pas dire hérétiques.

Ils venaient d'arriver près d'une table où, au lieu de piles de livres, se dressait une collection de globes terrestres. Tristan s'approcha. Il avait toujours été fasciné par les globes anciens. Surtout ceux sur lesquels on voyait les mots magiques de *terra incognita* pour nommer les mondes qui n'avaient pas encore été découverts.

— C'est le bureau du professeur Hörbiger, il se passionne pour le globe terrestre et ses idées sont délicieusement excentriques. Pour lui, nous vivons à l'intérieur d'une gigantesque terre creuse. Comme si nous habitions le noyau d'un fruit.

— Tu plaisantes ?

— Du tout. Et quand nous regardons le ciel, ce n'est pas l'infini que nous contemplons, mais l'intérieur de la peau de ce fruit.

— Et les étoiles ?

— Une simple illusion d'optique due à la diffraction de la lumière.

Marcas était sans voix.

— Mais Hörbiger se demande aussi si ce fruit, dont nous habitons le noyau, ne baigne pas plutôt dans un océan de lumière. Dans ce cas le scintillement des étoiles ne serait que le passage de cette lumière là où la peau du fruit est plus fine ou bien percée.

— Il est heureux que ton professeur Hörbiger vive dans notre siècle. Au Moyen Âge, il aurait directement fini sur le bûcher. Je n'arrive pas à croire que le Reichsführer puisse s'intéresser à de pareilles absurdités.

— Himmler ne s'intéresse qu'à l'aspect militaire de cette théorie. Suppose qu'au-dessus de nous, il y ait vraiment une paroi, une croûte, une membrane, ce que tu veux, et que tu envoies dessus un rayon lumineux extrêmement puissant, alors le rayon va rebondir. Et si tu calcules bien l'angle, tu peux frapper n'importe quel point du globe qui est aujourd'hui hors de la portée de tes avions de combat.

— Comme les États-Unis, s'exclama Marcas qui venait de comprendre, mais pour cela il faudrait un faisceau d'énergie considérable.

— Oui, mais bientôt nous aurons les quatre swastikas.

Ils venaient de parvenir au centre de la bibliothèque. À la place des longues tables réservées aux enseignants, se trouvait un autel de pierre qui avait dû être dérobé dans une église. Sur la pierre plate, se trouvait un lutrin en bois sombre protégé par une pyramide de verre.

— Collection privée d'Heinrich Himmler, annonça l'archéologue.

— Mélanger un autel roman avec un lutrin baroque, je reconnais là le goût parfait du Reichsführer…

— Approche-toi.

Un livre était posé sur le lutrin. Une couverture de

181

cuir rouge, frappée d'un titre en lettres gothiques. En se baissant au niveau de la tranche, Tristan aperçut des feuilles de tailles différentes. Il ne s'agissait donc pas d'un ouvrage imprimé, mais probablement d'un manuscrit ancien.

— Voilà le *Thule Borealis Kulten*.

Marcas eut un haut-le-corps. C'était à cause de ce livre que le colonel Weistort l'avait kidnappé en Espagne, fait passer pour mort, et entraîné dans sa quête meurtrière à Montségur.

— Si tu m'expliquais ce qu'il y a réellement dans ce livre. Tout ce que je sais, c'est qu'il a été écrit à la fin du XIIIᵉ siècle.

— Nos spécialistes l'ont étudié à fond. Il a sans doute été rédigé par un moine dans le scriptorium d'une abbaye. C'est ce qui ressort de l'analyse du parchemin et de l'écriture.

— On sait dans quelle région d'Europe ?

— Par comparaison avec d'autres manuscrits de la même époque, on suppose qu'il a vu le jour dans le sud de l'Allemagne.

— Une région nombreuse en monastères ?

— Pas vraiment, mais ce qui complique la recherche, c'est que celui qui a rédigé le texte fait preuve d'une culture, historique et géographique, qui n'a rien à voir avec celle des religieux de l'époque.

Le Français fit un geste d'étonnement.

— Peut-être ne s'agit-il pas d'un moine, mais d'un voyageur de passage, suggéra Erika.

— Et comment le manuscrit vous est-il parvenu ?

— Weistort l'a récupéré chez un libraire juif.

Tristan évita de demander comment la *récupération* s'était faite. L'ancien patron de l'Ahnenerbe ne l'avait sûrement pas échangé contre des espèces sonnantes et trébuchantes.

— On peut le consulter ?

Erika montra une serrure sur la pyramide de verre.

— Seul Himmler a la clé.

— Et tu en connais le contenu ?

— Oui. C'est l'histoire d'un peuple premier, les Hyperboréens, qui, suite à une catastrophe climatique, se divisent en quatre groupes de migrations. Chacun emportant une swastika. Le texte donne des indications sur le lieu où chacun de ces peuples a déposé sa propre relique.

— Sauf qu'à Cnossos, il n'y avait rien.

— Si, l'épée.

Von Essling se tourna vers le fond de la bibliothèque où brillait l'éclat d'une lampe.

— Et quelqu'un va nous aider.

20

Tour de Londres
Novembre 1941

Malorley regarda, incrédule, le nazi se laisser faire comme un enfant.

Le mage sortit de sa veste un petit prisme de couleur rouge, l'essuya avec un mouchoir, puis le fit miroiter sous la lumière jaune qui tombait du plafond.

— Le rubis de Cytorak… Cadeau du maharadjah de Rashpur. Il permet d'atteindre l'hypnose sans effort.

Malorley ne crut pas un instant aux paroles du mage, mais Hess participait, c'était l'essentiel. Crowley fit osciller la pierre au niveau des yeux du prisonnier.

— Regardez le rubis et écoutez le son de ma voix. Seulement ma voix. Vous êtes en sécurité, la lumière de Cytorak vous apporte une paix infinie. Votre respiration se calme, votre cœur bat avec régularité. Aspirez et inspirez lentement, très lentement. Nous sommes partis loin, très loin d'ici. En Allemagne, dans votre maison douillette à Berlin.

Hess semblait détendu.

— Vous entrez à l'intérieur de cette maison et passez directement dans votre salon. La température est douce, chaude, accueillante. Maintenant, vous allez vous asseoir dans votre fauteuil, que voyez-vous ?

— Le jardin. Il est en fleurs.

— Quelles fleurs ?

— Des roses, rouges, magnifiques. Ma femme, Ilse est une excellente jardinière.

— Bien... Plongez-vous dans la contemplation des roses et attendez-moi le temps que j'appelle Baldr.

Crowley se leva pour s'approcher de Malorley.

— Il est dans un état d'hypnose avancé. Je suppose que vous voulez qu'il s'exprime sur ce dont vous m'avez parlé dans la voiture, les swastikas et le livre... Comment s'appelle-t-il déjà ?

— Le *Thule Borealis Kulten*.

— Vu ce qui s'est passé lors de la précédente séance à Berlin, je ne vous garantis pas de résultats et encore moins les conséquences.

— Peu importe ! Après, Hess sera à nouveau sous la garde du MI5, ils se débrouilleront avec d'éventuels effets secondaires.

— À votre guise.

Crowley retourna s'asseoir auprès de Hess qui semblait particulièrement paisible.

— C'est moi Baldr, murmura le mage d'une voix curieusement mélodieuse, tu me reconnais ?

Le visage de l'ami d'Hitler prit une expression de joie profonde.

— Vous êtes enfin de retour ! J'ai fait un cauchemar absurde, j'étais enfermé dans une prison. À Londres, dans une tour. Je ne sais plus pourquoi, mais il y avait des femmes sans tête qui me regardaient.

— Un mauvais rêve, rien de plus. J'ai besoin de toi. Veux-tu m'aider ?

— Oui, mais je dois voir de toute urgence le Führer. Goering et les autres rats veulent lui faire envahir l'Angleterre. Je dois l'empêcher de commettre cette erreur. Nous ne sommes pas encore invincibles. Nous n'avons pas toutes les swastikas sacrées.

— Justement, j'ai besoin de savoir où se trouve celle qui a été trouvée au Tibet.

Hess se crispa.

— Elle est au château d'Himmler. C'est là où elles doivent toutes être réunies. Himmler sait beaucoup de choses, c'est mon seul allié. Il doit m'aider à convaincre Hitler.

— Décris-moi ce château.

— Le Wewelsburg… La… cathédrale de l'ordre noir. Un lieu habité par les esprits. Mais… vous le connaissez, vous m'y avez parlé.

— C'est vrai. Mais dis-moi… Le livre, le *Thule Borealis Kulten*, il se trouve bien là-bas ?

186

— Oui, dans une bibliothèque. Je l'ai consulté, c'est un ouvrage dangereux.

— Rudi, je te prends par la main, nous quittons ta maison pour que tu puisses te souvenir des lieux. Nous sommes dans le château. Tu le vois ?

— Oui... Il y a des torches partout. Il fait nuit. Himmler est là, il me montre le *Thule* posé sur un lutrin. Il y a le symbole de notre parti sur la couverture en rouge.

— Ouvre-le.

— Une des pages représente une... sorcière qui brûle. Il y a un avertissement. Qui dit... Ceux qui ne sont pas dignes de le lire brûleront eux aussi. Il y a aussi un diable dessiné... Mais... Je n'y arrive plus. Tout devient sombre.

L'Allemand se tordait sur son lit, le visage crispé. Sa respiration se fit plus haletante. En dépit du froid qui régnait dans la cellule il suait à grosses gouttes.

— Poursuis la lecture, je te protège.

— Je... Je... ne peux pas. Le démon, il est sorti du livre, il chuchote dans l'ombre. Non... laissez-moi !

Crowley jeta un œil à Malorley.

— Il faut interrompre la séance.

— Non ! Demandez-lui où est la troisième swastika !

— Comme vous voulez.

Il se retourna vers Hess.

— Parcours les pages, Rudi. Tu ne risques rien.

Le démon n'est rien face à la puissance d'un dieu du Walhalla.

— Je n'y arrive pas, Himmler range le livre.

— Où ?

— La sorcière... Elle garde... Oh non. Le démon m'a vu.

— Quelle sorcière ?

Soudain le nazi poussa un hurlement. Il se raidit d'un coup, ses yeux s'ouvrirent exorbités.

— Il me dévore ! Pitié.

La porte de la cellule s'ouvrit brutalement pour laisser passer le gardien qui brandissait une matraque.

— Bon sang, que se passe-t-il ici ?

Crowley faisait jouer le rubis devant les yeux fous d'Hess, pendant que Malorley le plaquait au lit.

— Réveille-toi, hurla Crowley, j'ai chassé le démon. Tu es en sécurité.

— Non ! Il entre en moi !

Hess hurlait de plus belle. De la salive jaillissait de sa bouche.

— On dirait une crise d'épilepsie. Appelez un médecin !

Le gardien s'approcha du lit.

— Au nom du ciel !

— Vous appellerez votre dieu à l'aide plus tard, murmura Crowley sur un ton méprisant.

Deux autres gardiens arrivèrent, suivis du directeur de la prison. Il foudroya immédiatement Crowley du regard.

188

— Maintenant je sais où je vous ai déjà rencontré ! À la prison de Leeds, comme prisonnier. Condamné pour outrage aux bonnes mœurs, et vous avez eu le culot d'organiser un trafic d'ouvrages pornographiques dans mon établissement ! Foutez le camp avant que je vous fasse boucler !

21

*Abbaye de Heiligenkreuz
Octobre 1908*

Une première couche de neige venait de tomber
sur la route pavée qui donnait sur le portail d'entrée du monastère. Adossé à un arbre, Hitler fixait
le bulbe du clocher qui scintillait sous la lune. De
part et d'autre du chemin s'étendaient des champs
dont l'un montait à l'assaut d'une colline surmontée d'une tour. *Sans doute une tour de guet*,
pensa Adolf, *mais elle n'a pas été très efficace.*
En Autriche, tout le monde savait que l'abbaye de
Heiligenkreuz avait été pillée et incendiée par les
Turcs en 1683. Une date symbolique où Vienne
avait failli devenir musulmane et, avec elle sans
doute, tout le reste de l'Europe. Adolf remonta le
col de sa veste et souffla dans ses mains pour se
réchauffer. Il avait reçu un message de Lanz l'in-
vitant à se rendre à la nuit tombée devant l'abbaye,
mais il se demandait désormais s'il avait eu raison
de venir. Il avait relu avec attention tous les numéros

d'*Ostara* à la bibliothèque nationale et, s'il partageait la majeure partie des idées de son rédacteur, il ne parvenait toujours pas à comprendre comment Lanz pouvait envisager sérieusement de mettre en place son programme : restaurer la race aryenne et imposer sa suprématie. Hitler haussa les épaules. Il suffisait de marcher dans Vienne, une heure, pour se rendre compte que la ville entière était devenue cosmopolite. Quant aux Viennois, ils n'avaient qu'un seul désir, acquérir les nouvelles merveilles de la technologie moderne : une voiture et un téléphone. Les idées de Lanz ne trouvaient d'écho que parmi les déclassés dont Adolf devait bien admettre qu'il faisait partie.

— Herr Hitler ?

Weistort venait de surgir, une lanterne à la main. Il désigna l'entrée monumentale de l'abbaye fermée de hautes grilles.

— Il y a une porte de service sur le côté, suivez-moi.

Ils franchirent rapidement la cour enneigée, puis tournèrent à gauche en direction de l'église. Les vitraux étaient illuminés et on entendait le tintement d'une cloche qui appelait les religieux à la prière.

— Où allons-nous ? demanda Hitler, que cette marche clandestine intriguait.

— Certainement pas prier avec les moines.

Ils longèrent une chapelle et Adolf remarqua qu'elle semblait plus ancienne. Des arcs-boutants l'enserraient comme pour la protéger des outrages du temps. Visiblement elle était abandonnée. Comme il dépassait le chevet, Weistort s'arrêta et tendit la lampe à son compagnon. Il sortit une clé de sa poche qu'il planta dans la neige.

— La serrure est rouillée, se justifia-t-il, avec un peu d'humidité, elle fait moins de bruit quand on l'ouvre.

Dans le halo blême de la lanterne venait d'apparaître une porte basse qui semblait se frayer un passage entre les murs massifs et épais dont la pierre grise scintillait de gel. Adolf pénétra le premier. Le sol dallé de la chapelle était couvert de déjections d'oiseaux. Comme Weistort levait la lanterne pour s'orienter, un vol strident de chauves-souris s'enfuit à travers les vitraux brisés. Une senteur lourde de moisi stagnait entre les murs.

— Le parfum de l'Église catholique, ironisa-t-il, qui se décompose et agonise. L'odeur de la mort lente. Et dire que c'est des monastères cisterciens que sont partis des milliers de croisés conquérir l'Orient... Quelle dégénérescence !

Hitler ne l'écoutait pas. Il observait lentement autour de lui, un bénitier avait roulé au sol, une statue sans tête, tandis que le long des murs s'épaississaient de lourdes traînées de salpêtre. Il n'avait pas touché un pinceau depuis des semaines, pourtant le désir de peindre le prit brusquement. Il imaginait quels effets lugubres et fantomatiques il pourrait tirer d'un pareil lieu... Sans le vouloir il esquissa de la main un coup de pinceau. Mais à quoi bon, personne ne voulait de sa peinture. Son échec aux Beaux-Arts l'avait fait mûrir. Il lui semblait enfin avoir compris quelque chose d'essentiel : il ne servait à rien de changer le réel en idéal. L'art était une illusion et les plus grands artistes des manipulateurs. Ils repeignaient le monde en couleur pour nous le rendre plus supportable. Un mensonge, une imposture. Il le comprenait désormais : la réalité ne devait pas être magnifiée, elle devait être changée. Et pour ça, il fallait agir.

— Vous êtes venu...

La silhouette presque translucide de Lanz s'encadrait entre deux colonnes. Il ne bougeait pas, observant Hitler comme s'il doutait encore de sa présence.

— Vous avez répondu à l'appel du destin. Voilà pourquoi vous êtes ici.

Il s'approcha d'Hitler et montra une plaque de bois noirci posée à même le sol juste devant l'autel effondré.

— Soulevez-la.

Adolf s'exécuta. Le boyau noir d'un puits surgit, exhalant une haleine glacée.

— Là se trouve la source sacrée que vénéraient nos ancêtres avant que la loi du Christ ne s'abatte sur le monde. Là se dressaient les temples des Celtes, puis des Germains que les moines se sont empressés d'annexer et de détourner. Là où se célébraient la force et la puissance de la terre, il a fallu se prosterner devant le dieu crucifié qui tend la joue.

La voix de Lanz, devenue plus grave, résonnait dans la chapelle.

— Mais jamais rien ne se perd et tout réapparaît un jour. Avez-vous entendu parler de l'ordre du Temple ?

— Les chevaliers qui protégeaient les pèlerins sur la route de la Terre sainte ?

— Eux-mêmes. D'abord une simple poignée, ils sont devenus le bras armé de Dieu sur terre, partout où il fallait combattre les infidèles. De la mer Noire aux rives du Nil, de l'Espagne à Jérusalem. Craints de leurs ennemis et redoutés de leurs amis. Trop d'ailleurs.

Lanz enleva ses fines lunettes cerclées et passa une main sur son crâne, avant de reprendre :

— Le drame des templiers, c'est leur destruction par le feu et le sang. Une tragédie orchestrée par le pape et le roi de France et qui a complètement masqué leur véritable mission.

L'attention d'Adolf se resserra.

— Leur fin brutale a créé un mythe. Les bibliothèques croulent sous les livres qui prétendent dévoiler leurs secrets. On fouille les archives à la recherche de leurs pouvoirs, on éventre les anciennes commanderies en quête de leur trésor et on se perd dans la légende, on s'enfonce dans le déni.

— Quel déni ? interrogea Hitler.

— Celui de la vérité.

La cloche de l'église se mit à sonner. L'office

194

nocturne venait de se terminer. Les moines allaient regagner leur dortoir. Weistort jeta sa veste sur la lanterne. L'obscurité retomba dans la chapelle avant de se dissiper progressivement sous les rayons de lune qui tombaient des hautes fenêtres. À pas de chat, Weistort s'était glissé près de la porte pour prévenir toute approche intempestive. Lanz, lui, n'avait pas bougé. Il fixait Hitler.

— Vous voulez connaître la vérité ?

La vérité ? mais il la connaissait déjà. Un père violent et détesté, une mère morte trop tôt, des études avortées, un talent ou plutôt une absence de talent... la voilà la vérité. La seule.

— Oui.

Étonné par sa propre réponse, Hitler faillit se retourner pour voir si quelqu'un d'autre n'avait pas parlé à sa place, mais Lanz le saisit par le bras.

— Alors venez, il est temps de descendre dans la crypte.

C'était la première fois qu'Adolf pénétrait dans le monde souterrain. En empruntant l'escalier aux marches branlantes, il lui semblait entamer une descente aux enfers. Pourtant, quand Hitler s'avança sous la voûte qui se perdait dans l'obscurité, il n'eut aucune sensation négative. Au contraire l'ombre, le silence, les lourdes pierres lui donnèrent un sentiment inattendu de sécurité. Il se disait qu'ici au moins, personne ne pouvait l'atteindre, que l'injustice et le mépris étaient restés à la surface.

Tout à ses impressions intérieures, il n'avait pas encore aperçu les silhouettes qui se tenaient en demi-cercle devant lui. Quand il leva les yeux, Weistort venait de poser la lanterne à leurs pieds. Hitler eut la sensation de se trouver face à un tribunal. Six hommes, tous en costume noir, entouraient Lanz.

— Avancez.

Adolf fit un pas et se figea. Il ne parvenait à distinguer aucun des visages des participants, immergés dans l'obscurité. Lui, en revanche, était parfaitement visible. Que pensaient-ils ? Pourquoi l'observer ainsi ? À moins que ce ne soit une mise en condition ? Une épreuve ? Il se mordit les lèvres sous la moustache. Pour dissimuler son impatience, il fixa le sol. Une dalle plus longue et plus claire se distinguait parmi les pavements. La pierre semblait striée d'une vague silhouette. Une tombe peut-être, mais cette crypte devait en être remplie. À ras bord.

— Savez-vous pourquoi vous êtes ici ?

Au moment même où Adolf allait répondre, une voix résonna.

— Pour voir et savoir.

— Alors qu'il voie.

Devant Lanz qui venait de s'exprimer, Weistort dressa la lanterne, dégageant de l'obscurité la pierre burinée d'un ancien autel.

— Savez-vous pourquoi la pierre est nue ?

Cette fois Hitler se garda bien de répondre. De plus il trouvait que ce jeu de questions-réponses avait quelque chose de puéril. Il n'était vraiment pas venu pour ça.

— Pour interroger et apprendre.

— Alors qu'il apprenne.

De nouveau Weistort intervint, il apporta un livre qu'il posa avec précaution sur l'autel. Adolf remarqua aussitôt la couverture rouge et surtout les pages qui n'avaient pas été coupées à taille égale. Ce n'était pas une bible, comme il l'avait pensé au début, mais un livre ancien. Très ancien. Sans doute un manuscrit.

— Savez-vous pourquoi le livre est fermé ?

— Pour égarer et perdre.

Lanz se tourna vers Hitler toujours immobile.

— Qui ouvre ce livre accède à la vérité. Celle qui se cache et surgit. L'histoire véritable du monde et des hommes. Êtes-vous prêt à la connaître ?

— Que dois-je faire ? demanda Adolf que ce rituel enfantin impatientait de plus en plus.

Weistort le prit par le bras et l'amena devant l'autel. Pendant ce temps, les compagnons de Lanz allumaient des chandelles au fond de la crypte. Le dallage au sol avait disparu, remplacé par du sable qui brillait sous l'éclat de la lumière.

— Ouvrez le livre.

Hitler fit basculer la couverture, dévoilant une première page blanche, suivie d'une autre remplie d'une minuscule écriture. Dans la marge droite, deux cavaliers montés sur un même cheval s'élançaient, une épée à la main. Lanz reprit la parole :

— Ainsi va la vérité qui parle par image. Savez-vous ce que représentent ces cavaliers ?

Adolf secoua la tête. Il était fatigué des énigmes.

— Ce sont les chevaliers du Temple. Ils sont toujours représentés par deux pour marquer leur fraternité d'armes. Jamais un templier n'est seul au combat. C'est ce qui fait sa force.

Chacun des participants tendit la main et toucha des doigts la bordure du livre comme s'ils voulaient en partager le savoir mystérieux.

— Communions en esprit, commanda Lanz.

Hitler attendit quelques instants, puis interrompit la méditation silencieuse.

— Et si au lieu de me parler des templiers, vous me disiez enfin pourquoi je suis là ?

Le rédacteur d'*Ostara* le fixa longuement avant de répondre.

— Comme vous le savez, la race sombre a conquis le monde, diluant la race aryenne, l'anéantissant presque, mais à chaque époque de l'histoire, vient un moment où le sang parle à nouveau. À l'époque médiévale, ce fut l'apparition de l'ordre du Temple.

— Je ne comprends pas.

— Ne voyez-vous pas qu'en plein Moyen Âge, quand le christianisme impose l'obéissance à l'ordre social et la culpabilité généralisée, les templiers, eux, incarnent l'esprit de conquête et le besoin vital de violence ? Ils sont la réaction viscérale de l'esprit aryen à tout asservissement. Voilà pourquoi nous célébrons leur mémoire.

Hitler réfléchissait. Ainsi les peuples, même écrasés, broyés, dissous, pouvaient avoir des sursauts. Il repensait à Vienne et son magma incandescent de nationalités, de races et de religions, se pouvait-il que subsiste encore, dans cette ville monde, une étincelle capable d'embraser le vieux peuple germain ?

— Faites advenir la Lumière.

Chacun des participants saisit une chandelle, puis forma un triangle lumineux dont la pointe se dirigeait vers le fond obscur de la crypte.

— Avancez.

La flèche de lumière s'arrêta à quelques pas d'un drap noir, pareil à un rideau de théâtre. Hitler avait l'impression d'un déjà-vu. Comme s'il avait vécu cette scène avant.

— Les ténèbres de l'ignorance recouvrent le monde. On nous a ôté notre destin, on nous a ôté notre mémoire, on nous a volé notre force… on a fait de nous des hommes sans avenir, sans espérance…

Un silence se fit.

— Mais pas sans connaissance.

Lanz se tourna vers le rideau qui occultait le fond de la crypte.

— Que la vérité soit !

Les deux pans s'ouvrirent.

Un mur apparut sur lequel était gravée une croix.

Une croix dont chaque branche tombait à la perpendiculaire.

Hitler n'avait jamais rien vu de pareil.

— Du fond des temps, nous vient ce symbole. Il est le signe de reconnaissance des Aryens en toute époque, en tout lieu. Par lui, ils ont conquis le monde. Par lui, ils ont vaincu les ténèbres. Par lui, ils ont apporté la lumière qui a illuminé le monde.

— Gloire à la swastika ! s'écrièrent les adeptes de Lanz.

— Par ce symbole, les hommes ont acquis la plus haute pensée et la plus haute sagesse, celle de nos ancêtres. Par ce symbole, nous nous rattachons à leur lignée. Par ce symbole, nous vaincrons à nouveau.

— Gloire à la swastika !

Hitler se tourna discrètement vers Weistort dont le visage restait impassible. Lui aussi croyait-il à ce discours ? Un signe, qui aurait permis à une race supérieure de conquérir et de civiliser le monde ? Un symbole dont ces hommes supérieurs auraient perdu le sens et que les chevaliers du Temple auraient retrouvé ?

Il n'eut pas le temps de se poser d'autres questions. Lanz le prit par le bras et le conduisit devant la croix gravée.

— Regardez bien, Adolf Hitler, et imprégnez-vous du sens mystique de la swastika, car bientôt elle régnera sur le monde.

Était-ce la faim qui le tenaillait depuis des jours ou la puissance occulte du symbole qui se réveillait, le jeune peintre sentit ses jambes lui manquer. Il tendit la main vers la croix gammée, mais elle se mit à grandir et à tourner sur elle-même, prête à tout dévorer sur son passage.

Il ouvrit la bouche pour appeler à l'aide, mais c'était déjà trop tard.

Une force inconnue le dépassait et l'entraînait.

Il s'écroula au sol.

22

Château de Wewelslburg
Novembre 1941

Le professeur Waldenberg avait depuis longtemps quitté le monde des vivants. Déjà, à l'université, sa distraction était légendaire. On le savait capable de se tromper d'amphithéâtre et discourir devant des étudiants médusés de son approche du Moyen Âge alors que ces derniers attendaient un cours de mécaniques des fluides. Évoluant au milieu d'un océan de connaissances, ses contemporains lui semblaient des îles minuscules et lointaines. Il ne vivait que pour l'histoire et se sentait plus à l'aise en compagnie d'un chevalier du XIᵉ siècle que d'un membre de sa propre famille. D'une érudition quasi infaillible et d'un raisonnement aussi fulgurant que logique, il avait rapidement attiré l'attention du Reichsführer qui lui avait offert le logis et le couvert au château de Wewelsburg. À l'abri d'épaisses murailles qu'il ne franchissait désormais plus, le professeur Waldenberg ne vivait plus que pour la recherche.

— Et c'est cet homme qui va nous aider ? s'étonna Tristan après avoir écouté le portrait haut en couleur que venait d'en faire Erika.

— C'est le meilleur spécialiste en armement médiéval de toute l'Allemagne, je lui ai fait envoyer l'épée dès notre retour à Berlin. Il doit déjà avoir des résultats.

Le Français suivit sa compagne au milieu des rangées de livres, mais son esprit était ailleurs. Il se demandait si son message avait bien atteint Malorley à Londres. Ce curé, qui servait de passeur, ne lui inspirait pas confiance. Ce n'était pas sa loyauté qui posait problème, mais sa capacité à résister à un interrogatoire. La foi en Dieu ne peut rien contre la torture. Et si ce prêtre parlait, combien de temps faudrait-il pour remonter jusqu'à lui ? Un jour, deux jours ? Et combien de temps, lui, résisterait-il à la douleur ?

— Le voilà, souffla Erika.

Assis derrière une table, le professeur Waldenberg les attendait en fumant une cigarette. Un privilège qui étonna Tristan quand on savait combien Himmler détestait jusqu'à la moindre odeur de tabac. Waldenberg ne ressemblait en rien à l'image que s'en était formée Marcas. Élégamment vêtu d'un costume noir et les cheveux impeccablement plaqués en arrière, il semblait prêt à partir pour une soirée mondaine. Là où Tristan s'était imaginé un scientifique échevelé au regard brumeux se tenait un dandy qui les observait avec précision.

— Frau Essling, je suppose ?

Erika hocha la tête. Posée sur la table, se trouvait l'épée découverte à Cnossos. Elle avait été soigneusement nettoyée et brillait sous le reflet changeant des chandelles.

— C'est donc vous qui avez trouvé cette arme en Crète, annonça le chercheur. Une découverte surprenante, car autant vous le dire tout de suite, elle provient d'ailleurs.

— Vous avez déjà procédé à une analyse de l'alliage ? s'étonna Erika.

Waldenberg frappa l'épée avec son index. Un son imprévu résonna, puis s'atténua.

— Avec une oreille exercée, on peut deviner les proportions de fer, de cuivre ou d'étain. C'est aussi sûr que de soumettre le métal à une série de réactions chimiques et surtout beaucoup plus rapide. Et comme à l'époque médiévale, chaque royaume en Europe a des ressources minières différentes, il y a aussi une manière particulière de forger des épées.

— Vous pouvez donc nous dire d'où elle vient ? demanda Tristan.

— Du sud de l'Allemagne médiévale, ce qui correspond aujourd'hui au territoire entre Munich et Vienne.

— Mais comment cette épée s'est-elle retrouvée en Crète ?

La voix d'Erika était pressante.

— Pendant les Croisades, l'île est à la fois un lieu stratégique et un carrefour économique, expliqua

204

Waldenberg, les bateaux qui vont en Orient s'y ravitaillent, ceux qui en reviennent font le commerce de denrées rares. Les Européens y sont donc très nombreux : l'un d'eux est le porteur de cette épée.

— Un croisé ?

— Ou un marchand, un moine… tout le monde portait une arme dans cette région. Question de survie.

L'archéologue posa la main sur le pommeau encore gainé de cuir de l'épée.

— Comme vous le savez mieux que moi, certains sont plus ouvragés que d'autres. Peut-on en déduire une indication sur le statut social de son possesseur ?

— Non, c'est un pommeau sans ornement, ni fioriture. Une arme de combat, pas d'apparat.

— Y a-t-il une figure, un symbole, des signes gravés sur la lame ?

Waldenberg écrasa délicatement sa cigarette. Il avait des mains longues et osseuses aux jointures.

— Si vous cherchez des indices, il n'y en a aucun. Pas de devise, pas de blason, rien, l'épée d'un inconnu et qui le restera.

L'entretien était terminé et c'est à ce moment que Tristan comprit que le portrait fait par Erika était exact. Le professeur Waldenberg venait de les quitter. Quoique physiquement présent, il était déjà ailleurs et le sourire qui flottait sur ses lèvres était comme l'écume d'un bateau en train de disparaître à l'horizon.

— On dirait un oracle, commenta Marcas comme ils retraversaient la bibliothèque.

— Sauf que cet oracle ne se trompe jamais. Cette épée ne nous mènera à rien.

— Mais alors pourquoi l'avoir dissimulée dans une crypte ?

Erika s'arrêta net. La colère de l'échec sourdait dans sa voix.

— Parce qu'on s'est trompé. Cette crypte n'a jamais été une tombe. C'est un cénotaphe et je suis une idiote de ne pas l'avoir deviné plus tôt.

— Explique.

— C'est une coutume des Croisades. Si un pèlerin mourait en Terre sainte, on ne rapatriait presque jamais le corps. Trop long et trop coûteux. Alors quand la famille apprenait sa mort, pour commémorer sa mémoire, elle faisait construire un monument funéraire, mais vide.

— Alors que vient faire une épée là-dedans ?

— La tradition voulait qu'on dépose un objet appartenant au défunt.

Comme ils arrivaient près de l'entrée de la bibliothèque, un sous-officier les aborda.

— Frau Essling, un télégramme est arrivé de Berlin pour vous.

Erika le décacheta aussitôt.

— Goebbels organise une soirée demain soir. Himmler souhaite que nous soyons présents.

Elle remercia le militaire d'un bref geste de la tête avant de saisir le bras de son amant.

— Nous n'avons rien trouvé à Cnossos, rien ici. Et le Reichsführer s'impatiente. Je suis sûre qu'il a dans l'idée de faire une annonce lors de la soirée de Goebbels.

— Quelle annonce ? demanda Marcas en frôlant son cou d'un baiser discret.

— Depuis la fuite de Hess en Angleterre, Himmler a perdu un allié. Goebbels en profite.

— Donc Himmler a besoin de reprendre l'avantage en annonçant la découverte de la swastika.

L'archéologue approuva d'un sourire crispé. Pour la première fois, le Français la voyait en proie au doute. Ce n'était plus la même Erika, sûre et arrogante, qui menaçait des officiers en Crète. Tristan se demandait si sa promotion comme chef de l'Ahnenerbe ne lui tenait pas plus à cœur qu'elle ne voulait bien le laisser paraître. Une revanche. Peut-être sur sa propre famille. Désormais, elle était la von Essling la plus proche du pouvoir. Un statut privilégié qu'elle ne voulait pas perdre.

— Que se passera-t-il si tu ne trouves pas la relique ?

— Que se passera-t-il si *nous* ne trouvons pas la relique, le corrigea Erika, moi je redeviendrai archéologue, toi je ne sais pas…

— Tu as remarqué que Waldenberg a désigné le sud de l'Allemagne médiévale comme lieu d'origine de l'épée et que tu m'as affirmé que c'était aussi l'endroit de la rédaction du *Thule Borealis Kulten*, le livre qui indique les caches des swastikas ?

— Et tu en déduis quoi ?

— Et si c'était la même personne qui avait laissé l'épée en Crète, puis écrit le livre en Allemagne ?

— Un chevalier devenu moine, alors ?

Le couple s'était arrêté près d'une table où se trouvait une collection de sabliers. Tristan en fit pivoter un. Les grains de sable se mirent à nouveau à couler à travers le goulot. Rien n'était jamais fixe et définitif : tout pouvait basculer sur une simple intuition.

— Écoute, si nous arrivons à connecter cette épée avec un monastère, situé aujourd'hui entre Munich et Vienne, nous aurons peut-être une piste à offrir à *ton* Reichsführer.

— Sauf que l'épée ne recèle aucun indice !

— Parce que c'est l'épée qui est *l'indice*.

Si Waldenberg fut surpris de les revoir, la question précise de Tristan en revanche ne le troubla en rien :

— Combien de monastères d'importance se trouvaient à l'époque médiévale dans la zone de production de ce type d'épées ?

— Sept.

L'érudition du professeur était aussi rapide qu'implacable.

— Combien étaient actifs à la fin du XIIIe siècle ?

C'était l'époque de rédaction du *Thule Borealis Kulten* que lui avait signalée Erika.

— Deux des monastères ont été construits après cette époque. Il s'agit de…

— Il en reste donc cinq, le coupa Tristan.

Il se saisit de l'épée et en fit miroiter le métal à la lumière.

— Dans une abbaye, si vous deviez placer une arme, où la mettriez-vous ? Dans l'église ? Sur une statue ? Saint Georges par exemple, quand il terrasse le dragon, est bien représenté avec une lance ou une épée ?

La directrice de l'Ahnenerbe ajouta :

— Sans compter que saint Georges est le protecteur de la chapelle sous laquelle nous avons trouvé l'épée.

La réponse de Waldenberg fut instantanée comme un tennisman capable de renvoyer n'importe quelle balle.

— Au Moyen Âge, les statues de saints à l'intérieur d'une église sont toujours de petite taille. Aucune chance que l'une d'elles ait pu porter la moindre arme.

— Alors où ? Dans le dortoir où dorment les moines ? Le réfectoire où ils mangent ? Le scriptorium, le cloître ?

— Dans aucun de ces lieux.

De dépit, Erika frappa le parquet d'un coup de talon. Elle avait perdu assez de temps comme ça.

— C'est une impasse. Rentrons à Berlin.

Le professeur les arrêta.

— Il n'y a qu'un seul endroit où on peut retrouver une arme dans une abbaye. C'est sur une tombe.

Tristan se précipita des deux mains sur la table comme s'il était prêt à bondir.

— Dites-nous. Vite.

— Il faut chercher un gisant. Une sculpture qui représente la personne inhumée dessous. Quand c'est un dignitaire de l'Église, comme un évêque, on scelle parfois sa crosse sur la tombe, quand c'est un chevalier…

— Son épée, s'écria Erika.

— Voilà pourquoi, celui que nous cherchons l'a laissée à Cnossos, pour nous conduire jusqu'à sa tombe.

Les yeux brillants d'excitation, von Essling posa la question qu'ils attendaient tous :

— Sur les cinq abbayes présentes au XIIIᵉ siècle, combien possèdent des sépultures avec gisant ?

— Aucune…

De déception, le Français serra les poings. Il était pourtant sûr de tenir la bonne piste.

— En revanche, l'une d'elles a une dalle funéraire. Et la pierre est entièrement gravée. On y voit la représentation d'un chevalier… et la forme en creux d'une épée.

— Où ? demanda faiblement Erika comme si, après tant d'errances, elle doutait de la réponse.

— À Heiligenkreuz, au sud de Vienne.

23

Banlieue de Londres
Cimetière de Tower Hamlets
Novembre 1941

Les pierres tombales changeaient de couleur avec une régularité presque surnaturelle. Elles passaient d'un blanc pur et argenté à un gris sale et sombre. Les noms gravés sur les épitaphes clignotaient dans la nuit, comme si les morts envoyaient des signaux pour se rappeler au bon souvenir des vivants.

Moira O'Connor était assise sur une dalle, le dos calé à une stèle. Elle contemplait le combat qui se déroulait tout là-haut dans le ciel. Des escadrilles floconneuses passaient à toute allure devant la lune, la faisant apparaître et disparaître au gré du vent. À chaque fois que l'astre étincelant se révélait victorieux et éclaboussait le cimetière d'une clarté irréelle la Fée écarlate fermait les yeux. Elle ressentait au plus profond d'elle-même les bienfaits des rayons étincelants.

C'était comme un bain doux et bienfaisant. Un bain de lune.

Un rituel venu du plus profond des âges, d'un temps où les hommes communiaient avec la nature et vénéraient ses forces. Un temps où les femmes n'étaient pas des servantes. Un temps où l'astre nocturne était considéré comme l'égal de son jumeau solaire.

La douce sensation s'estompa. Elle n'eut pas besoin d'ouvrir les yeux pour savoir qu'un nuage venait de triompher du disque de lumière.

Elle ouvrit lentement ses paupières, se leva de son fauteuil mortuaire et s'étira en dressant les bras comme pour une prière silencieuse. Autour d'elle, les tombes étaient à nouveau plongées dans une semi-obscurité. Elle remonta le col de son manteau. Un vent frais coulait dans la rangée de caveaux qui s'étendait de façon chaotique entre les chênes tordus et les buissons sauvages. Le souffle déversait sur les mausolées craquelés et les cénotaphes abandonnés une senteur forte et humide.

Moira connaissait par cœur les allées des sept Magnifiques, ces grands cimetières qui encerclaient Londres. Avec Highgate, Tower Hamlets était l'un de ses préférés. Verdoyant, calme, sauvage et harmonieux, elle et ses sœurs y venaient de temps à autre pour pratiquer des rituels d'invocation. Et les morts de Tower Hamlets aimaient leur compagnie.

Elle tourna son regard vers la dalle voisine surmontée d'une statue ailée. Une forme sombre était étendue sur la pierre. Une forme humaine.

Un flot d'argent apparut comme par enchantement

pour dévoiler le gisant. C'était une jeune femme aux cheveux dorés. Nue, jambes et bras écartés, mais sans mains ni pieds, la victime scrutait le ciel de son œil unique. Ouvert et mort. Sur son front avait été ciselé un symbole ancien désormais vénéré dans toute l'Europe. Au-dessus d'elle, un archange de marbre noir et craquelé étendait un moignon qui avait dû être autrefois un bras protecteur. Moira avait choisi elle-même cet emplacement pour y déposer le cadavre.

Soudain des craquements de feuilles résonnèrent derrière l'un des caveaux. Moira se redressa et aperçut la silhouette d'un homme qui se déplaçait vers elle. Son rendez-vous était à l'heure. Comme toujours.

Il arriva à son niveau et inclina la tête sans retirer son chapeau. De taille moyenne, la face terne, pleine et grise, des lunettes rondes posées sur un nez rond et minuscule, l'agent de l'Abwehr[1] paraissait encore moins expressif que les pierres du cimetière. Un visage anonyme qu'on pouvait oublier dix minutes après l'avoir croisé. Le visage parfait d'un espion efficace. Il jeta un œil dégoûté au corps de la fille, puis regarda la Fée écarlate froidement.

— Bonsoir, madame O'Connor. Pourquoi avoir choisi ce cimetière de banlieue pour votre sinistre besogne ?

---

1. Service de renseignement de l'état-major allemand.

L'homme s'exprimait dans un anglais parfait, aucune trace d'accent germanique ne le trahissait.

— J'aurais préféré Highgate, plus initiatique, mais Tower Hamlets présente deux avantages : il est le plus proche du Hellfire et sa popularité nous garantit que ce cadavre sera découvert dans la matinée. De quoi faire les gros titres de la presse !

— Si vous l'affirmez... Je ne possède pas votre compétence en matière de mise en scène macabre.

L'ironie était à peine voilée. Moira avait détesté cet homme dès leur première rencontre. Un mâle qui méprisait les femmes, elle le sentait jusque dans sa façon de parler. Elle l'aurait bien jeté en pâture à ses amazones du Hellfire pour une séance de dressage et lui apprendre les bonnes manières, mais Berlin n'aurait pas apprécié. Elle devait s'en accommoder. Il était son seul contact.

— Une mise en scène qui m'a été demandée par vos supérieurs à Berlin.

L'homme secoua la tête.

— Ne vous y trompez pas ! Je suis attaché aux services de renseignement de l'armée, pas de la SS. Mon travail c'est de transmettre des informations militaires, de favoriser les opérations de sabotage... Bref de faire gagner la guerre à l'Allemagne, en risquant à tout moment de me faire capturer, torturer et exécuter. Alors croyez-moi, je n'ai pas de temps à perdre dans un cimetière pour discuter devant le cadavre d'une pauvre fille. Mais Reinhard Heydrich, l'adjoint d'Himmler, est intervenu en personne pour que je vous assiste. Donc j'obéis.

— Vous faites moins le difficile quand je vous transmets des informations sur les vices de la bonne société anglaise... Vous avez l'argent ?

L'homme de l'Abwehr sortit une enveloppe de son manteau.

— Voilà la somme promise. Je suppose qu'elle va aller dans les caisses de vos amis indépendantistes irlandais ?

— En effet.

— Une sorcière qui finance l'IRA dont tous les membres pratiquent un catholicisme éhonté, drôle d'alliance, non ?

— Il est des causes sacrées qui dépassent même les clivages religieux. Mes parents ont été massacrés par les Anglais lors du soulèvement de Pâques[1], et mon frère a été envoyé dans un orphelinat où il est mort de malnutrition. Je serais même prête à baiser les pieds du pape si ça pouvait contribuer à nous débarrasser de ces maudits Anglais !

— Vous m'en direz tant... Quelle est la prochaine étape de votre mission pour les SS ?

---

1. Avril 1916, les indépendantistes irlandais ont tenté de prendre le pouvoir à Dublin. La répression par l'armée britannique a été féroce. L'Angleterre avait accusé l'Allemagne du Kaiser de soutenir les Irlandais.

Il avait prononcé le mot SS avec un mépris non dissimulé.

La Fée écarlate posa la pointe de sa botte sur le ventre écartelé de sa victime et éclata de rire.

— Faire chanter l'Antéchrist !

À une dizaine de mètres de là, dissimulée derrière la statue d'une Vierge en plâtre verdi, Laure observait les deux protagonistes. Les longues heures de filature s'étaient révélées payantes. Un peu plus tôt, elle avait failli rater le départ de la tenancière du Hellfire à bord d'une camionnette. Elle l'avait rattrapée devant une des grilles du cimetière où un de ses complices traînait ce qui ressemblait à un corps sans vie.

Postée dans sa cachette, Laure était trop loin pour entendre la conversation entre la femme rousse et son mystérieux interlocuteur.

La frustration la rongeait. Que pouvaient-ils donc se raconter en plein milieu de la nuit, avec un cadavre à leurs pieds ?

Quand elle les vit s'éloigner, elle se faufila comme une ombre entre les stèles pour atteindre la tombe où se trouvait le corps. La lune nappait le cadavre d'une blancheur éclatante.

Laure réprima une envie de vomir et détourna son regard vers l'allée. Elle vit les deux silhouettes marcher vers la grille.

Il fallait continuer la filature. Et prendre une décision. Vite. Ou suivre la rousse comme l'exigeait Malorley ou s'attacher à découvrir qui était ce type.

Vous ne la quittez pas ni d'une semelle ni d'une seconde.

Laure hésita quelques secondes. Les ordres ou son intuition ?

Elle trancha et oublia son supérieur.

24

Abbaye de Heiligenkreuz
Novembre 1941

Depuis qu'en 1938 l'Autriche avait été envahie et annexée par l'Allemagne nazie, les Autrichiens, du moins ceux qui n'étaient ni en exil ni en prison, avaient enfin l'immense joie d'être des citoyens du grand Reich. Une joie qui éclatait à tous les coins de rue si l'on en croyait le nombre impressionnant de drapeaux à croix gammée pendus aux fenêtres. Tristan se demandait cependant si les mères dont les fils étaient mobilisés sur le front russe partageaient le même enthousiasme. Les enfants, eux, ne se posaient visiblement pas de telles questions : on les voyait courir partout dans la rue en saluant les adultes d'un *Heil Hitler* retentissant que chacun s'empressait d'entonner à son tour. Marcas n'en pouvait plus de lever le bras comme un automate. À l'évidence, le nazisme musclait le bras mais atrophiait le cerveau. Ils arrivèrent enfin sur la place de l'abbaye. Là, pas de croix gammée au sommet de l'église, ni le long de la façade du monastère. En se rapprochant de la maison de Dieu, la ferveur nationale-socialiste perdait nettement en intensité.

— Les moines ne semblent pas des idolâtres du Führer, commenta Tristan.

Erika lissa la robe sombre qui lui tombait droit sur les chevilles, la plus longue qu'elle avait pu trouver pour se rendre dans un monastère. La couleur grise de sa robe semblait d'ailleurs avoir gagné son caractère.

— Les catholiques sont en train de comprendre que le nazisme n'est pas qu'une idéologie ou un parti, mais une religion nouvelle qui, après s'être débarrassée des juifs, ne supportera plus longtemps la concurrence chrétienne. D'ailleurs regarde la tête du moinillon qui nous attend, il a déjà louché de dégoût sur ta croix de fer.

Le religieux, les deux mains glissées dans sa soutane, s'inclina avant d'annoncer sur un ton monocorde que le père abbé les attendait dans le hall d'entrée. Ils traversèrent la cour impeccablement gravillonnée. Tristan fut frappé par la diversité des styles architecturaux qui coexistaient dans l'enceinte de l'abbaye. Des élans baroques du portail d'entrée au bulbe oriental du clocher, les siècles semblaient s'être réunis par le plus grand hasard. On voyait même une chapelle romane dont la masse trapue semblait surgir des profondeurs de l'histoire.

Debout, devant un escalier monumental qui devait mener aux étages privés, le père abbé les attendait.

— Le Gauleiter[1] m'a fait part de votre visite et m'a demandé de répondre à vos questions. La prochaine messe est dans une demi-heure, si vous pouviez vous hâter. Nous n'avons pas pour habitude de recevoir, ici, des visiteurs imprévus.

— Combien de moines résident actuellement dans l'abbaye ? demanda calmement Erika.

— Cinquante-sept.

— Je vois que depuis que l'Autriche est devenue partie intégrante du Reich, vous avez quasiment doublé vos effectifs. Une inflation des vocations due à l'Esprit saint, sans doute ?

Marcas s'aperçut qu'Erika avait préparé sa visite et n'était pas venue les mains vides.

— Les voies du Seigneur sont impénétrables, rétorqua l'abbé d'une voix sombre.

— Donc, toutes ces vocations subites n'ont rien à voir avec le fait que le statut de moine évite de se retrouver sur le front de l'Est ?

— Je ne vous permets pas...

— Et moi, je me permets de vous accuser d'abriter des déserteurs, des traîtres à la patrie et des ennemis du Reich. Je vais donc demander à la Gestapo d'arrêter tous les moines de moins de trente ans et de les interroger à fond sur leur engagement spirituel. Je suis sûre que nous aussi allons avoir des conversions.

Le moment était venu pour Tristan d'intervenir.

---

1. Chef régional du parti nazi.

— Et moi, je suis certain que le père abbé n'a nul besoin de nouveaux martyrs pour son abbaye et qu'il va faire appel à toute sa charité chrétienne pour nous aider.

— Que voulez-vous ?

— Voir une tombe. Celle d'un chevalier.

L'abbé était abasourdi. C'est pour une simple sépulture qu'on le menaçait de livrer son monastère à la Gestapo ?

— Vous voulez voir la sépulture de frère Amalrich ?

— Vous avez bien dit un frère ?

— Oui, un chevalier devenu moine, expliqua l'abbé. D'après la tradition, il est d'abord parti en pèlerinage à Jérusalem avant de finir sa vie dans notre abbaye. On dit aussi qu'il a été templier, mais comme l'ordre a été dissous, c'est peut-être une légende.

Un détail troubla aussitôt Marcas.

— Pourquoi a-t-il été enterré en habit de chevalier alors qu'il était moine ?

— Je ne sais pas, mais ce n'est pas la seule particularité de sa tombe. Je vais d'ailleurs vous la montrer. Elle est dans la partie la plus ancienne du monastère, l'ancienne chapelle médiévale.

Le père abbé avait totalement changé d'attitude. Il semblait presque guilleret à l'idée de leur faire découvrir son abbaye. Si Erika ne jouait pas les rapports de force, il en dévoilerait beaucoup plus qu'espéré.

— Depuis tant d'années que vous dirigez cette

abbaye séculaire, elle ne doit plus avoir de secrets pour vous ? l'interrogea Tristan.

— Je passe en effet beaucoup de temps dans les archives, c'est ainsi que j'ai pu identifier la tombe de frère Amalrich. D'ailleurs nous voilà arrivés.

La porte d'entrée de la chapelle ne cachait pas son âge. Pourtant, pas une ride n'avait défiguré les pierres habilement taillées qui se terminaient en ogive. Comme chaque fois qu'il entrait dans un monument, Tristan se demandait combien d'hommes, devenus des ombres anonymes, l'avaient précédé.

— Nous savons par un texte d'époque que frère Amalrich a lui-même demandé à être enterré dans la crypte. Descendons. Nous avons fait restaurer l'escalier.

Au milieu du pavement disjoint par le temps, une dalle plus claire semblait posée au hasard. Le contraste avec Cnossos était saisissant, car la pierre tombale était entièrement gravée. On y voyait la silhouette d'un chevalier, le visage dissimulé sous un heaume, les mains jointes sur la poitrine. À sa droite, se trouvait l'empreinte d'une épée. Marcas n'eut pas besoin d'en prendre les dimensions, elle correspondait parfaitement à la forme et à la taille de l'épée trouvée à Cnossos.

— Vous nous avez dit que cette tombe était particulière, lança von Essling, je ne vois pas en quoi.

— Parce qu'un détail vous a échappé, répliqua le père abbé, regardez autour du cou.

222

Une étole, comme celle que portaient les prêtres pendant la messe, tombait sur chaque épaule. Elle était aussi fine qu'un liseré.

— C'est sans doute pour rappeler qu'il était aussi devenu moine.

— Regardez de plus près.

Tristan s'agenouilla. Délicatement gravée en creux dans l'étole, une croix gammée se situait juste au niveau du cœur. De la taille d'un bijou, elle échappait au premier regard.

— C'est très surprenant, commenta le père abbé, et encore plus si vous regardez vers l'orient.

Sur le mur est de la crypte, une autre croix gammée était taillée à même la pierre. De grande taille, elle détonnait dans cet endroit confiné, mais ce qui sidérait Marcas fut ce qu'il découvrit dessous.

Un buste d'Adolf Hitler.

Erika, tout aussi surprise, s'était rapprochée pour lire la plaque de cuivre explicative.

— Quand l'Autriche est devenue allemande, c'est ici le premier endroit où le Führer est venu avant même de se rendre à Vienne, résuma-t-elle.

— Un honneur pour notre communauté, se sentit obligé d'ajouter le père abbé.

— La croix sur le mur date aussi du Moyen Âge ?

— Oui, et c'est ce qui a motivé la visite du Führer. Ce symbole est extrêmement rare dans un sanctuaire chrétien de cette époque.

Impatiente, von Essling était revenue s'agenouiller près de la dalle funéraire. Elle examinait les bordures en les suivant du doigt, notant mentalement les éclats de pierre et les entailles du temps.

— Il faut l'ouvrir, mais avec précaution. Je vais demander à une équipe de l'Ahnenerbe de quitter Berlin immédiatement. Ils peuvent être là dans…

— Ce ne sera pas nécessaire, intervint l'abbé, la tombe a été entièrement fouillée lors de la restauration de l'abbaye, il y a une quarantaine d'années. Un rapport d'expertise a d'ailleurs été rédigé devant témoins. Il y avait un squelette intact. Sans aucun doute celui d'Amalrich. Et rien d'autre.

Erika se rapprocha de Tristan qui restait immobile devant le buste d'Hitler.

— Laisse tomber, il n'y a pas un endroit où il soit passé sans qu'on ait posé une plaque ou élevé une statue. On a plus important à faire. Il n'y a rien dans cette foutue tombe. Ni swastika ni une piste pour la trouver. Je vais étudier le rapport d'expertise, mais je suis certaine que nous n'apprendrons rien de plus.

À son tour, l'abbé s'approcha du Français.

— Si vous voulez en savoir plus sur la visite du Führer, nous avons un de nos moines dont c'est devenu l'obsession, il vous racontera tout en détail si vous voulez.

— D'accord pour le rencontrer, répondit Tristan, ça me changera.

— Il est âgé et vit le plus souvent à l'infirmerie. Vous verrez, il est bavard, mais ne prenez pas tout pour argent comptant, son imagination l'emporte parfois. Le malheureux a eu un accident cérébral.

— Et tu me laisses là ? s'exclama von Essling.

— Tu n'as pas besoin de moi pour étudier le rapport de fouilles, alors autant que je fasse autre chose. En revanche, prends une photo de la dalle funéraire. Ça peut servir.

Au regard noir qu'elle lui jeta, le Français comprit que son escapade allait lui coûter cher.

Quelques minutes plus tard il se trouvait dans la salle qui servait d'infirmerie. Le terme paraissait un peu prétentieux au vu de l'austérité du lieu. Une armoire branlante remplie de flacons aux contenus sombres et improbables, une caisse à moitié ouverte remplie de serviettes douteuses et, échoué contre un mur, un carton plein de médicaments aux emballages défraîchis. Le reste de la pièce était occupé par trois vieux lits de fer.

Un vieillard à l'âge canonique était enfoui sous une couverture sombre et lisait une bible. Il ouvrait la bouche avec régularité, comme s'il murmurait une prière.

Tristan s'approcha à pas lents.

De près, le crâne du vieux moine apparaissait craquelé comme une poterie trop cuite, mais au centre de son visage parcheminé se dévoilaient deux yeux clairs cerclés par de fines lunettes rondes. Surtout, la moitié droite de son visage pendait, pareille à un linge mouillé et oublié. Une ligne invisible découpait sa face en deux parties, l'une vivante, l'autre morte.

— Bonjour, frère, murmura Tristan.

Le religieux quitta à regret sa lecture pour lui adresser un regard inquisiteur.

— Qui es-tu ?

— Un chercheur.

— On cherche tous quelque chose. C'est Lui qui t'envoie ?

— Lui, qui ?

Le vieux moine ricana de la moitié de sa bouche valide.

— Le Führer. Tu n'es pas allemand, ça se voit.

— Français, nul n'est parfait.

Le religieux roula son seul œil mobile dans son orbite. L'autre fixait Tristan.

— Ah, les Français… Hitler ne vous aime pas beaucoup. Je l'ai rencontré vous savez ? On vous l'a dit ?

Tristan hocha la tête pour ne pas le contrarier.

— Oui, oui… Il paraît que vous aimez raconter des histoires. Je m'intéresse à celle de ce monastère.

Le vieux paraissait déçu.

— Ah… Tu ne veux pas que je te parle du Führer ?

— Je peux m'en passer.

Le moine jeta un œil à droite et à gauche, puis baissa la voix.

— Tu as tort, petit Français, c'est qu'il s'en est passé des choses ici…

— Vraiment ?

— Oui, moi j'ai vu des choses étranges et des voix me révèlent bien des secrets. Cette abbaye est unique au monde. Unique au monde. Je peux te raconter l'histoire du moineau et du cochon de Noël…

Tristan secoua la tête. Il n'en tirerait rien, la cervelle du vieux était aussi liquéfiée que son visage.

— Une autre fois… Je dois partir…

Le moine s'agrippa au bras de sa chemise. Son regard était désespéré.

— Ne me laisse pas, je t'en prie. Ici, personne ne m'écoute plus…

Le clocher de l'abbaye venait de sonner les vêpres. Par les vitraux, la nuit de novembre coulait lentement dans l'église. Pour combattre la montée des ténèbres, les moines allumaient des candélabres dégoulinants de cire. À côté de von Essling se tenait le père abbé, droit comme un cierge. Ils avaient attendu une heure que la photographe de la ville voisine arrive à l'abbaye et une heure de plus pour pouvoir prendre la photo. La crypte était trop sombre. Il avait fallu trouver et brancher un projecteur. Tristan avait rejoint Erika qui affichait un air contrarié.

— Nous rentrons à Berlin, annonça von Essling, j'espère que ta visite à l'infirmerie t'a été profitable.

— Bien plus que tu ne crois… Le pauvre vieux était vraiment content de parler à quelqu'un. Je ne pouvais plus l'arrêter.

— Vous les Français vous êtes doués pour perdre… la guerre et le temps.

Tristan haussa les épaules.

— Tu ne peux pas comprendre. Pour vous les

nazis, une bonne action est aussi utile qu'un bouquet de roses dans un Panzer.

L'archéologue le fixa avec exaspération. Elle détestait quand son amant ironisait à ses dépens, mais le problème avec Tristan, c'est qu'on ne savait jamais s'il plaisantait vraiment.

— C'est qui ce moine ? demanda-t-elle au père abbé.

— Un problème. Comme je vous l'ai dit, il perd la tête depuis plusieurs mois.

— *Ce que Dieu donne, Dieu le reprend*, récita Marcas. C'est bien dans Job, mon père ?

L'abbé hocha la tête, scandalisé que l'on cite la parole de Dieu dans pareille situation. Von Essling, elle, fut rassurée. Comme d'habitude, Tristan était incapable de retenir un bon mot.

25

Londres
Quartier de Mayfair
Novembre 1941

Le Boodles n'était ni le plus ancien ni le plus prestigieux club privé de la capitale, mais il offrait à ses membres la tranquillité, le confort et surtout des services d'un niveau rare. Ainsi le bar proposait toute une gamme d'alcools remarquables, même si la guerre avait malheureusement tari les sources d'approvisionnement en cognac et en armagnac. Le restaurant, lui, avait perdu son chef, réquisitionné d'office au mess des officiers de Stanford, mais il avait été remplacé par un second, particulièrement talentueux dans la préparation des viandes en sauce.

Malorley déposa son manteau et son chapeau au vestiaire et se rendit à l'accueil où officiait un réceptionniste, ancien sergent de l'armée des Indes.

— Ça alors, commander Malorley, quelle bonne surprise ! Vous aviez disparu, certains ont même cru que vous étiez mort.

— Eh non, pas cette fois, Tommy. Vous savez, on ne risque pas grand-chose au département de logistique des armées. Et ce n'est pas Hitler qui m'a terrassé, mais une bonne grippe.

— C'est ce que je leur ai dit. Un homme respectable comme vous aurait eu droit à sa notice nécrologique dans le *Standard* ou le *Times*.

— Merci Tommy, il y a du monde ce soir ?

— Pas beaucoup, hélas. Comme dans tous les clubs de Londres, la fréquentation chute de mois en mois. À cause de ce maudit Führer. Quel odieux personnage, il va finir par anéantir toute vie sociale digne de ce nom !

— Que Dieu et le roi nous en préservent.

Malorley n'avait qu'une envie, s'installer tranquillement dans son fauteuil favori, siroter un single malt douze ans d'âge et oublier le travail une heure ou deux. Il avait besoin d'un moment d'apaisement. Et surtout de réfléchir rationnellement.

Entre la séance d'hypnose de Hess qui avait mal tourné et le compte rendu de la filature déconcertante de Laure au cimetière il avait besoin de retrouver des habitudes réconfortantes.

La jeune Française lui avait désobéi, mais le résultat en valait la peine. Le mystérieux visiteur du cimetière s'était rendu à son domicile dans le quartier de Pimlico. Laure avait noté l'adresse et le nom sur la boîte aux lettres avant de revenir triomphante au SOE. Il n'avait fallu qu'une demi-heure à Malorley pour transmettre l'information au MI6. Le commander flairait le gros poisson.

Il n'avait rien dit de plus à ses homologues. Après tout, ça ne relevait pas de leurs compétences. En revanche, il allait passer Crowley sur le gril à propos de cette tenancière de bordel qui semait les cadavres dans des cimetières.

Mais pour l'heure, Malorley avait un besoin impérieux de faire le vide. Sa lutte contre le nazisme devenait quasiment obsessionnelle. Bien qu'il ne voulût pas l'admettre, il était fasciné par l'ascension météorique d'Hitler. Comment ce déclassé, ce quasi-clochard, était-il devenu en moins de vingt ans l'homme le plus puissant du monde ? Les rapports d'analyses politiques et psychologiques sur le Führer auraient pu remplir toute une bibliothèque. Pourtant, il subsistait toujours un mystère Hitler. Malorley était persuadé que le pouvoir du dictateur était intimement lié à la possession des reliques. Une conviction qu'il avait exposée devant un parterre de personnalités, en affirmant que l'essence du nazisme était de nature mystique et que la vénération des Allemands pour le messie en chemise brune résultait d'un envoûtement collectif. Ce n'était pas pour rien que la société secrète Thulé avait misé sur lui à Munich. Malorley en était certain, quelque chose s'était passé dans la jeunesse du futur dictateur. Quelque chose l'avait radicalement transformé, quelqu'un avait tissé le cocon dans lequel la larve s'était métamorphosée en papillon maléfique. Là était l'origine du mystère Hitler.

Il passa au milieu du grand salon à moitié vide,

où discutaient à voix basse des membres du club aux visages ridés et à la capillarité neigeuse. Voilà six mois qu'il était rentré de France et il n'avait pas trouvé le temps de se rendre une seule fois au Boodles. Il le regrettait. Le club était plus qu'un havre de paix : il incarnait, même en temps de guerre, l'indestructible permanence des valeurs britanniques. Presque un foyer pour lui qui n'avait plus de vie de famille depuis quatre ans. Sa femme l'avait quitté pour un autre homme. *Plus gai, plus jeune, plus sportif*, selon les termes employés le jour de leur séparation.

Un serveur d'origine indienne s'approcha de lui.

— Bonsoir monsieur, je vous sers votre Mortlach habituel ?

— Avec plaisir, Sadhu. Je vais le prendre à la bibliothèque.

Le serveur était en place depuis un an, mais, à chaque fois qu'il le voyait, Malorley se demandait si un jour son club accepterait des membres originaires des colonies de l'Empire. Il en avait parlé une seule fois à une relation, grand professeur de médecine, et celui-ci était parti d'un immense éclat de rire :

— Un Indien... Mon cher, vous avez perdu la tête et pourquoi pas une femme tant que vous y êtes ? On a déjà autorisé l'admission de juifs avant-guerre.

Pourtant, le Boodles était réputé pour être l'un des clubs les plus libéraux de la capitale. Si banquiers, avocats, médecins, juges, directeurs de journaux et

232

militaires formaient la majorité des membres, souvent admis par filiation héréditaire, on notait l'arrivée de spécimens de plus en plus « non conventionnels », comme le soulignaient avec aigreur les gardiens du temple. Il y eut d'abord un écrivain, puis un chanteur d'opéra, suivi d'un pilote de course plus réputé pour le nombre de ses maîtresses que celui de ses victoires. Un apport de sang frais surtout motivé par le besoin impératif qu'avaient beaucoup de membres du club à parler d'eux-mêmes devant un nouveau public.

Malorley pénétra dans le salon secondaire qui faisait à la fois office de bibliothèque et de fumoir. Alors qu'il contournait la table de billard il aperçut l'un de ces nouveaux membres assis en train de lire le *Daily Telegraph*. Archibald Meyer, un avocat, de mère juive et de père gallois, qui travaillait pour le compte de sociétés américaines implantées en Angleterre. Son admission avait eu le mérite de faire décamper cinq membres du club, antisémites de père en fils. Malorley s'approcha.

— Bonjour Archie, ça fait bien longtemps que l'on ne s'est vu. M'autorisez-vous à prendre un verre en votre compagnie ?

L'avocat leva le nez de son journal et lui adressa un sourire amical.

— Bien sûr, prenez place. Je suppose que vous devez être surchargé de travail dans votre département ? L'effort de guerre…

— Hélas, de la paperasse, toujours de la paperasse,

mentit Malorley, mais je vous ai interrompu dans votre lecture.

— Je finissais un article atroce sur la découverte d'un cadavre mutilé au cimetière de Tower Hamlets. On lui a coupé les mains et les pieds. Entre autres sévices.

— Une horreur, commenta sobrement Malorley.

— Et ce n'est pas fini, reprit l'avocat, son assassin lui a taillardé une croix gammée sur le front et lui a ouvert le ventre pour le remplir d'incantations de sorcellerie. J'espère que Jack l'Éventreur ne s'est pas ressuscité en boucher nazi !

— Désolé de vous contredire, Archie, mais ce bon vieux Jack est bien vivant et se balade en liberté.

— Comment ça ?

— Il porte une petite moustache ridicule et doit en être à plusieurs centaines de milliers de victimes, déjà.

Un rictus déforma les lèvres de l'avocat.

— Vous avez raison, et je crains qu'il ne s'acharne encore sur ma communauté... Je reviens de l'île de Man et je suis bouleversé par ce que j'y ai vu.

— Vraiment ? Des victimes de bombardements ?

— Non, on y parque des juifs en provenance d'Allemagne et des pays d'Europe centrale, hommes et femmes. Ils ont fui une mort certaine et l'Angleterre les entasse dans des baraquements, ne sachant qu'en faire.

— Le triste sort des réfugiés.

234

— Sauf qu'ils racontent des histoires épouvantables sur les persécutions subies. À l'Est, les nazis seraient en train de commettre un véritable carnage. Des unités SS exterminent hommes, femmes et enfants dans la foulée de l'avancée de l'armée allemande.

— Mais que faites-vous auprès d'eux ?

— J'essaie de les faire sortir de ces camps, mais c'est très dur. Comme ils ont souvent le malheur de parler allemand, ils sont vus comme des espions en puissance.

L'avocat s'interrompit tandis que le serveur déposait un verre de whisky devant Malorley qui reprit :

— Je n'étais pas au courant. Ils sont nombreux ?

— Près de vingt-cinq mille sur tout le Royaume-Uni. C'est l'île de Man qui héberge le plus grand camp. Le pire c'est qu'on les a mélangés avec des Allemands raflés en Angleterre après la déclaration de guerre et qui, eux, sont d'authentiques nazis. J'essaye d'obtenir un rendez-vous avec un conseiller du Premier ministre pour plaider leur cause. En vain.

— Vous avez des soutiens ?

— Quelques-uns… Des associations existent pour accueillir des réfugiés, le plus curieux c'est que ce sont les Quakers les plus actifs. Ils se démènent comme des diables pour aider les juifs[1].

---

1. En 1947, les Quakers – mouvement religieux chrétien – auront le prix Nobel de la Paix pour l'aide apportée aux juifs pendant et après la Seconde Guerre mondiale.

Malorley l'écoutait, mal à l'aise. Il aurait pu lui arranger une entrevue avec un membre du cabinet de Churchill, mais cela aurait supposé d'admettre qu'il n'était pas qu'un simple rouage dans la bureaucratie militaire.

L'avocat se leva.

— Je vais devoir vous laisser. J'ai beaucoup de dossiers à traiter ce soir.

Le concierge du club surgit de nulle part, l'air effaré.

— Commander, une dame vous attend à l'entrée. Elle dit qu'elle travaille avec vous.

— Faites-la entrer.

— Enfin… vous savez bien que c'est impossible. Le club reste interdit aux personnes du beau sexe. Le règlement… Vous comprenez, n'est-ce pas ?

Le responsable du SOE se leva à son tour, le visage fermé.

— Non et la prochaine fois je soumettrai au conseil d'administration un changement des statuts pour admettre les femmes. (Puis se tournant vers l'avocat :) J'espère que vous me soutiendrez.

L'homme de loi éclata de rire.

— Pour qu'on dise qu'un juif pervertit l'esprit d'un vénérable club comme le Boodles ? Non merci. Je ne veux pas raviver l'antisémitisme latent de nos membres. Trouvez d'abord des supporters féministes et goys et on en reparlera.

Malorley salua l'avocat d'un large sourire et se dirigea vers la réception. À son grand étonnement il

236

aperçut Laure debout devant le comptoir. Elle paraissait surexcitée.

— Au cas où vous ne le sauriez pas, j'ai horreur qu'on me dérange quand je ne suis pas en service, déclara-t-il.

— Désolée, il y a urgence, on vous a appelé ici, mais impossible d'avoir la communication.

Le concierge leva les yeux au plafond.

— Toutes nos lignes sont coupées depuis une semaine à cause du dernier bombardement. Et les services téléphoniques sont débordés.

— J'étais de permanence au service quand la nouvelle est tombée, reprit Laure, et j'ai préféré venir vous alerter tout de suite. La relique de Montségur fonctionne. Un miracle ! Hitler a été assassiné par des généraux de la Wehrmacht.

— Quoi ? Hitler, mort ?

Malorley dévisageait Laure comme si la foudre l'avait frappé. La jeune femme resta silencieuse quelques secondes, puis éclata de rire.

— *Joke*… N'est-ce pas le mot que vous utilisez pour une plaisanterie ?

— Vraiment ? Cela n'est pas drôle du tout.

— Vous croyez donc réellement au pouvoir de ces foutus talismans. Vous êtes vraiment un type curieux, commander.

Malorley la saisit par le bras.

— Et c'est pour ça que vous m'avez dérangé ?

— Non. Crowley a essayé de vous joindre à votre bureau. Il était paniqué au téléphone.

— Aleister nous fait une nouvelle crise ?

— Non, il veut vous voir en urgence. Il était terrifié par la rousse que vous m'avez demandé de suivre. Et du cadavre dans le cimetière.

26

Berlin
Wilhelmplatz
Novembre 1941

Décoré à chaque étage, le ministère de la Propagande rutilait comme un gâteau d'anniversaire au centre de la Wilhelmplatz. Des projecteurs empruntés à la défense aérienne élevaient des colonnes de lumière dans le ciel d'automne tandis que des gardes en uniforme de parade escortaient les invités de marque. En haut des marches, Magda Goebbels, en robe fourreau couleur de diamant, accueillait les convives de son fameux rire en cascade. Tous les Allemands connaissaient Magda dont la beauté étincelait en couverture des magazines, quand elle ne faisait pas la une des actualités en compagnie d'Hitler. Officiellement célibataire, le Führer, pour garder secrète sa liaison avec Eva Braun, avait intronisé Magda première dame du Reich et modèle de toutes les femmes allemandes.

— Regardez-la, ironisa Goebbels, on croirait que c'est elle qui reçoit !

Le majordome qui servait le ministre depuis des années hocha légèrement la tête. Il avait l'habitude des monologues de son patron. Goebbels observait l'arrivée des invités à travers un œil-de-bœuf qui donnait sur les greniers du ministère. C'est là qu'il avait fait installer une pièce secrète où il se retirait pour méditer. Un ancien escalier de service destiné à son usage privé lui permettait aussi la fréquentation assidue de jeunes actrices. Une détente clandestine que n'avait surtout pas besoin de connaître Magda.

— Elle serait encore capable d'en parler au Führer, râla le ministre.

Rien qu'à ce souvenir, Goebbels avait des sueurs froides. Durant l'été 1938, Magda avait débarqué au Berghof[1] comme une tornade, révélant à Hitler la liaison de son mari avec une actrice de vingt-deux ans, tchèque de surcroît. Et bien sûr, oncle Adolf, comme l'appelaient les enfants du couple, avait aussitôt sommé son ministre de mettre un terme immédiat à cette liaison éhontée.

— Et depuis, elle se croit toute-puissante, parce qu'elle a l'oreille du Führer, mais elle se trompe.

Goebbels se resservit un verre et détourna son regard de la Wilhelmplatz. Il n'avait aucune envie de voir Magda accueillir Himmler le sourire aux lèvres. Depuis la disparition de Hess, il était devenu son principal adversaire : l'homme qui risquait de le supplanter dans la confiance du Führer.

---

1. Résidence d'Hitler dans les Alpes bavaroises.

— Mais toi aussi, *l'éleveur de poules*[1], je vais te remettre à ta place. D'ailleurs, je vais tous vous remettre à votre place.

Le ministre se leva en s'appuyant sur les accoudoirs. Sa jambe droite était atrocement lourde. Une infirmité qu'il traînait depuis l'âge de quatre ans. Boiteux, malingre et désespérément petit, on finissait toujours par prendre Goebbels pour une quantité négligeable. Une grave erreur. Le *Nabot* avait plus d'un tour dans son sac. Et ce soir encore, tout le monde allait s'en apercevoir.

Le grand salon du ministère ressemblait à un hall de gare tant la porte d'entrée déversait de convives pressés de rejoindre une connaissance ou de faire le siège du buffet. Les femmes avançaient plus lentement. Après être passées devant l'éblouissante Magda, elles avaient hâte de se faire admirer à leur tour.

Postée contre une colonne, en robe noire et bras nus, Erika attendait le Reichsführer tout en saluant des invités qu'avant elle rencontrait chez ses parents. En quelques années, la haute bourgeoisie avait perdu tout son pouvoir d'attraction. Désormais, on se précipitait aux chasses de Goering, aux soirées de Goebbels devenues les nouveaux phares de la vie mondaine.

— À votre avis, combien y a-t-il de nazis sincères

---

1. Le métier d'origine du chef de la SS.

dans cette salle ? demanda Himmler qui venait d'arriver.

Tout en souriant, Erika fit mine de compter sur ses doigts et s'arrêta à la première main. Le Reichsführer éclata de rire.

— Je vois que votre séjour en Crète vous a réussi. Dommage que vous n'ayez pu mener à bien votre mission.

— Elle n'est pas terminée. Vous savez que je n'abandonne jamais.

— Et vous savez que j'ai une totale confiance en vous.

— Je m'en réjouis.

Himmler s'inclina. L'entretien était terminé. Magda venait d'arriver, entourée d'une cour d'admirateurs. Le maître des SS claqua des talons sur son passage. La femme du *Nabot* lui répondit par un sourire étincelant. Régulièrement, Himmler lui envoyait la liste mise à jour des maîtresses de son mari. Un investissement qui ne lui coûtait rien et qui pouvait lui rapporter beaucoup.

Erika retrouva Tristan dans le fumoir en train de contempler une photo du mariage de Goebbels. Sur un chemin de terre enneigé, des paysans saluaient le jeune couple, le bras tendu. La photo était fascinante, mais ce qui l'était plus, c'était la silhouette sombre derrière les jeunes mariés.

— Tu savais qu'Hitler avait été le témoin du mariage des Goebbels ?

— Non, et je m'en fous. Je n'ai même pas eu

242

le temps de lui parler de notre visite à l'abbaye de Heiligenkreuz, s'agaça l'archéologue, et encore moins de lui montrer une photo de la tombe d'Amalrich !

Un serveur pénétra dans le fumoir, débarrassa les verres avant d'annoncer que le ministre allait faire son entrée. La présence de tous les invités était requise dans le hall.

— Le *Nabot* a bien préparé son coup, commenta von Essling, tout Berlin est là. Il va faire la une des journaux. Himmler va être furieux d'être ainsi ravalé au rang de simple spectateur.

Le hall bruissait de murmures et d'interrogations. Magda, reléguée dans un coin, n'existait déjà plus. Le sourire crispé, elle tentait de faire bonne figure, mais elle ne pouvait s'empêcher de lever fébrilement les yeux vers le palier en forme de balcon qui surplombait la salle. Un technicien était en train d'y installer un micro. D'un coup, Goebbels surgit, déclenchant un tonnerre d'applaudissements. Il portait l'uniforme beige du parti, celui de la conquête du pouvoir.

— Il me semble plus grand, s'étonna Tristan.

— Ils ont dû installer un piédestal, sinon il aurait le menton qui touche la rampe, répliqua perfidement Erika.

Dans un geste théâtral, le ministre étendit les mains pour réclamer le silence. Il ressemblait à un prédicateur monté en chaire pour haranguer ses fidèles.

— Mes amis, aujourd'hui est un grand jour. Un de ces moments dont l'histoire se souviendra et dont vous, vous pourrez tous dire : « J'y étais ! »

Le silence était tombé aussi rapide qu'un couperet. Chacun retenait son souffle.

— Nos troupes ont atteint aujourd'hui les faubourgs de Moscou. Le Kremlin n'est plus qu'à quelques stations de métro !

Une ovation éclata dans le hall qui résonna comme l'intérieur d'un tambour. Goebbels, en orateur expérimenté, laissa passer le flot de cris et de vivats sans l'interrompre. Quand le vacarme s'apaisa, il reprit la parole.

— Notre Führer a été l'artisan de cette victoire qui, en quelques mois, a transformé le monde. Désormais l'Allemagne a conquis l'Europe jusqu'aux frontières de l'Asie

Juste derrière Goebbels, une gigantesque carte venait de se déplier. On y voyait l'Allemagne en rouge vif s'étendre comme une tache de sang, de la Norvège à la Crète, de la France à la Russie. Un roulement continu d'applaudissements salua le nouvel ordre du monde.

— Durant cette offensive, notre Führer a lutté sans répit, consacrant tout son temps et son énergie au succès de cette campagne unique dans la mémoire des hommes et des annales de l'histoire. Durant des mois, à la Chancellerie ou au Berghof, il a travaillé sans relâche, ni repos, pour que le destin de l'Allemagne s'accomplisse. Infatigable soldat de l'ombre, il est temps pour lui de réapparaître à la lumière.

En un instant, une marée de bras tendus submergea le hall tandis que des salves retentissantes de *Heil Hitler* faisaient trembler les lustres.

244

— Ainsi ai-je le plaisir de vous annoncer que certains, parmi vous, auront le bonheur d'être auprès du Führer dans des circonstances exceptionnelles. Dans une semaine, le chancelier Hitler rencontrera le Duce Mussolini à Venise.

Erika cherchait du regard Heinrich Himmler. La stupéfaction se lisait sur son visage. Lui qui était en charge de la protection du Führer n'avait pas été mis au courant. Au balcon, Goebbels triomphait. Une fois encore le *Nabot* avait repris la main, mais il n'avait pas abattu toutes ses cartes.

— Dans les prochains jours, une liste sera établie par mes soins de celles et de ceux qui auront l'honneur d'accompagner le Führer en Italie, mais je puis déjà vous donner un nom…

Il se tourna vers le fond de la salle, la main sur le cœur.

— Magda, tu seras la première.

Un concert d'exclamations entoura la femme de Goebbels qui fondit en larmes. Aussitôt un orchestre entama l'hymne du parti, le *Horst Wessel Lied*, repris en chœur par l'assistance.

— On doit rejoindre le Reichsführer tout de suite, intima von Essling, il doit être furieux.

Mais Tristan ne réagit pas. Il restait immobile, le regard fixé sur le balcon où le ministre venait de parler.

— C'est Goebbels qui te met dans cet état ?

Marcas semblait toujours tétanisé. Erika lui prit les deux mains.

— Tu fais un malaise ? C'est la chaleur ?

— La photo de la tombe d'Amalrich, tu l'as avec toi ?

L'archéologue ouvrit son sac de soirée et la lui tendit. Tristan la saisit aussitôt. Quand il leva les yeux, ils étaient comme dévorés de fièvre.

— Je sais comment trouver la swastika !

27

Londres
Bloomsbury
Novembre 1941

Un rayon de soleil illuminait le salon, mais l'esprit de Crowley pataugeait dans les ténèbres. Assise devant la grande table, Moira O'Connor avait aligné cinq photos sous ses yeux. Toutes représentaient le mage vautré dans le lit à baldaquin du Hellfire Club, en compagnie de la jeune morte. Elle n'avait pas encore été mutilée et sa beauté semblait endormie. Seule la plaie rouge au niveau de la gorge révélait son calvaire.

— De nos jours, on peut trafiquer des photos. Ça ne prouve rien, dit Crowley.

— Tu as tout à fait raison, mais les journalistes, eux, seront trop heureux de les diffuser avec ton nom en première page. N'oublie pas que ta réputation de sorcier dépravé est solidement établie, je n'ai pas besoin de te rappeler les nombreux articles à sensation te concernant, parus avant-guerre… Imagine les titres : « Crowley sacrifie une jeune femme à Satan et Hitler », ou mieux, tiens : « Le mage meurtrier est agent du SOE ». Je ne suis pas sûre que ton employeur actuel apprécie.

Aleister était anéanti.

— J'en ai connu des garces dans ma vie, mais toi tu trônes au panthéon des salopes ! Me faire ça à moi alors que je t'ai sortie de ton ruisseau irlandais !

Elle le gifla à toute volée.

— Change de ton, crétin ! Tu as abusé de moi alors que j'étais à peine majeure. Mes parents venaient d'être assassinés, je travaillais comme bonne à tout faire dans le manoir de tes amis anglais. Tu m'as séduite en me promettant une vie de rêve. C'était facile pour un homme comme toi d'en mettre plein la vue à une gamine fragile.

— Ingrate, je t'ai emmenée à Londres et fait de toi ma complice. Je t'ai choyée. Tu as découvert un univers de plaisirs infinis.

— Bien sûr, en m'offrant au passage à tes amis dépravés. J'ai beaucoup appris des hommes grâce à toi. Heureusement que j'ai découvert la sorcellerie et la vraie connaissance, sinon je serais devenue une catin de plus dans ton harem personnel. Mais tournons la page du passé, veux-tu ?

Elle isola une des photos du lot. On voyait le mage tenant un couteau posé sur la gorge de la victime.

— J'aime beaucoup celle-ci.

— C'est répugnant. Finissons-en. Que veux-tu exactement ?

— Les négatifs de ces photos resteront sagement enfermés dans mon coffre si tu me procures des informations concernant ton nouveau travail au sein du SOE.

— Et c'est tout ?

— Bien sûr que non. Ce n'est que le début d'une nouvelle relation, fructueuse, entre nous. Placée sous le signe de la photographie artistique… Je te laisse ces tirages pour ta collection personnelle. De mémoire il me semble que tu collectionnes les clichés pornographiques.

— Tu n'as pas honte de trahir ton pays ? De servir les nazis ?

La Fée écarlate se leva et prit ses affaires.

— L'Angleterre n'est pas mon pays et je me moque d'Hitler comme de mon premier verre de whisky. Je vais là où se portent mes intérêts. Et je te conseille de ne pas prévenir ton supérieur du SOE à mon sujet. Sinon tu verras ta tête de pervers s'étaler à la une du *Daily Mail*.

Le taxi qui emportait Moira O'Connor venait de tourner au coin de la rue. Au deuxième étage, Malorley tira les rideaux et quitta la pièce pour rejoindre Crowley et Laure assis dans le salon. La jeune femme faisait défiler les photos sous ses yeux. Le mage, lui, avalait son deuxième verre de gin. Il leva une tête ravagée en voyant arriver le commander dans la pièce.

— Cette pute me tient suspendu à un crochet de boucher… Je suis fini.

— Allons, vous avez bien fait de me raconter toute la vérité, dit Malorley en se servant un verre à son tour.

— Vous allez l'arrêter, n'est-ce pas ? Vous avez plus de preuves qu'il n'en faut. Vous pourrez récupérer les négatifs dans son coffre !

L'homme du SOE secoua la tête et aborda un sourire énigmatique.

— Il n'en est pas question.

— Quoi ?

— Vous allez accéder à ses désirs. Et d'abord lui donner le rapport sur Hess sans omettre le moindre détail. Et ensuite vous lui fournirez toutes les informations qu'elle exigera. Et je veillerai personnellement à vous favoriser la tâche.

— Je ne comprends pas, répondit le mage.

Laure repoussa les photos devant elle d'un air dégoûté et ajouta :

— Ce que le commander veut vous faire comprendre c'est qu'il s'agit de retourner la situation à notre avantage. De monter une opération d'intoxication.

— Tout juste et vous, Crowley, serez la source empoisonnée.

Laure posa la main sur l'avant-bras du mage.

— Félicitations, vous voilà embauché officiellement comme agent double.

28

Werwick, près de Lille
13 octobre 1918

— Quatre ans, quatre ans que je suis sur le front
et pas une égratignure !

Devant ses camarades de tranchée, le sergent
Extelman exhibait bravement sa poitrine intacte.

— Regardez-moi ça ! J'ai fait la Marne, Verdun,
le Chemin des Dames, partout où ça chauffait, et rien.
Pas une balle dans le coffre !

Adossés au mur de glaise de la tranchée, les
hommes écoutaient leur sous-officier sans piper mot.
Beaucoup se rappelaient qu'avant la dernière offensive, Extelman avait péroré de la sorte et ils n'aimaient pas ça.

— Bon, qui est de garde ce soir ?

Quatre soldats s'avancèrent. Les capotes en lambeaux, les bottes cirées de boue et la barbe en déroute,
ils n'avaient même plus d'armes. Malgré son caractère impulsif, le sous-officier fit comme s'il n'avait
rien vu. Lors de la dernière offensive, en moins d'un

quart d'heure, la compagnie avait perdu les deux tiers de ses effectifs. Quant aux rescapés, la plupart étaient sourds et agités de tremblements convulsifs tant les bombardements qu'ils avaient subis avaient été terrifiants. Dans ces conditions, mieux valait éviter de leur demander comment ils avaient perdu leur fusil. Après avoir envoyé les sentinelles à leur poste, Extelman se tourna vers ses hommes.

— Vous avez remarqué que j'ai doublé les gardes ce soir. Autant vous le dire, on risque une visite pendant la nuit.

Devant la mine effarée des soldats, le sous-officier se récria :

— Non, non, pas d'attaque française de prévue ! Ce sont des huiles, venues du quartier général, qui vont faire une inspection.

Un grognement lui répondit. Dans les tranchées, on n'aimait guère les officiers supérieurs, vêtus de grands uniformes, la poitrine épinglée de décorations et dont la plupart n'avaient jamais vu le feu de près.

— Je sais ce que vous pensez… des planqués qui viennent se faire mousser sur le dos du pauvre soldat et vous avez fichtrement raison. Le problème, c'est que je ne peux pas les faire recevoir par des sentinelles qui n'ont même pas une baïonnette !

— Pourtant les armes, ce n'est pas ce qui manque, suggéra un des hommes, suffit d'aller les chercher.

Lors de la dernière offensive, les troupes allemandes n'avaient progressé que de quelques centaines de mètres avant de se faire massacrer, jonchant le sol de cadavres et de milliers d'armes. Une véritable armurerie à ciel ouvert.

— Et c'est toi qui vas passer par-dessus la tranchée, pour récupérer un flingot ? s'écria son voisin. Je te préviens que si c'est moi qui suis désigné…

Aussitôt Extelman comprit le danger. Un mot de plus et il risquait une mauvaise affaire qui pouvait dégénérer en mutinerie.

— Personne n'ira dans le *no man's land* ! Aucun homme de la compagnie, je m'y engage.

Un des anciens abaissa sa casquette comme pour remercier. C'était un paysan du Wurtemberg. Un finaud, petit et râblé, qui avait réussi à traverser la guerre en prenant le moins de risques possible.

— Une bonne décision, sergent. Mais reste que recevoir des officiers de la haute, sans même un seul flingot, c'est pas bon pour vous.

Cette fois le sergent s'emporta.

— Que voulez-vous que j'y fasse, je ne vais pas y aller moi-même ?

— Ça c'est sûr, remarqua ironiquement le paysan, et les gars de la compagnie, non plus. En revanche…

L'oreille aux aguets, Extelman s'approcha.

— Il nous est arrivé une estafette ce matin. Il apportait les ordres. Sauf que le gars, il est pas reparti à cause des bombardements sur la ligne arrière. À mon avis, il doit s'ennuyer ferme à attendre comme ça. Faudrait peut-être lui trouver une occupation.

— Il est où ?

— Dans l'abri, il dessine.

Juste au-dessus de la tranchée, un parapet en bois indiquait l'entrée du souterrain. Extelman s'engouffra dans le couloir étayé de poutres branlantes qui donnait sur une pièce carrée où se réfugiaient les hommes pendant les bombardements. Assis dans un coin, sous une lampe accrochée à un piton, l'estafette traçait avec soin une figure géométrique sur un carnet.

— Garde à vous !

Le soldat se leva d'un bond et salua.

— Caporal Hitler, mon sergent. À vos ordres.

Extelman fut surpris par la maigreur de son interlocuteur. Il semblait avoir fondu dans sa vareuse. Quant à son visage, déjà émacié, il disparaissait presque sous sa moustache. *En voilà un qui n'en a plus pour longtemps*, pensa le sergent et, d'un coup, il se sentit moins coupable de l'envoyer à l'abattoir.

— Caporal, j'ai besoin d'un homme de confiance, et comme je vois que…

Le regard d'Extelman venait de tomber sur la décoration, noire et brillante, qui décorait la poitrine d'Hitler. *Comment ce maigrichon a-t-il fait pour recevoir une croix de fer et de première classe en plus ?*

— Caporal, j'ai besoin de récupérer des fusils dans le *no man's land*. C'est une mission difficile et…

— Je suis volontaire.

Extelman tenta de cacher sa stupéfaction.

— Bien… je vais…

— Quand dois-je y aller ?

Une fois encore, le sergent contempla celui qu'il envoyait à une mort certaine.

— Vous venez d'où, caporal ?

— De Vienne, mais je me suis engagé à Munich.

— Vous avez fait toute la guerre ?

— Depuis le premier jour.

Un fou, pensa Extelman, *venir d'Autriche pour se faire trouer la peau dans cet enfer.*

— La nuit tombera dans deux heures. Il n'y a pas de lune. Nous enverrons des fusées éclairantes pour que vous vous repériez. Des questions ?

— Non, répondit Hitler en reprenant son carnet à dessin.

Intrigué, Exeltman se rapprocha. Les deux pages du carnet étaient couvertes d'une figure, plusieurs fois répétée sous des angles différents. À l'origine, ce devait être une croix que le dessinateur avait fait pivoter sur la droite avant de lui ajouter quatre branches perpendiculaires. Le sergent haussa les épaules. Quelle importance, dans quelques heures, le carnet comme son propriétaire n'existeraient plus.

Adolf Hitler avait refusé le casque qu'on lui tendait. Avec les fusées éclairantes, tout reflet sur du métal était mortel. Deux hommes de la compagnie venaient de poser une échelle contre la paroi de la tranchée.

— Les lignes ennemies sont à deux cents mètres, mais vous ne trouverez pas d'armes tout de suite, ajouta le sergent, lors du dernier assaut, les Français ont attendu pour les abattre que nos hommes soient juste sur leurs tranchées. Autrement dit…

Hitler hocha la tête. Il avait compris. S'il voulait trouver des fusils en état de marche, il lui faudrait s'approcher au plus près des positions adverses. Il posa le pied sur le premier barreau de l'échelle.

— Caporal Hitler…, commença pompeusement Extelman.

Il n'eut pas le temps de terminer, Adolf avait déjà sauté par-dessus la tranchée.

Le *no man's land* était une expression créée par les soldats anglais, qui s'était répandue sur tout le front pour désigner l'espace de mort, situé entre deux lignes ennemies. Au sortir de la tranchée, Hitler décida de tenter sa chance à gauche. Une fois sorti d'un trou d'obus, il se courba et avança à pas lents. Le sol était labouré de profonds sillons qui menaçaient de le faire chuter. S'il se brisait une cheville, il était foutu. Personne ne viendrait le chercher.

Adolf avait toujours redouté cette mort anonyme et sans gloire. Il s'arrêta pour reprendre son souffle. Combien de temps avait-il marché ? Il ne voyait toujours pas les lignes adverses, reconnaissables à leur mur de barbelés, en revanche, il sentait une odeur, identifiable entre toutes.

Celle de la mort.

Il ne devait plus être très loin. Un souffle de vent apportait un bruissement aigu. Les soldats de première ligne lui en avaient parlé. Pour prévenir toute attaque nocturne, les Français suspendaient aux buissons de barbelés des pièces de métal. Débris d'obus, baïonnettes tordues, qui servaient à avertir de toute intrusion. Il sourit. Ce vent était sa chance. En effet, il devait s'emparer d'un fusil en état de marche et, pour ça, faire fonctionner chaque culasse. Un bruit caractéristique, mais qui se perdrait dans la danse des objets métalliques sur les barbelés.

D'un coup le ciel devint livide. Une fusée venait d'éclater au-dessus des lignes françaises, éclairant tout le *no man's land*. Hitler repéra un groupe de soldats, effondrés sur le dos, la poitrine ravagée d'éclats d'obus. Il se mit à ramper dans leur direction en s'abritant derrière une levée de terre boueuse. Une seconde fusée éclata dans le ciel, il n'était plus qu'à quelques mètres. Une rafale de mitrailleuse éclata, laboura rageusement le sol, puis s'arrêta brusquement. Adolf venait juste de s'emparer d'un fusil. Il fit jouer la percussion. Intacte. Il tendit la main et agrippa la bretelle en cuir d'une autre arme. La dernière fusée descendait lentement en virevoltant. Dès qu'elle toucha le sol, l'obscurité retomba. Sa première mission était accomplie. Maintenant, il lui fallait rentrer vivant.

Adolf croisa les deux fusils sur ses épaules pour avoir les mains libres. Sa hantise était qu'à leur tour, les ennemis n'envoient des fusées éclairantes. En un instant, il deviendrait une cible.

Il se coucha au sol et longea la levée de terre

percée de toutes parts par les balles de mitrailleuse. Arrivé au bout, Adolf tenta de calmer les battements frénétiques de son cœur. Le vent était tombé, il n'entendait plus de bruissement dans les barbelés. Il se mit à quatre pattes pour avancer, tâtant le sol de ses mains. En principe, il n'était plus qu'à quelques pas de ses propres lignes. À cette distance les balles ennemies ne pouvaient plus l'atteindre. Il aurait pu se lever et marcher normalement. Sauf qu'il risquait un coup de fusil, cette fois, allemand. Extelman l'avait prévenu. Il devait absolument s'identifier.

Tout à coup, il entendit un sifflement. Trop aigu pour un obus de gros calibre. Puis un second, suivi d'un bruit sourd, mais sans déflagration. Il se précipita.

Dans la tranchée, face à lui, un hurlement éclata :

— Les gaz ! Les gaz !

Hitler ouvrit la bouche pour prononcer le mot de code, mais une odeur de fin du monde lui envahit les poumons. Il roula au sol et bascula dans la tranchée. Une main le saisit par les cheveux et lui appliqua un chiffon sur la bouche.

— À l'abri.

Emporté par le flot affolé des soldats, il se retrouva plaqué contre un mur pendant qu'on lui enlevait ses fusils.

— Une lampe, il est peut-être blessé !

Adolf ouvrit les yeux. Une douleur atroce le saisit.

— Hitler ! Hitler !

Il reconnut la voix d'Extelman, mais pas son

visage. Il se passa la main devant les yeux, mais ne vit rien.

Rien que la nuit.

Il hurla.

Il était aveugle.

29

Londres
10 Downing Street
Novembre 1941

— Vous voulez la mort de l'Angleterre !

— Non, monsieur le Premier ministre, les États-Unis restent votre plus fidèle allié face à la menace nazie. Nos livraisons d'armes ont doublé depuis le mois dernier et…

Winston Churchill tapa du poing sur la table.

— Ça suffit ! Monsieur l'ambassadeur, il est minuit moins cinq à l'horloge de l'Apocalypse. Vous avez entendu les rapports du général et de l'amiral ici présents. L'opération Barbarossa est un succès total, les Panzer grondent aux portes de Moscou. Staline ne tiendra pas longtemps. Si ce fils de pute communiste tombe, les Allemands vont s'emparer d'un arsenal gigantesque. Une fois la Russie avalée, et ce n'est qu'une question de semaines, Hitler nous gobera tout crus. Il faut que l'Amérique entre en guerre !

Les deux haut gradés anglais observaient la passe

d'arme entre le Premier ministre anglais et le représentant des États-Unis. Depuis qu'ils avaient rendu leurs prévisions pessimistes sur l'issue du conflit en Russie, Churchill ne décolérait pas. Il avait convoqué l'ambassadeur, l'honorable John Gilbert Winant, séance tenante pour qu'il entende les conclusions de la bouche même des officiers. Le diplomate américain se redressa sur son fauteuil.

— Écoutez, Winston, vous savez que je ne cesse de plaider votre cause auprès du président Roosevelt. Je n'ai rien à voir avec mon prédécesseur.

— Ah ça… Difficile de faire pire que ce salopard de Joseph Kennedy[1], maugréa Churchill. Admirateur du Führer, antisémite, ce foutu descendant d'Irlandais avait même offert le champagne après l'accord de Munich.

— C'est pour cela que le président m'a nommé à sa place. Je suis un fervent partisan de l'entrée en guerre de mon pays à vos côtés, tout comme le président, mais…

— Le « mais » je le connais, répliqua Churchill, l'opinion publique américaine ne vous suit pas.

— Exact. Les États-Unis ne sont pas une dictature, le président ne peut pas décider de lui-même d'entrer en guerre contre l'Allemagne.

Churchill se leva de son fauteuil et s'approcha du général et de l'amiral qui étaient restés silencieux.

---

1. Père de John F. Kennedy, 35ᵉ président des États-Unis en 1961.

— Eh bien, messieurs les stratèges, que faudrait-il pour que nos amis américains mettent les mains dans le cambouis ?

Les deux officiers échangèrent des regards prudents. L'officier de marine prit la parole.

— Que les sous-marins allemands attaquent des navires civils américains.

— Hitler n'est pas si stupide, grommela Churchill, jamais il ne prendra ce risque.

— Alors si ce n'est pas lui, l'un de ses deux alliés de l'Axe[1]. Oublions Mussolini qui n'a aucun contact avec les États-Unis, reste les Japonais. Ils rêvent de conquérir le Pacifique qu'ils considèrent comme leur espace vital maritime, comme les Allemands l'Europe de l'Est. Je suis certain que l'empereur et son Premier ministre, le général Tojo, rêvent chaque nuit d'aller larguer des suppositoires sur le territoire américain du Pacifique le plus proche de l'empire du Soleil levant.

L'ambassadeur américain toussa.

— Vous ne voulez quand même pas que les Japs nous tombent dessus ? Je vais faire comme si je n'avais pas entendu cette conversation.

Winston Churchill se planta devant lui et posa ses mains sur les accoudoirs de son fauteuil.

— John, je serais prêt à offrir mon âme au diable et la vertu de ma fille en prime si ça pouvait vous forcer la main. Si un matin on me réveille pour

---

1. Alliance tripartite de l'Allemagne, de l'Italie et du Japon.

m'apprendre que ces damnés Nippons ont vaporisé, tiens, par exemple, Hawaï, j'offrirai ma cave à cigares à tous mes collaborateurs et je me prendrai une cuite mémorable.

L'ambassadeur se raidit et se leva.

— Vous rêvez, les yeux ouverts, monsieur le Premier ministre, la plus grosse partie de la flotte du Pacifique est stationnée sur ces îles. Nous y avons concentré plus de quatre-vingts navires, des destroyers, des cuirassiers, des croiseurs et des sous-marins sans compter la base aéronavale. Les Japonais ne prendront jamais le risque d'attaquer le plus gros port militaire du Pacifique. Ils n'en ont pas les moyens.

— Il s'appelle comment ce port ?

— Pearl Harbor.

L'antichambre du bureau du Premier ministre était entièrement dédiée au cheval sous toutes formes. Tableaux de scènes de chasse, accessoires d'équitation cloués aux murs, du harnais jusqu'aux éperons, le décor tranchait avec celui de l'abri souterrain dans lequel ils s'étaient rencontrés pour la première fois. Malorley détailla une toile de Stubbs qui représentait un cheval se cabrant devant un roi à l'allure arrogante. On entendait le staccato régulier d'une machine à écrire qui provenait d'une pièce voisine où travaillaient deux secrétaires. Il consulta sa montre pour la cinquième fois. Cela faisait deux heures qu'il attendait. Depuis la récupération de la relique de Montségur, il avait l'habitude de faire un point mensuel avec Churchill. Réunion que le Premier ministre expédiait en moins d'un quart d'heure. Cette fois, Malorley arrivait avec des nouvelles fraîches. Tristan était reparti sur une piste prometteuse. À tout moment il fallait s'attendre à envoyer un nouveau commando quelque part en Europe. Et l'officier du SOE avait besoin du feu vert de l'homme au cigare.

La porte du bureau de Churchill s'ouvrit pour laisser passer deux officiers et un homme qu'il reconnut comme l'ambassadeur des États-Unis. Ils continuaient de parler sans se soucier de sa présence. Le diplomate fila après avoir salué les militaires qui récupéraient leurs manteaux.

Le visage du général lui était familier. Malorley mit quelques secondes avant de se souvenir qu'il l'avait croisé à la réunion du Cercle Gordon. La soirée où il avait fait son speech sur l'influence occulte du nazisme.

Le général lui jeta un rapide coup d'œil, puis se pencha vers son collègue.

— On se retrouve à l'état-major interarmées, je dois saluer une connaissance.

Le marin détailla Malorley avec méfiance.

— Et qui est donc ce civil en pleine force de l'âge qui ne porte pas l'uniforme ? demanda-t-il avec rudesse.

— SOE, chut…

Le contre-amiral vissa sa casquette sur son crâne et pesta :

— Pendant la dernière guerre on n'avait pas

besoin de ce genre d'individus pour mettre en pièces l'ennemi. Des voyous qui ne pratiquent pas les codes d'honneur de la guerre. Un signe de plus de la décadence de l'Empire.

— Mon cher Andrew, tu crois qu'en face, le petit caporal de Bohême les respecte, lui ? Les temps sont différents et l'Empire a bien raison de changer les règles du Grand Jeu.

Les deux hommes se séparèrent. Malorley avait entendu des bribes de conversation, mais s'était bien gardé d'intervenir. Depuis que le SOE existait, les rumeurs les plus folles couraient sur ses méthodes. Rumeurs souvent propagées par le MI6 et le service d'intelligence navale.

Le général s'approcha et lui serra vigoureusement la main.

— Commander Malorley, félicitations pour votre opération commando à Montségur. Vous avez impressionné beaucoup de monde. Et si vous me disiez où se trouve la relique ?

30

Berlin
Siège de l'Ahnenerbe
Novembre 1941

Quand Erika se réveilla, le jour filtrait depuis long-temps derrière les persiennes. Elle étendit la main à son côté, mais la place de Tristan était vide. La veille, en rentrant de la soirée de Goebbels, il avait refusé de s'expliquer : il devait d'abord vérifier son intuition. L'archéologue n'avait pas insisté. Elle aussi connaissait ces moments de fébrilité avant une découverte. Si Tristan pressentait avoir trouvé une piste majeure, il ne fallait surtout pas interrompre son élan. Tout en remontant les couvertures pour se protéger du froid, elle se repassa en accéléré les événements de la soirée au ministère. Elle évacua rapidement les images mondaines pour se concen-trer sur l'annonce de Goebbels. Pourquoi le Führer, qui détestait voyager, allait-il rencontrer Mussolini à Venise ? Hitler visait-il désormais la Méditerranée, puis l'Orient, pour frapper l'Angleterre au cœur de son empire commercial ? Ce n'était pourtant pas des considérations géopolitiques qui intéressaient Erika. Non, ce qui l'inquiétait, c'était que l'annonce venait de Goebbels. Tout le monde savait que le *Nabot* était un surdoué de la propagande. Et si c'était lui qui avait organisé cette rencontre à Venise, alors c'était un véritable tour de force. Le monde entier allait d'un coup découvrir que l'Allemagne avait vaincu la Russie, de quoi désespérer à jamais Churchill et convaincre définitivement les Américains de ne pas intervenir.

Un vrai coup de maître.

Sauf qu'il laissait Himmler sur la touche. Le Reichsführer n'était plus dans le premier cercle. Désormais Hitler prenait ses décisions sans lui.

Von Essling sentit sa gorge se nouer. Il fallait absolument que la quête de la swastika aboutisse. Elle sauta du lit. Tristan avait intérêt à trouver quelque chose et vite.

La salle des archives à l'Ahnenerbe était une des plus importantes de l'institut. On y conservait une collection, sans cesse enrichie, de manuscrits surtout médiévaux, et de documents rares venus du monde entier. C'est là qu'avait été préparée la mission au Tibet qui avait découvert la première swastika. Tristan, lui, avait fait sortir des réserves un amas de vieux papiers et de livres aux reliures croulantes. Quand Erika entra, il annotait une carte ancienne observée à travers une loupe à pied. Pour ne pas l'interrompre, elle saisit un recueil d'armoiries qu'elle feuilleta au hasard, ouvrant des pages poussiéreuses et desséchées. Posée au centre de la table, la photo de la tombe d'Amalrich était pliée en deux.

— Tu avais remarqué qu'il n'avait pas de nom de famille ? l'interrogea le Français en posant son crayon. Ça m'a frappé hier soir quand Goebbels n'arrêtait pas de citer Hitler.

— Et alors ?

— Pendant que tu faisais photographier la dalle de la chapelle, j'ai discuté avec le vieux moine à l'infirmerie. Il n'y avait pas que la visite d'Hitler qui le passionnait. Sur le chevalier enterré dans la chapelle, il savait beaucoup de choses et en particulier son nom. Amalrich s'appelait *Mecuplus*.

— Un nom à forte consonance latine, mais à part ça…

— Un nom qui n'existe pas. (Il montra les piles de livres.) J'ai fouillé les généalogies, les armoriaux. Personne ne l'a jamais porté.

Intriguée, von Essling avait saisi une feuille de papier et notait chaque lettre dans une colonne. M-E-C-U… Tristan l'arrêta.

— J'ai eu la même idée que toi !

— Une anagramme ?

— Oui et pour ce nom-là, il n'y en a qu'une seule, c'est le mot *speculum*.

— *Miroir*, traduisit immédiatement Erika du latin. Mais ça ne rime à rien !

— À un détail près. Quand tu te regardes dans

une glace, ton côté droit devient ton côté gauche et inversement. Alors j'ai fait de même.

Devant l'air incrédule d'Erika, Tristan montra le tirage en noir et blanc de la dalle funéraire.

— Voilà, j'ai divisé la photo verticalement en deux parties : la droite et la gauche, puis j'ai réalisé un calque de chacune et, ensuite, je les ai superposés…

Le Français tendit chaque calque à Erika qui les fit coïncider.

— Épaule contre épaule, jambe contre jambe, tout est toujours parfaitement symétrique, pied, contre-pied…

— Les éperons ne coïncident pas !

Malgré sa nuit blanche à chercher, Tristan sourit.

— Et maintenant regarde bien. Les pointes des éperons superposés forment des lettres. D'abord un B, puis un R, enfin un A…

— Dis-moi tout de suite !

— Le mot complet, c'est BRAGADIN.

Erika eut l'air déçu.

— Ce n'est pas un mot, mais un nom. De lieu ou de famille. Comment en retrouver la trace ?

Une nouvelle fois, Tristan sourit.

— Si Bragadin est un nom propre, le plus simple n'est-il pas de chercher dans un dictionnaire ?

Marcas fit glisser un massif in-folio sur la table. Un marque-page en forme de dague émergeait de la tranche défraîchie.

— Ne me dis pas que tu as trouvé ?

— Les Bragadin sont une très ancienne famille.

Selon les générations, ils ont été marchands fortunés, politiques ambitieux ou militaires célèbres. L'un d'entre eux a même été gouverneur de Crète.

Erika le regardait avec passion. Si à certains moments, elle avait douté de son amour, là elle savait qu'elle ne s'était pas trompée. Il venait de la sauver. Elle avait enfin une véritable piste à offrir à Himmler.

— D'ailleurs leur réussite leur a permis d'élever un palais où ils ont vécu durant des siècles.

— Où ?

Tristan l'attira vers la loupe qui agrandissait la carte ancienne sur laquelle il travaillait. À son tour elle colla un œil et vit une rue droite bordée des rectangles noirs qui indiquaient des habitations. L'un d'eux était entouré d'un cercle tracé au crayon à papier. Au-dessus se lisait un nom en italique.

Bragadin.

Elle releva la tête brusquement.

La ville qui se dessinait sous ses yeux avait la forme d'un poisson au milieu des eaux.

Elle la reconnut aussitôt.

Venise.

La salle des archives bruissait comme une ruche quand Tristan y glissa une tête. Le calme du matin avait disparu, remplacé par la course empressée des chercheurs pareils à des abeilles en quête de pollen. Certains exploraient des étagères oubliées depuis des années, d'autres compulsaient fébrilement des index,

270

le reste rédigeait à la hâte des notes qu'Erika, telle une reine exigeante, acceptait ou refusait.

— Je veux tout sur la famille Bragadin, leur origine, leur histoire, leur disparition. Tout. Pareil pour le quartier du Castello où se situe leur palais. Plans, historiques, anecdotes. Tout.

— Je vois que tu ne perds pas de temps, apprécia le Français.

— Nous avons rendez-vous avec le Reichsführer dans deux heures. Je veux être prête. D'autant qu'il y aura aussi Heydrich le chef du SD[1].

— Et de la Gestapo…, ajouta Marcas. Si nous devons avoir affaire à ce personnage, je vais aller faire un tour, histoire de me préparer.

Il se pencha pour l'embrasser, mais elle s'était déjà replongée dans ses notes.

Brouillard et givre se partageaient le village quand Tristan arriva sur la place de l'église. Par prudence, il s'arrêta devant la devanture désembuée d'une épicerie dont le reflet lui permettait de voir derrière lui. Les rues demeuraient désertes, mais ça ne suffisait pas pour le rassurer. Il ferma les yeux pour mieux distinguer l'écho d'un pas furtif ou le bruit saccadé d'une respiration, mais tout demeurait silencieux. De toute façon, il ne pouvait plus attendre. Il n'avait plus qu'une poignée de minutes avant de repartir.

La porte de l'église s'ouvrit sans bruit sur une nef

---

1. Service de renseignement de la SS.

encore plus grise que la fois précédente. Ce sanctuaire suintait le désespoir. Même le Christ, sur sa croix, la tête suspendue dans le vide, semblait sur le point de mourir une seconde fois. La sacristie était ouverte. Tristan allait y entrer quand un bruit de chaises renversées le fit reculer. Il se plaqua contre le mur et coula un regard dans l'interstice entre la porte et son montant. Le prêtre gisait au sol, tentant de se relever en s'accrochant à un prie-Dieu. Marcas se précipita. À part le curé à terre, la sacristie était déserte.

— Qui vous a fait ça ? s'écria Tristan en voyant le sang s'écouler sur le sol.

— L'enfant de chœur, c'est lui qui m'a dénoncé. La Gestapo est venue. Un homme. Il m'a frappé.

— Vous avez parlé ?

Le visage du prêtre s'éclaira subitement.

— Je n'ai pas eu le temps. Une hémorragie. Dieu m'a épargné la douleur. Grâce lui soit rendue.

— Où est l'homme de la Gestapo ?

— Il fouille le presbytère.

Marcas serra convulsivement le message qu'il avait préparé. Malorley devait absolument apprendre qu'il partait à Venise pour trouver la relique. Et qu'Hitler et Mussolini y seraient aussi. Une information vitale pour la suite de la guerre. Le prêtre lui saisit le bras.

— J'ai changé de boîte aux lettres. Ce n'est plus le tronc aux aumônes. Allez au cimetière. La tombe de la famille Stifter. Sous le crucifix en bronze. Quelqu'un passera tous les jours pour récupérer vos messages et vous déposer les ordres de Londres. Maintenant partez. Partez tout de suite.

— Je ne peux pas vous laisser comme ça !

— Laissez Dieu s'occuper de moi. Je vais prier pour vous.

Le Français se releva. Le murmure d'un *pater* montait dans l'air. Le cimetière était accolé à l'église. Il devait y avoir un passage. Dans la nef, Tristan tenta de s'orienter. Le mur à gauche, c'est là qu'il fallait chercher. Il se précipita. Sous les vitraux, il n'y avait que des statues de saints qu'éclairaient de rares cierges. Aucune porte.

— Où allez-vous ?

La voix le cueillit au moment où il arrivait devant le Christ en croix. Marcas se retourna lentement comme s'il n'avait rien à craindre. Le gestapiste, serré dans une veste de cuir, tenait une barre de fer entre les mains.

— Vous avez vu le prêtre ?

Tristan hocha la tête.

— Alors vous en avez trop vu.

L'homme d'Heydrich se rapprocha, dressant le levier à deux mains.

— Je me suis bien échauffé avec le cureton, avec toi, je sens que je vais me surpasser.

— Vous tueriez un homme juste sous le Christ en croix ?

— Je m'en fous bien de ton crucifié. C'est qu'un sale youpin !

Le Français s'approcha de la croix, la saisit

273

brusquement et la fit rouler au sol. Le Christ se disloqua sur les dalles. Un clou roula sous une chaise tandis que la couronne d'épines rebondit dans un bruit de métal.

— Si tu crois m'arrêter avec ton Jésus en morceaux…

Le sbire de la Gestapo leva la barre de fer à deux mains, dégageant d'un coup son visage. C'est ce que Tristan attendait. Il saisit la couronne rouillée et l'empala dans la gorge de l'assassin du prêtre.

— J'espère que tu es vacciné contre le tétanos…

Le regard incrédule, son adversaire fixait le sang qui fusait de son cou en jets frénétiques. Il tendit la main vers la couronne aux épines déjà dégoulinantes.

— Si tu la retires, tu meurs.

Le gestapiste hésita.

— Si tu ne la retires pas, tu meurs aussi. Alors choisis bien ta manière de crever.

Comme Tristan sortait de l'église pour rejoindre le cimetière, il passa sous un tableau noirci où un diable grimaçant convoyait des âmes en enfer. Il le salua d'un sourire complice.

— Toi, je viens de t'envoyer un client.

31

Londres
10 Downing Street
Novembre 1941

Malorley tiqua. Jamais le général n'aurait dû être au courant de cette information.

— Je ne sais pas de quoi vous parlez.

Le militaire lui fit un clin d'œil.

— Ah… Vous et votre foutu secret. Peu importe, en tout cas, je suis bien content que notre intervention auprès du Premier ministre ait porté ses fruits.

— C'était donc vous ?

Lorsqu'il était passé devant les membres du Cercle Gordon, qui regroupaient l'élite des femmes et des hommes d'influence de Grande-Bretagne, il s'était toujours demandé lesquels l'avaient aidé.

— Non, c'était l'envoyé d'une personnalité éminente et qui assistait à la réunion. Ce serait d'ailleurs bien que votre damné talisman change la donne. C'est très dur en ce moment.

— À ce point ?

— Oh, oui. Si nous avons quasiment gagné la bataille des airs au-dessus du royaume, les Boches sont sacrément offensifs partout ailleurs. Ils mettent la pâtée aux communistes, et si ça continue ils pendront Staline par les moustaches pour Noël. En Syrie, l'Afrikakorps de ce damné Rommel s'en donne à cœur joie et dans les Balkans tout le monde fait le salut nazi. Quant au Moyen-Orient, les mouvements arabes nationalistes reçoivent des armes de l'Abwehr pour nous mettre dehors.

— Il y a quand même de bonnes nouvelles, j'ai appris que les Américains augmentaient l'envoi de matériel.

— Oui, mais on ne fait que gagner du temps et je...

Le secrétaire particulier de Churchill s'approcha des deux hommes.

— Commander Malorley, le Premier ministre va vous recevoir. Je vous préviens, vous n'aurez que dix minutes. Il doit se rendre immédiatement après à Buckingham.

— Je vous laisse avec le bouledogue, dit le général. À l'occasion, venez me voir. Nous dînerons ensemble et je vous présenterai quelques amis. Votre vision du nazisme m'a ouvert les yeux.

— J'essaierai, mais je ne vais pas souvent à l'état-major.

— Qui vous parle d'état-major ?

Il lui tendit la main. Cette fois la poignée fut différente, particulièrement la position de l'index.

— Loge Newton, murmura le général.

— Green Devil.

Malorley sourit. Le général était un franc-maçon tout comme lui. Clarckfield lui tapa sur l'épaule et s'éloigna à son tour.

L'officier du SOE pénétra dans le bureau du Premier ministre. La décoration était sobre, rien à voir avec les exploits de la race chevaline glorifiée dans l'antichambre. Un drapeau, le portrait du roi, une carte des opérations. Seule une toile sur la bataille de Trafalgar apportait une touche de divertissement. Churchill semblait de mauvaise humeur. Avant que Malorley n'ouvre la bouche, il déclencha la mitraille.

— Alors commander, on a encore fait des siennes ? J'ai lu le rapport du directeur de la prison de la Tour de Londres. Il veut votre tête et celui d'un de vos collègues, plus que douteux, pour les exposer sur la muraille la plus haute. Vous avez rendu dingue ce salopard de Hess, il a été expédié dans un établissement psychiatrique. Le patron du MI5 me bombarde de messages pour que je vous fasse sauter en France sans parachute. Votre département de mages et de diseurs de bonne aventure ne va pas passer l'hiver si ça continue.

— Nous avons tenté une expérience d'hypnose qui a mal tourné. Je suis sincèrement navré.

— Pas autant que moi, mais d'un autre côté…

Churchill s'interrompit pour s'allumer un cigare épais comme son pouce.

— … d'un autre côté vous me retirez une épine du

277

pied. Vos collègues du MI5 n'ont rien pu en tirer et le bonhomme présentait avant votre « intervention » des signes évidents de dérangement mental. Pour la seule fois de ma vie je crois que je suis d'accord avec Hitler, ce type est fou.

Une tonne de fonte s'envola des épaules de Malorley.

— Sinon, reprit Churchill, votre relique a-t-elle été expédiée chez nos amis d'outre-Atlantique ?

— Oui, à bord du *Cornwallis*, escorté par deux sous-marins Typhoon. Si tout se passe bien, elle sera récupérée dans deux jours au point de rendez-vous.

— Si seulement elle avait le pouvoir d'inciter Roosevelt à déclarer la guerre à Hitler, je serais le plus heureux des hommes.

— L'ambassadeur des États-Unis n'avait pas l'air de partager votre point de vue.

— Ne croyez pas ça, c'est un brave type, j'ai toute confiance en lui. John fait presque partie de la famille, il est l'amant attitré de ma seconde fille Sarah.

Malorley ouvrit de grands yeux, se demandant si le Premier ministre ne se jouait pas de lui avec l'un de ses traits d'humour. Churchill fit une grimace et écrasa son cigare dans un cendrier en forme de chapeau melon renversé.

— Misère, encore un cigare frelaté ! Personne n'est donc capable de me fournir un Romeo y Julieta qui tienne la route… Bon si mes souvenirs sont exacts, il reste deux maudites croix gammées à récupérer. Où en êtes-vous ?

278

— J'ai eu des nouvelles de notre agent dans l'entourage d'Himmler. Ça bouge à nouveau. John Dee est sur une nouvelle piste. Il faut être prêts à envoyer un commando. Avec votre autorisation.

— Vous l'avez. Au point où j'en suis, je serais même capable d'embrasser Staline sur la bouche si ça pouvait l'aider. Comment votre agent vous a-t-il contacté ?

— Il peut recevoir et envoyer des messages via un réseau de résistants catholiques allemands.

— Parfait. Un dernier point, j'ai appris que vous aviez embarqué ce vieux pervers de Crowley dans votre interrogatoire de Hess. Vous devriez vous en séparer.

— Pourquoi ? demanda Malorley intrigué.

— Bon sang ! Vous savez que ce clown s'est répandu partout en claironnant qu'il m'avait donné l'idée du V pour la victoire.

— J'ignorais que vous le connaissiez.

— Je l'ai croisé deux fois dans ma vie, et grands dieux je m'en souviens encore. Un immonde salopard. Ne me dites pas que ce suppôt de Satan travaille dans votre équipe.

— Si, et je suis parfaitement au courant de sa moralité, mais des types comme lui ne courent pas les rues. De plus, il est allé plusieurs fois en Allemagne et en Italie avant-guerre, il y garde de nombreux contacts dans les milieux ésotériques, en particulier chez des dignitaires du régime. Il peut nous être très utile.

Malorley préféra taire la tentative de chantage de la directrice du Hellfire et l'opération d'intoxication du réseau allemand. Churchill prit un air buté.

— L'étendue de ses réseaux, je la connais ! Autant dans le pays que dans mon entourage proche. Il ne vous a pas montré ses cartes de tarot quand vous êtes allé le voir ?

— Si, en effet.

— Eh bien, apprenez que les dessins ont été exécutés par Lady Frieda Harris, la femme de mon conseiller personnel, Percy Harris. Je l'ai pourtant mis en garde, mais Percy trouve le mage à son goût, il lui a même fait visiter le parlement. Si Crowley n'était pas si vieux, je dirais qu'il en a fait sa maîtresse.

— Visiblement, vous ne l'appréciez pas…

Le Premier ministre se leva de son fauteuil, noua ses mains derrière le dos et marcha de long en large devant Malorley.

— Et pourtant, Crowley au service de Sa Majesté, c'est logique.

— Je ne saisis pas.

Churchill se planta devant lui.

— En dépit de sa conduite scandaleuse, je suis intimement convaincu que Crowley est protégé depuis des décennies par…

Churchill tourna son regard vers un portrait d'un homme dans un cadre et qui trônait au-dessus de son bureau.

Malorley se raidit.

— Le roi ?

— Pas le roi, mais sa famille. George VI était encore sur les bancs de l'école quand Crowley bénéficiait de passe-droits de la part des Windsor.

— Mais pourquoi ?

— Je ne l'ai jamais su. Peut-être détient-il un secret qui les concerne. Mais répétez ce que je viens de vous dire et je vous ferai pendre haut et court.

32

Hôpital militaire de Pasewalk
11 novembre 1918

À Pasewalk, le vent avait fait du grenier son royaume, sifflant, éructant, mugissant selon l'humeur des saisons. Autant dire que la transformation de la vieille demeure en asile d'aliénés, au début du siècle, avait été un échec retentissant. Les fous ne supportaient pas ce vent obsédant et, avant qu'une épidémie de meurtres ou de suicides ne se déclare, on avait rapidement fermé l'établissement.

La guerre l'avait rouvert. Les dizaines de milliers de soldats allemands gazés avaient un besoin vital d'oxygéner leurs poumons et le vent incessant de Poméranie s'était transformé en cure miracle. Chaque jour amenait sa cargaison de blessés. Des camions aux bâches tirées déversaient des hommes cassés en deux, les mains tremblantes sur la poitrine, tentant de retenir le mince filet de vie qui sifflait encore entre leurs lèvres.

— Attention, sur votre gauche, il y a une tombe. Vous pourriez trébucher sur le tertre, il est tout frais

282

La voix morose de l'infirmière qui, chaque matin, promenait Hitler, l'exaspérait. Il ne supportait plus cette tonalité lasse et surtout l'odeur lavasse qui s'échappait de ses cheveux. Depuis qu'il était aveugle, son odorat était devenu son principal contact avec le réel et ce qu'il en sentait ne l'enthousiasmait pas. De l'odeur d'urine qui empestait le dortoir où il dormait à l'ignoble senteur croupie des repas servis à la hâte, tout l'écœurait. Et ce qu'il entendait n'arrangeait rien. Les blessés qui venaient d'arriver du front de l'Ouest, en traversant toute l'Allemagne, ne parlaient que d'un pays dévasté par la misère et la faim. Hitler, lui, n'avait rien vu de tout ça. Aveugle, on l'avait jeté dans un wagon à bestiaux et il avait voyagé dans la crasse, la puanteur et surtout la nuit jusqu'à l'hôpital de Pasewalk. Le diagnostic était tombé. Cécité totale. Le médecin lui avait recommandé de prier Dieu pour qu'il retrouve la vue. Hitler se méfiait de Dieu, autant dire qu'il resterait aveugle à jamais.

— Allez, nous rentrons. Prenez garde en vous retournant.

— Les journaux sont arrivés ? demanda Adolf. J'aurais besoin qu'on me les lise, au moins les titres.

— Les journaux ? Ah non. De toute façon ce ne sont que des mauvaises nouvelles.

— Lesquelles ?

— L'Allemagne est vaincue. Elle a demandé l'armistice !

Hitler s'était couché dans son étroit lit de camp,

torturant compulsivement le drap de ses mains. Jusque-là, il avait tout supporté. La faim, la misère, le mépris, la honte. Tout, mais là, l'effondrement national l'achevait. Cette fois, il ne se relèverait pas. Sans la guerre qui avait donné un sens à sa vie inutile, sans l'armée qui l'avait intégré dans une famille, il n'était rien. Rien qu'un perdant éternel. Il était aveugle. Aveugle et foutu. De la main, il tira sa vareuse sur le lit et en sortit son carnet à dessin. Il n'osait pas l'ouvrir. Il se sentait la poitrine prise dans un étau comme s'il était lui-même l'Allemagne, coincée entre l'offensive alliée à l'Ouest et la révolution communiste à l'Est.

En tremblant, Adolf finit par ouvrir son carnet. La dernière page était cornée. Il passa l'index sur le papier, mais il n'avait pas besoin de sentir la trace du crayon pour savoir ce qu'il avait dessiné. Une swastika. D'un coup, l'émotion le submergea. Il se revit à Vienne, compulsant les numéros d'*Ostara* à la bibliothèque nationale, puis rencontrant Lanz et enfin cette nuit passée dans la chapelle d'Heiligenkreuz qui l'avait tant intrigué. Il compta sur ses doigts, dix ans déjà. Et qu'avait-il fait en dix ans ? Rien. Juste devenir aveugle.

— Lève-toi, fainéant !

Une main rageuse arracha le drap qui le protégeait. Il sentit l'haleine, confite d'alcool, d'un garçon de salle. Il le reconnaissait. Tout le monde savait que c'était un lâche qui s'était mutilé l'index – le doigt qui appuyait sur la détente – pour ne pas partir au front.

Et en plus, il répandait des idées révolutionnaires. On disait qu'il était communiste et qu'il cachait un portrait de Lénine dans sa chambre.

— Je t'amène de la compagnie. Encore un pauvre crétin comme toi.

Il entendit le garçon de salle s'éloigner, puis des grincements de sommier à côté de lui.

— Hitler ! prononça une voix rendue sifflante par l'intoxication aux gaz. Décidément il était dit que nous nous retrouverions.

Adolf était médusé. Cette voix même déformée par l'ypérite, il la connaissait, mais où l'avait-il entendue ? Dans l'enfer des tranchées ? À Munich où il s'était engagé ?

— Cherchez plus loin, reprit la voix comme si elle avait deviné, cherchez à Vienne, dans le quartier de Margareten. Je fumais une cigarette.

— Ce n'est pas possible, s'écria l'aveugle, vous êtes…

— Weistort.

— C'est un rêve. Vous n'êtes pas réel.

— Hélas si, mon ami. Que vous est-il arrivé ?

Au moment où Hitler allait répondre la voix d'une infirmière l'interrompit.

— Le médecin vous attend, je vais vous conduire, annonça-t-elle en arrivant près du lit.

— On aura tout le temps de parler plus tard, lança Weistort.

Elle saisit Adolf par l'épaule. Dans son pyjama pareil à un linceul, il avançait à pas hésitants. En le voyant s'éloigner, Weistort se dit qu'il ressemblait à l'Allemagne, meurtrie et vacillante : il n'en avait plus pour longtemps.

Dans le couloir en direction du cabinet de consultation, l'agitation était perceptible, même pour un aveugle. Plusieurs personnes couraient, des portes claquaient tandis que des hurlements éclataient dans des salles voisines. Hitler crut même entendre *L'Internationale*.

— Poussez-vous contre le mur, lui souffla l'infirmière visiblement terrorisée, ils sont capables de nous renverser.

Un fracas de verre cassé retentit dans tout le couloir.

— Mon Dieu, ils sont devenus fous !

— Mais il se passe quoi ? s'écria Hitler.

— L'armistice, camarade, l'armistice ! C'est la fin de la guerre ! hurla une voix en mouvement.

Un coup de feu retentit dans le parc. Hitler tendit sa main à droite. L'infirmière avait disparu. Il se plaqua contre le mur et entreprit de remonter le couloir. Il savait qu'il n'y avait pas d'obstacle, juste des portes. Il lui fallait revenir au dortoir. Vite. Il avançait à la façon d'une araignée, collé contre le mur, les mains sur les boiseries et la pointe des pieds calée contre les plinthes. Autour de lui, les courses effrénées et les hurlements ne cessaient plus. Il serra la taille de son pantalon qui menaçait de l'abandonner et avança.

— Hitler !

C'était la voix de Weistort.

— Rentrez là-dedans.

À l'odeur, Adolf reconnut la resserre où on entreposait les produits ménagers. Weistort ferma la porte. Hitler l'entendit pousser un placard.

— Mais vous faites quoi ?

— Je sauve nos vies. Si c'est encore possible.

Weistort résuma la situation :

— Les combats sur le front ont cessé à onze heures ce matin. C'est une défaite totale. Nos troupes abandonnent les lignes en toute hâte, laissant leurs armes lourdes et tous leurs moyens de transport. Autant dire que l'Allemagne n'a plus d'armée pour la défendre. Mais le pire est à venir. Des grèves paralysent le pays. Des militants communistes s'emparent déjà de certaines villes. La révolution est en marche. Et ici aussi.

— Comment ça ?

— Eh bien, la moitié des infirmiers est descendue dans les caves pour se saouler, l'autre moitié a désarmé et emprisonné les gardes, destitué la direction de l'hôpital et proclamé l'insurrection communiste. Si vous sortez de ce placard à balais, je vous conseille d'appeler bien fort les garçons de salle *camarade*, sinon vous risquez de vous attirer des ennuis.

Abasourdi, Adolf ne savait que répondre.

— Sans compter que vous êtes décoré, les prolétaires n'aiment pas les décorations, ça contrarie leur idée d'égalité. Si j'étais eux, je vous fusillerais pour l'exemple.

287

— Comment pouvez-vous plaisanter en plein chaos ? Vous n'avez pas peur ?

Weistort lui posa la main sur l'épaule, sentant l'os de la clavicule sous sa paume.

— Plus les ténèbres sont profondes, plus la lumière sera intense.

— La lumière, ironisa Adolf, ça m'étonnerait que je la revoie un jour.

Weistort se leva, fit couler un filet d'eau et, face au miroir, rectifia sa mèche qui tombait trop haut sur son front. La maîtrise de ses émotions, alors que l'hôpital était à feu et à sang, impressionna Hitler.

— Vous ignorez les ressorts cachés de votre esprit, car c'est là que tout se joue. La lumière comme les ténèbres.

La moustache d'Hitler trembla de dépit. Comment un homme aussi cultivé que son camarade pouvait tomber dans de pareils verbiages ?

— Après tout, votre vie est détestable, reprit Weistort, pas de travail, pas d'amis, pas d'avenir. Pourquoi voudriez-vous ouvrir les yeux sur un monde sans espoir ?

— Vous prétendez que je reste aveugle par peur, que je suis responsable de mon propre malheur, parce que je suis un faible, un raté…

Le ton d'Adolf montait en chandelle. Jamais il n'accepterait pareil verdict.

— Je prétends que vous n'êtes ni à la hauteur de votre vie ni à la hauteur de la situation. Le chaos est autour de vous, affrontez-le.

— Je suis aveugle, gémit Hitler.

— Alors vous le resterez.

Weistort ouvrit la porte. Des cris se firent entendre dans un fracas de verre brisé.

— Il est temps de vous affronter vous-même.

Hitler devint livide, mais répliqua aussitôt :

— Vous ne m'en croyez pas capable ?

— À vous de vous le prouver. Si vous en avez le courage.

Adolf hésita quelques secondes et sortit dans le couloir où le tumulte grandissait. Il sentit que Weistort le retenait.

— Vous avez toujours avec vous la croix que Lanz vous a donnée ?

Hitler acquiesça.

— Alors, que la swastika soit avec vous, dit-il en refermant la porte de la réserve.

Le caporal se retrouva seul face à des garçons de salle.

— Assez !

La voix d'Hitler retentit brusquement au-dessus du vacarme.

— C'est qui ce guignol en pyjama ?

— Et pourquoi il tend les mains devant lui ?

Adolf sentit qu'on s'approchait. Il devenait le centre d'une curiosité qui ne s'annonçait pas bien-veillante. À l'école, il avait déjà connu cette sensation de bête traquée quand la meute des forts en muscle l'entourait et qu'il savait que l'heure de l'humiliation était arrivée.

— Un aveugle qui donne des ordres !

— Caporal Adolf Hitler, régiment List, décoré de la croix de fer de première classe.

Un gigantesque éclat de rire secoua tout le couloir avant qu'un des costauds ne le saisisse au collet.

— Écoute-moi bien nabot, ici il n'y a plus de caporal, plus de décoration, plus rien. Les privilèges, c'est terminé. Alors on va te donner un seau et un balai et tu vas nettoyer la pisse dans le dortoir. Nous, on l'a suffisamment fait, maintenant c'est ton tour.

Hitler serra la swastika dans sa paume jusqu'à ce qu'elle pénètre sa chair.

— Non.

— Alors tant pis pour toi !

Le coup l'atteignit en pleine face. Il eut juste le temps de sentir son arcade éclater avant de chuter à terre. Il tenta de se relever, le visage inondé de sang, mais déjà la pointe d'une botte le frappait au menton tandis qu'un autre coup de pied lui enfonçait les côtes. Il hurla, mais ne desserra pas les poings.

— Allez, donnez-lui une bonne leçon !

Tous allaient s'acharner quand un coup de feu retentit dans la cour, suivi d'un cri.

— Les prisonniers, vite, ils viennent de s'échapper !

Le couloir se vida comme par enchantement. Weistort sortit de la réserve et retourna le corps allongé sur le parquet. Le pyjama était taché de sang. Le visage tuméfié.

— Ne parlez pas. Vous avez les lèvres déchirées

et une joue fendue jusqu'aux pommettes. Et une belle cicatrice à prévoir.

— Comme vous.

Incrédule, Weistort regarda son camarade qui, du doigt, désignait sa balafre.

— Adolf, comment vous pouvez voir ma cicatrice ?

Hitler ouvrit ses mains pour les porter à son visage. La swastika roula par terre.

— Un miroir, donnez-moi un miroir.

Weistort se rua dans la resserre. D'un coup de poing, il brisa la glace accrochée au mur, en récupéra un fragment.

Il se précipita pour la donner à Hitler.

Ce dernier la saisit.

Et en un seul regard comprit.

À nouveau, il voyait.

33

Londres
Siège du SOE
Novembre 1941

Malorley se tenait debout, face à la grande carte de Venise punaisée au mur de son bureau et trouvée chez un libraire spécialisé de South Kensington. Le commander laissait errer son regard sur le dédale de rues et de canaux enchevêtrés à l'infini. Un labyrinthe qu'il connaissait, il avait séjourné dans la ville, avant-guerre, chez un ami italien.

Depuis qu'il avait reçu le message de Tristan, il piaffait à l'idée de passer à nouveau à l'action. Après avoir eu le feu vert de Churchill, il avait monté l'opération Doge pendant des heures, jusque dans les moindres détails. Il était fatigué, mais deux bonnes nuits de sommeil suffiraient à recharger ses batteries.

La secrétaire pénétra dans le bureau, sans frapper, et déposa une enveloppe à en-tête de l'amirauté sur le bureau.

— Il faut que vous rappeliez d'urgence le cabinet

du Premier ministre, après avoir pris connaissance du contenu de cet envoi.

— Vraiment ? répondit-il avec étonnement. J'ai d'autres priorités en ce moment…

Il ouvrit l'enveloppe d'un air agacé et en sortit un feuillet dactylographié tamponné par le renseignement naval, ainsi qu'un dossier orné de la photo d'un jeune officier de la Navy. Au fur et à mesure de sa lecture, son visage devint rouge. Il sentait le sol se dérober sous ses pieds.

— *Bloody hell !* C'est pas possible.

La secrétaire ne l'avait jamais vu dans un état pareil.

— Que se passe-t-il, commander ?

— On me dégage de l'opération de Venise ! Au profit du renseignement naval ! Ça ne se passera pas comme ça.

Il décrocha son téléphone et pianota le numéro du cabinet de Churchill. Il s'écoula quelques minutes et on lui passa la communication. La voix du bouledogue résonna dans le combiné que le commander agrippait avec l'énergie du désespoir.

— Malorley… Vous devez bouillir de colère. Je comprends.

— Monsieur le Premier ministre, votre décision est injuste. J'ai toute la qualification requise pour cette mission.

— Je sais, mais je ne peux pas me permettre de risquer la vie d'un officier de votre rang, c'est trop dangereux. La Navy vous envoie l'un de ses meilleurs éléments pour diriger le groupe sur place. Vous gardez naturellement le commandement de l'opération Doge à Londres.

— Je suppose que vous vous méfiez à cause de ce qui s'est passé à la tour de Londres avec Crowley ?

— Ce sera tout, commander. Bonne journée.

Churchill avait raccroché. L'entretien avait duré moins d'une minute.

Malorley était abasourdi. On le relevait deux jours avant le départ de la mission. Il ne savait pas quoi, mais quelque chose s'était passé depuis son entretien avec le Premier ministre. Encore heureux que le commando soit toujours composé d'agents du SOE et que Laure en fasse partie. Le commander prit le dossier du renseignement naval sur celui qui le remplaçait et l'ouvrit. Il lui restait à peine une demi-heure pour digérer son dépit et faire bonne figure pour le briefing des agents.

La salle était plongée dans la pénombre. Malorley inséra dans le projecteur la diapositive d'une carte du centre de la Méditerranée. Laure et trois autres agents du SOE étaient assis devant l'écran.

— Le plan de vol est le suivant, dit le commander, vous décollerez après-demain de l'aérodrome de Baybridge à bord d'un Lockheed *Hudson* reconditionné pour le largage de parachutistes. Direction l'île de Malte en Méditerranée sur une base militaire située au nord de La Valette.

— L'île des chevaliers de Malte, commenta l'un

des hommes, j'ai toujours rêvé de visiter l'église Santa Maria Assunta où se trouve un dôme magnifique daté du...

— Le tourisme, ce sera pour une autre fois. À Malte, vous serez transférés au port pour rejoindre un sous-marin qui vous déposera à Venise.

Laure leva la main.

— Pour atteindre Malte, l'avion passera au-dessus de la France occupée. Que se passe-t-il si on se fait abattre ?

— Vous disposerez du paquetage de survie modèle standard, pistolet réglementaire avec une boîte de trente cartouches pour brûler autant de cervelles allemandes et trois cents francs d'argent de poche.

— Et ensuite comment rentre-t-on en Angleterre ? demanda le plus âgé.

— Cette option n'est pas envisagée. Pas question de prévenir nos réseaux en France. Si vous vous crashez chez les *Froggies*, vous compterez sur Laure ici présente pour vous ramener au bercail.

— Vous avez donc tout intérêt à ce que je m'en sorte indemne... Mais partons du principe que Dieu, dans sa grande bonté, nous aide à arriver chez le Duce. Quel est le programme ?

— Le SOE a monté un réseau avec des partisans en Vénétie il y a six mois. Je ne voudrais pas vous donner de faux espoirs, mais ça devrait être moins dangereux qu'un largage en France. Les Italiens n'ont pas du tout le même système de surveillance que les Allemands en France.

— Ça ne nous dit pas ce que nous allons faire à Venise ? insista Laure.

Malorley sourit.

— Vous le saurez bien assez tôt. Pour la partie plus terre à terre, dotation en équipement et rappel des procédures standard de largage, vous aurez une réunion demain à onze heures avec le major Lanchester à l'armurerie.

La lumière de la salle se ralluma. Les quatre membres du commando clignèrent des yeux et se levèrent avec lenteur.

— Le départ est prévu après-demain du centre, quatorze heures. Un camion vous emmènera à l'aérodrome et je vous accompagnerai pour vous présenter votre chef de commando. Il connaît bien l'Italie et Venise en particulier. En attendant, je vous conseille de prendre un peu de repos ou de vous divertir. Les jours à venir vont être rudes.

Les autres membres du commando ayant quitté la pièce, Laure s'approcha de Malorley.

— Et Crowley ?

— Il a transmis les informations à l'Irlandaise et elle semble satisfaite. Selon le MI6, son contact est un agent allemand de premier plan qu'ils cherchaient depuis un bout de temps. Nos amis du contre-espionnage sont au bord de l'extase. Nous allons travailler ensemble pour voir quelles informations nous ferons passer *via* Crowley.

— Je voulais vous dire que…

— Oui ?

— Que je suis désolée que vous ne veniez pas avec nous.

— Croyez que je le regrette encore plus que vous.

Malorley éteignit le projecteur. Laure était toujours plantée devant lui.

— Autre chose ?

— Nous allons donc retrouver Tristan.

— J'attendais cette remarque. Je croyais qu'il vous était indifférent.

— Disons que je suis curieuse de le recroiser…

Malorley la coupa :

— Autant vous le dire tout de suite, il est très proche de l'archéologue allemande qui organisait les fouilles à Montségur. Je suppose que vous vous en souvenez.

Laure ne put masquer sa surprise.

— Une SS ? Drôle de choix pour maîtresse.

Le ton de sa voix était plus tranché qu'elle ne l'aurait voulu. Malorley fit semblant de ne pas s'en apercevoir.

— Ça m'a l'air plus compliqué.

Laure n'avait pas attendu la fin de sa phrase pour passer le seuil de la porte.

— Aucune importance. Je vais suivre votre conseil et me divertir. Au fait comment s'appelle notre chef de commando ?

— Un jeune officier des renseignements de la Navy. Un certain Fleming. Ian Fleming.

34

Berlin
8, Prinz-Albrecht-Strasse
Novembre 1941

Assis sur un canapé aussi gris que le ciel, Erika et Tristan attendaient depuis de longues minutes que le Reichsführer puisse enfin les recevoir. Réputé détester le moindre retard, le chef des SS semblait pourtant avoir perdu son sens de la ponctualité. À chaque instant, sa secrétaire se précipitait dans son bureau, les bras encombrés de dossiers. Elle en oubliait de fermer la porte. Si Erika n'entendait rien, plongée dans la relecture de son rapport, Marcas ne perdait pas un mot du dialogue qui se tenait juste à côté.

— J'ai obtenu d'Hitler que la sécurité de son voyage à Venise soit sous la direction de la SS. Il nous faut constituer un groupe de protection en urgence.

Le Français reconnut la voix étonnamment aiguë d'Himmler.

— Il ne vous a donné aucune explication pour justifier son silence sur sa rencontre avec Mussolini ?

Reinhard Heydrich, devina Tristan.

— Vous connaissez le Führer. Maintenant que Moscou va tomber, il est euphorique. Goebbels lui a fait miroiter qu'en resserrant son alliance avec Mussolini, il pourrait se rendre maître de la Méditerranée.

Tristan entendit un froissement de pages.

— Ce déplacement surprise crée des risques démesurés, assena Heydrich. Pour les Anglais comme pour les Russes, c'est l'occasion inespérée d'attenter à la vie du Führer.

— Pour l'instant, ils ne sont pas au courant.

— Après l'annonce tonitruante de Goebbels, croyez bien que c'est une question d'heures ou de jours. Sans compter les Italiens qui vont le crier sur tous les toits.

Himmler prit son temps pour intégrer l'information.

— Le Führer nous a laissé carte blanche pour assurer sa sécurité, il est impératif que nous soyons à la hauteur, que prévoyez-vous ?

— Je déconseille le voyage en avion. Les risques d'accidents ou d'interception sont trop élevés.

— Le train me paraît effectivement plus sûr. Nous pourrons à la fois sécuriser le parcours et assurer la protection rapprochée du Führer.

— Je prévois trois trains. Ils partiront de gares différentes, à des horaires différents et selon des parcours différents. Vous en prendrez un, Goebbels un autre…

— … Et le Führer le troisième. C'est habilement

pensé, Reinhard, je vous félicite. En agissant ainsi, nous mettons toutes les chances de notre côté.

— Merci Reichsführer, mais je pense que nous pouvons encore optimiser la sécurité.

En ressortant, la secrétaire tira négligemment un battant. Comme pour tromper son attente, Tristan se leva et se dirigea vers la fenêtre. Il se trouvait juste dans l'axe encore entrouvert de la porte.

— Trois jours avant le départ du Führer, nous organiserons une fuite sur l'organisation du voyage.

— C'est prendre un risque inconsidéré, voyons !

La voix d'Heydrich reprit, implacable :

— Nous indiquerons quel sera le train d'Hitler…

Sans doute sidéré, le Reichsführer ne répliqua pas.

— … Et ce sera celui de Goebbels.

Tristan n'eut que le temps de regagner le canapé. Il aurait bien voulu envoyer à Londres ce qu'il venait d'entendre, mais c'était trop dangereux. Il ne pouvait plus se rendre à la boîte aux lettres du cimetière. Il y était retourné le lendemain de l'assassinat du prêtre et du dépôt de son message avertissant de son départ à Venise. À son grand soulagement, quelqu'un avait laissé une réponse de Malorley pour lui… Tristan n'avait plus la sensation d'être seul au milieu des loups. Heydrich traversa l'antichambre, martelant le parquet à grands coups de bottes. Aussitôt la secrétaire conduisit Erika et son compagnon auprès du Reichsführer.

Le bureau d'Himmler était d'une sobriété exemplaire. Une seule photo ornait les murs d'un blanc limpide : une vue aérienne du château de Wewelsburg. Pas de livres non plus, si ce n'est une édition originale de *Mein Kampf* posée sur le bureau. Tristan était certain qu'elle était dédicacée. Pour l'instant, il se tenait droit derrière Erika qui avait eu le privilège de s'asseoir. Himmler, les mains jointes au niveau des lèvres, contemplait le rapport que venait de lui remettre l'archéologue.

— Alors vous tenez une piste ?

— Oui, Reichsführer.

— Faites-moi un résumé.

Von Essling connaissait la méthode de son chef. Il interrogeait d'abord et lisait le rapport ensuite pour voir s'il détectait des variantes. Un réflexe inné de policier.

— Comme vous le savez, c'est mon prédécesseur, le colonel Weistort, qui a décidé d'envoyer une équipe de recherche à Cnossos suite aux indications contenues dans le *Thule Borealis Kulten*. Malheureusement, la localisation de la cache supposée de la swastika était incomplète. Nous avons donc recoupé les notes du premier archéologue grec qui avait fouillé le site avec les résultats sur le terrain de nos spécialistes.

— Toute notre équipe est rentrée de Crète ? l'interrompit le Reichsführer.

— Oui et j'ai veillé à ce qu'ils soient tous répartis sur des chantiers différents.

— Vous avez bien fait. Que s'est-il passé ensuite ?

— Nous sommes parvenus à reconnaître

l'emplacement d'un souterrain, datant de l'époque médiévale, et nous l'avons fouillé. Il contenait ce que nous avons d'abord pris pour une tombe et qui s'est révélé contenir une épée.

À ce mot le regard d'Himmler se raviva derrière ses lunettes cerclées. Il avait toujours été fasciné par la chevalerie et rêvait de faire de ses SS un nouvel ordre de moines soldats destiné à conquérir le monde.

— Cette épée, d'où provenait-elle ?

— Nous l'avons fait expertiser par le professeur Waldenberg. C'est une arme d'origine allemande.

— Ça ne m'étonne pas, renchérit le Reichsführer, les Allemands du Moyen Âge étaient les meilleurs forgerons d'Europe.

— Malheureusement, elle ne portait aucun signe capable d'identifier son propriétaire.

Depuis le début de la conversation, Marcas observait le Reichsführer. L'homme le plus redouté d'Europe, après Hitler, n'avait pas la tête de l'emploi. Pas de regard magnétique comme son patron, pas de visage taillé au sabre comme Heydrich, mais des yeux de myope et des sourcils effilés. Vraiment rien d'un assassin en puissance. Erika reprit :

— Tristan a eu l'idée d'un recoupement qui s'est révélé exact et nous a menés jusqu'à une abbaye en Autriche.

— En Allemagne... L'Autriche fait partie du Reich désormais, la corrigea Himmler avant de jeter un bref regard au Français.

Von Essling encaissa la remarque sans sourciller.

Les conquêtes territoriales d'Hitler aux dépens de ses voisins plus faibles ne l'avaient jamais fascinée. Elle reprit sur le même ton :

— Nous disposons maintenant du nom du chevalier auquel appartenait l'épée et de sa biographie. Il s'appelait Amalrich, a fait le voyage en Terre sainte, a séjourné à Cnossos avant de se retirer dans une abbaye où il est enterré dans la chapelle.

— Comment s'appelle cette abbaye ?

— Heiligenkreuz, elle est située près de…

— Je sais où elle se trouve.

Himmler fixa la croix de fer sur la poitrine du Français avant de l'interroger.

— Comment avez-vous relié cette épée anonyme à l'abbaye de Heiligenkreuz ?

— Je suis parti de l'hypothèse que le chevalier qui avait entrepris la quête de la swastika pouvait aussi être le moine, rédacteur du *Thule Borealis Kulten*. Pour vérifier cette possibilité, il nous fallait donc découvrir une abbaye où se recoupent trois critères : active au début du XIVe siècle, située géographiquement en Allemagne du Sud et ayant un rapport avec une épée. Le professeur Waldenberg n'a pas été long à la trouver.

Après un temps de silence, le Reichsführer se retourna vers Erika.

— Vous êtes allés sur place ?

— Oui et nous avons trouvé la tombe du chevalier. Elle était codée. Une fois la clé trouvée, nous avons obtenu un nom.

Curieusement Himmler ne posa aucune question sur la manière dont l'énigme avait été percée. Il fit signe à l'archéologue de continuer.

— Il s'agit du nom de *Bragadin*. Une famille connue depuis le Moyen Âge. Eux aussi sont allés en Terre sainte et en Crète. Toutefois, malgré nos recherches, nous n'avons trouvé aucun lien avec Amalrich.

— Mais le nom n'est pas que celui de cette famille, ajouta Tristan, c'est aussi celui de leur palais. À Venise.

Pour Himmler le hasard n'existait pas. Et toute coïncidence avait un sens : celui du destin. Il ne pouvait pas en être autrement, sinon comment expliquer que, lui, inconnu parmi les inconnus, ait pu s'élever au sommet de l'État ? Il avait une mission sacrée à remplir. D'un coup, la rencontre surprise d'Hitler avec Mussolini à Venise prit un tout autre sens. Goebbels offrirait peut-être un succès diplomatique au Führer, mais lui, il lui offrirait la victoire totale.

— Vous venez avec moi à Venise. Nous accompagnons le Führer qui va rencontrer le Duce. Et une fois sur place, vous devrez trouver la swastika. À n'importe quel prix.

Dans l'antichambre, Erika était stupéfaite. Partir en voyage officiel avec Hitler lui paraissait incroyable. Comme elle se dirigeait en compagnie de Tristan vers l'escalier, Heydrich surgit de son bureau.

— Frau von Essling, c'est bien vous qui dirigez l'Ahnenerbe ?

— Oui, Gruppenführer.

Le bras armé d'Heydrich était très fier de son titre de général, lui qui n'avait jamais participé au moindre combat.

— Alors, je vais vous envoyer une section de la Gestapo pour assurer la sécurité de vos locaux.

— Mais pourquoi ?

— Un de mes limiers vient d'être assassiné dans le village qui longe votre parc. Il surveillait un prêtre suspecté d'être un espion à la solde des Anglais.

L'archéologue se raidit.

— Vous soupçonnez quelqu'un ?

— Je soupçonne tout le monde, Frau von Essling, mais que cela ne vous empêche surtout pas de dormir…

Il eut un sourire carnassier.

— … Désormais mes hommes vont veiller sur vous.

35

Londres
150 Piccadilly
Novembre 1941

Le grand orchestre du Ritz attaquait un boléro
endiablé tandis que les danseurs virevoltaient en tous
sens. La guerre semblait si loin. Assise au tabouret
du bar, Laure sirotait son deuxième Gin Tonic. Elle
avait accepté l'invitation d'une secrétaire du SOE
avec qui elle avait noué une vague relation amicale.
Les musiciens, emportés par leur propre tempo, se
déchaînaient. La musique qui s'emballait électrisait
toute la salle comme si demain était le dernier jour.
La salle de bal du palace rappelait étrangement la
galerie des Glaces du château de Versailles. Le style
Louis XIV envahissait tout : sur les murs à travers
une profusion de glaces et de dorures, au plafond
dans le feu d'artifice du lustre scintillant de cristal
et jusque sous les pieds des danseurs qui glissaient
sur un parquet poli comme un miroir.

Laure croisa son reflet dans l'une des glaces et lui

renvoya un regard gêné. Elle n'avait pas l'habitude de porter des robes de soirée. Surtout d'un rouge aussi vif et avec un décolleté aussi prononcé. Elle l'avait louée à un prêteur sur gages dans le quartier du SOE. Trois shillings la soirée, une affaire.

Laure aurait bien aimé faire un tour de piste, mais ses compétences en matière de danse frôlaient le néant. Elle observait avec attention son amie anglaise qui virevoltait entre les bras d'un capitaine de frégate. Laure faisait partie d'une génération entière marquée au fer rouge du sacrifice et du malheur. La guerre avait broyé son innocence comme la botte écrase la fourmi… Et l'envie lui venait à elle aussi de tourbillonner sans penser à demain. Un dernier coup de cuivre et la musique cessa. Tout essoufflée, sa collègue s'écroula près d'elle.

— Mais quel orchestre ! Pourquoi tu ne danses pas ? Bouge-toi les fesses au lieu de rester plantée au bar. Ce ne sont pas les jolis garçons qui manquent.

Laure sourit. Helen avait raison, le salon était rempli de jeunes hommes que la fureur de vivre rendait presque tous aussi séduisants qu'infatigables.

— Ne me dis pas que tu ne sais pas danser !

La Française fit un geste d'impuissance. On lui avait appris bien des choses depuis qu'elle vivait en Angleterre, mais sûrement pas le swing ou la valse.

— Bonjour, mademoiselle, pouvez-vous m'offrir cette danse ?

Elle leva les yeux. Un jeune homme blond de

haute taille s'était planté devant elle en tenue de capitaine de l'armée de l'air. Elle ne savait que répondre. Son amie lui donna un coup de coude.

— Vas-y !

— Je suis française, je ne maîtrise pas ces danses.

L'aviateur lui adressa son plus beau sourire.

— Pas de problème, l'Angleterre soutient le général de Gaulle, elle peut aussi donner des cours de danse à ses charmantes concitoyennes. Je m'appelle Bradley Cox. Capitaine Bradley Cox. Et vous ?

— Matilda. On verra plus tard pour le nom.

Elle se laissa entraîner sur la piste de danse. Il posa sa main sur son épaule, l'autre sur sa taille et la guida avec fermeté, mais élégance. Ce n'était pas si compliqué. Bien moins que de poser des bombes ou d'apprendre des techniques de combat à mains nues. L'homme accentua la cadence, le rythme allait de plus en plus vite. Elle se sentit partir, grisée.

La musique terminée, il la raccompagna à sa table et entama la conversation.

— Que faites-vous à Londres ?

— Je ne peux pas vous le dire, c'est un secret.

Il se rapprocha d'elle et lui murmura à l'oreille. Elle sentait son parfum ambré.

— Je serai muet comme une tombe.

— OK. Je passe mes nuits dans les cimetières pour déterrer des cadavres. Et là je pars en opération commando pour récupérer un talisman censé nous faire gagner la guerre. La routine…

Il la regarda interloqué, puis éclata de rire.

— Ah, oui... L'humour français, j'adore. Sérieusement ?

— Je suis secrétaire dactylo dans un service de l'administration des transports.

— Moi je pilote des bombardiers. Je pars en mission demain sur l'Allemagne. Je suis ravi de rencontrer la plus belle femme du monde avant de m'envoler. Ce sera peut-être mon dernier soir sur cette terre.

Elle aussi partait en mission, mais impossible de le lui dire.

— Je suppose que vous faites ce coup à toutes les demoiselles que vous rencontrez.

— Hélas, non. Je suis sincère.

Elle avala son verre d'un trait et le regarda plus attentivement. Il était vraiment séduisant et il avait réussi le tour de force de lui faire oublier Tristan.

Elle accepta un premier baiser furtif au bout de la troisième danse et lui en rendit un autre nettement plus passionné dans le couloir qui menait à la sortie. Laure n'était pas ivre, elle avait juste envie de profiter de la vie. Peut-être une dernière fois pour elle aussi.

Bradley lui avait proposé de prendre un dernier verre chez lui et elle avait accepté. C'était aussi simple que ça. On était en guerre.

Au moment où ils allaient sortir du Ritz, le portier leur barra le passage.

— Je suis désolé, des manifestants bloquent l'entrée de l'hôtel sur Piccadilly Street. Il faut attendre l'arrivée de la police.

— Que veulent-ils ?

— La fermeture de l'établissement. Ils disent que les riches doivent supporter les mêmes privations que le reste de la population. Ça s'est déclenché quand ils ont appris que le roi Zog d'Albanie, qui occupe la suite royale avec son épouse, a commandé trente pots de caviar pour ses invités.

— On sera de taille à se défendre et je pense qu'avec mon uniforme, ils ne me confondront pas avec le roi d'Albanie.

Le portier haussa les épaules.

— Comme vous voudrez. Mais ne passez pas par la porte principale, je vous ouvre celle sur le côté.

Ils sortirent dans la rue et virent un attroupement qui ne cessait de grossir. Des vociférations, des insultes fusaient de toute part.

— Ma voiture est garée un peu plus haut sur la rue, soit on coupe tout droit, mais il faut traverser la foule, soit on fait un détour par Nelson Street.

— Au plus direct.

Hurlant leur colère, des manifestants lançaient des pots de peinture contre la façade. Des flaques rouges, jaunes et vertes maculaient le rez-de-chaussée. Deux excités s'attaquaient à un panneau de circulation qu'ils tentaient d'arracher.

— Ça va mal tourner !

Des sirènes de police se mirent à hurler et des cris de haine retentirent dans la foule. Brusquement, un grondement sourd résonna au bout de la rue. Les policiers à cheval chargeaient les manifestants qui répondaient à coups de pavés et de bouteilles.

— On n'a pas le choix, il faut rentrer dans l'hôtel.

Trois minutes plus tard, ils étaient à nouveau dans le hall. Soudain, la vitre explosa dans un fracas épouvantable. Des myriades d'éclats de verre volèrent de toutes parts. Un panneau de circulation en fer gisait sur le tapis rouge d'apparat. Des manifestants se ruèrent à l'intérieur alors que des gardiens de l'hôtel, matraques à la main, surgissaient pour les contenir. Les coups pleuvaient et, en quelques instants, le hall du prestigieux palace se transforma en champ de bataille.

Bradley prit la main de Laure et l'entraîna vers le grand escalier qui menait aux étages. Personne ne faisait attention à eux. Ils gravirent les étages à toute vitesse. La Française était prise d'un fou rire tant la scène lui paraissait irréelle. Elle grimpait les marches quatre à quatre et remerciait son entraînement journalier. Derrière elle, le pilote ralentissait. Il stoppa au troisième étage qui était désert.

— Matilda ! Vous ne m'aviez pas dit que vous étiez championne d'athlétisme.

Il arriva à son niveau, le souffle court. Quand il l'embrassa, elle se laissa faire.

— Dommage qu'on n'ait pas les clés d'une chambre, chuchota-t-il à son oreille.

— Pourquoi une clé ?

Elle se dégagea de son étreinte et se plaça devant l'une des portes. D'un geste rapide, elle prit une épingle à cheveux dans son sac à main et en un tour de main débloqua le mécanisme rudimentaire de la serrure. On lui avait appris à affronter des serrures autrement plus complexes.

— Vous êtes aussi cambrioleuse ?

— Peut-être.

Ils entrèrent dans la suite à la vitesse de l'éclair. Le pilote poussa un cri de surprise en pénétrant dans la pièce plongée dans une semi-pénombre.

— Mais c'est la chambre d'un roi !

Un lit moulé de soie verte disparaissait presque sous l'amoncellement de coussins de satin. Juste au-dessus un miroir ovale, au cadre doré à l'or fin, reflétait la terrasse qui surplombait tout Londres. Ébahie, Laure contemplait les monuments de la capitale, du moins ceux que les avions de Goering n'avaient pas réduits en cendre.

— Là, c'est la cathédrale Saint-Paul, là c'est…

Bradley s'approcha doucement d'elle et la prit dans ses bras. Ses lèvres effleurèrent son cou. Elle se sentit partir. Une main se glissa dans son corsage, elle la laissa faire.

— Tu veux ?

— Oui…

Soudain des sirènes retentirent. Des traits de lumière verticaux jaillirent du parc et éclaboussèrent le ciel.

— Bâtards de nazis, gronda le pilote. Demain, je leur rendrai la pareille. Au centuple.

Des formes sombres surgirent dans le ciel. Aussitôt une déflagration sourde retentit suivie d'une boule de feu juste de l'autre côté du parc.

— Ils auront une guerre totale…

Bradley ne put terminer sa phrase. Laure l'avait entraîné pour le jeter sur le lit. Elle s'assit d'autorité sur son corps et fit sauter les bretelles qui retenaient sa robe. Les deux seins durs et pâles jaillirent d'un soutien-gorge blanc. Bradley tendit une main qui se perdit dans les dentelles, encouragé par le souffle devenu rauque tout près de sa nuque. Laure venait de découvrir un chemin sans retour, elle releva sa robe et se coula contre son compagnon comme l'eau vive dans le lit d'un torrent. Lentement, elle frôla son entrejambe et, heureuse de ce qu'elle y avait pressenti, murmura à son oreille :

— On s'en fout de la guerre.

36

Munich
21 avril 1919

Une première barricade s'élevait à l'intersection de Maillingerstrasse et de Rotkreuzplatz. C'était un mélange hétéroclite de pavés arrachés à la rue, d'armoires éventrées d'où s'échappaient encore des vêtements et d'une charrette dont on relevait les bras pour assurer le passage. Ce joyeux chaos aurait pu faire sourire si, au sommet de la barricade, la gueule noire d'une mitrailleuse ne menaçait d'un tir meurtrier tout le quartier. Les plaques de rue avaient été brisées, remplacées par des graffitis à la gloire de Lénine tandis que des drapeaux rouges pendaient aux fenêtres. Contre les volets clos, des militants, reconnaissables à leur brassard orné d'une faucille et d'un marteau, collaient des affiches dont les immenses caractères noirs annonçaient que la ville de Munich était désormais une *dictature rouge*. À l'angle de la place, sous une statue décapitée, un camion stationnait, d'où des volontaires déchargeaient des caisses de munitions en chantant *L'Internationale*.

— Halte !

À l'entrée de la barricade, deux hommes armés venaient de surgir, doigt sur la détente.

— Identifiez-vous !

— Soldat Hitler.

Depuis la prise de la ville par les communistes, au mois de novembre, Adolf avait vite compris qu'il fallait oublier grade et décorations. Il n'y avait plus ni épaulettes, ni croix de fer sur son uniforme.

— Avance, tu es démobilisé ?

— Non, j'ai été affecté à la surveillance d'un camp de prisonniers jusqu'au début du mois.

Méfiant, un des gardes se rapprocha.

— Quelle nationalité les prisonniers ?

— Russes.

Le visage du militant s'épanouit.

— Ah, des camarades !

Hitler ne le détrompa pas. Pourtant ce qu'il avait vu dans le camp, ce n'était pas de fervents partisans de la révolution, mais des prisonniers, à moitié morts de faim, qui savaient déjà qu'ils n'auraient jamais la force de revenir dans leur pays. Des cadavres en sursis.

— Et depuis tu fais quoi ?

— On me fait surveiller des bâtiments officiels.

L'ex-caporal Hitler ne précisa pas que le dernier immeuble dont il avait eu la garde n'était désormais plus qu'un tas de décombres suite à un raid de militants communistes qui avaient tout incendié.

— Et là, tu vas où ?

Adolf avait toujours détesté qu'on lui pose des

questions, surtout un fusil à la main. Néanmoins, il ne s'emporta pas. Au contraire, il sourit. Depuis qu'il avait retrouvé la vue, il savait qu'il avait la force en lui de tout supporter.

— Je loge dans un foyer de soldats, au coin de la place Rotkreuzplatz.

— On dit la place Lénine, désormais, rectifia le garde en dégageant l'entrée de la barricade, tâche de t'en souvenir.

— Merci du conseil.

Le foyer pour soldats en attente de démobilisation se résumait à quelques chambres minuscules dans un immeuble qui avait été mitraillé à plusieurs reprises pendant l'insurrection. Plus de porte ni de fenêtre, mais encore un concierge dont on se demandait comment il avait survécu aux combats de rue. Quelques années auparavant, il avait travaillé pour les plus grands palaces munichois, mais son penchant envahissant pour la dive bouteille avait fini par le reléguer dans la loge décrépie d'un immeuble en ruine. Il en concevait beaucoup d'amertume, une fascination bavarde pour sa gloire passée et surtout un mépris répété pour tous ces prolétaires qui régnaient en ville. Par prudence, il avait néanmoins rasé sa moustache, trop militariste, et portait une casquette d'ouvrier pour passer inaperçu. Mais le soir, quand il était seul et qu'il avait fermé sa loge à double tour, il sortait un portrait de l'ancien empereur Guillaume, le posait sur la table de la cuisine et buvait un verre de schnaps à sa santé. Dès qu'il vit Hitler rentrer, il déverrouilla sa porte et l'interpella :

— Caporal ?

Adolf lui fit signe de se taire. L'immeuble était plein de mouchards qui, pour un peu de nourriture, dénonçaient des suspects au pouvoir communiste. Et tout le monde était suspect.

— Il y a une lettre pour vous.

Il lui tendit une enveloppe, frappée de plusieurs tampons de la poste. Visiblement le courrier le suivait à la trace depuis des semaines.

— Vous connaissez la nouvelle ?

Intrigué par cette lettre inattendue, Hitler secoua distraitement la tête.

— On dit que plusieurs régiments marchent sur Munich. L'armée régulière. Ils vont reprendre la ville. Il paraît qu'il y a déjà des combats…

Le concierge se frottait les mains. Demain ce serait lui qui, dans l'immeuble, dénoncerait les rouges. Adolf ne répliqua pas et s'engouffra dans l'escalier. La lettre lui brûlait les mains. Arrivé dans la chambre, il alluma une bougie et se jeta sur le lit. Il n'y avait plus de carreaux aux fenêtres et les températures étaient très basses en ce début de printemps. À Munich, on mourait plus de faim et de froid que des balles communistes. Après s'être enroulé dans une mince couverture Adolf ouvrit l'enveloppe. L'écriture, menue et serrée, ne lui disait rien. Il tourna la page et descendit du regard jusqu'à la signature. Le nom le fit sursauter.

Weistort était de retour.

7 avril 1919
Hôpital militaire de Pasewalk

Cher Adolf Hitler,

Je suis toujours à Pasewalk où la situation est revenue à la normale. Les prolétaires qui avaient commencé la Révolution en nationalisant d'abord la cave à vin n'ont guère opposé de résistance à la police militaire venue rétablir l'ordre. La plupart sont sous les verrous. Je doute que la justice leur soit clémente : on fusille beaucoup en Allemagne en ce moment. Les différentes tentatives d'insurrection qui ont lieu dans le nord et l'est du pays sont désormais terminées, et il ne reste plus vraiment que Munich où la révolution communiste batte son plein. Vous devez être aux premières loges pour entendre chanter L'Internationale *et voir brandir des drapeaux rouges. Mais aux chansons vont succéder les balles : le nouveau gouvernement, comme l'armée, ne peut tolérer un tel foyer de sédition, rebelle à toute autorité. La répression va s'abattre sur Munich et la couleur rouge des drapeaux va devenir celle du sang coulant dans les rues.*

Voilà pourquoi je vous écris.

Il y a dix ans maintenant, à Vienne, nous nous sommes rencontrés grâce à Jörg Lanz. Les idées qu'il défendait, à travers la revue Ostara, *ont depuis longtemps franchi les frontières de l'Autriche et trouvé de nombreux adeptes en Allemagne, en particulier* en Bavière. J'ai d'ailleurs souvent fait le voyage à Munich pour rencontrer des lecteurs d'Ostara. Pour beaucoup, le débat d'idées lancé par la revue devait absolument déboucher sur une action politique. Ainsi, ils se sont réunis dans un cercle – la société Thulé – dont les membres ont pour objectif de pénétrer et d'influencer les partis politiques. Aujourd'hui Thulé est devenue à Munich la principale force clandestine qui s'oppose à la dictature rouge. Et si, comme je le crois, l'armée s'empare de la ville, c'est la société Thulé qui en prendra les commandes. Voilà pourquoi, il me paraît important que vous vous rapprochiez d'eux. Ils sont l'avenir de l'Allemagne, défendent la pureté de la race aryenne et se battent sous le signe de la swastika. Vous ne serez pas dépaysé : les idées comme les symboles sont les mêmes que ceux d'Ostara !

Et ils ont besoin de quelqu'un comme vous. Des centaines de milliers d'anciens combattants sont démobilisés, sans espoir et sans ressource, partout en Allemagne. Ils sont la proie désignée des communistes qui, après avoir raté leur coup d'État, vont tenter de gagner les prochaines élections. Ce qu'ils n'ont pas réussi à obtenir par les armes, ils vont tenter de l'avoir par les urnes. Pour parler à ces militaires qui, pendant toute la guerre, ont connu la discipline et la solidarité des tranchées, il ne faut pas de politicien, mais un des leurs qui a connu les mêmes souffrances. À Munich, vous pouvez devenir un des hommes de la situation. Longtemps vous vous êtes interrogé sur votre destin, désormais il va à votre rencontre.

J'ai déjà parlé de vous à nos amis de Munich. Ils vous attendent. L'un d'eux tout particulièrement. Il s'appelle Rudolf Hess. C'est comme vous un ancien militaire. Un aviateur. C'est lui que j'ai chargé de vous introduire dans le cercle.

La société Thulé se réunit, le dernier lundi de chaque mois, à vingt et une heures, sous l'égide du comte Rudolf von Sebottendorf, à l'hôtel Vier Jahreszeiten, Maximilian Strasse, 17.

Je suis certain que vous avez toujours la swastika, montrez-la, elle vous servira de laissez-passer.

Avec toute mon amitié,
Weistort

Hitler plia rapidement la lettre et l'approcha de la bougie. Pendant que le papier brûlait, il examina attentivement l'enveloppe. Visiblement, elle n'avait pas été ouverte. La bordure triangulaire était lisse, sans aucun gondolage. On ne l'avait pas passée à la vapeur pour la recoller ensuite. Ni les militaires qui l'avaient fait suivre, ni la poste qui l'avait distribuée, n'avaient intercepté le message de Weistort. Cette vérification minutieuse lui avait laissé le temps de réfléchir. Si son amitié et sa confiance en Weistort étaient toujours les mêmes, en revanche les idées d'*Ostara*, ses mythes imaginaires, ses rites néo-templiers, tout cela lui paraissait dépassé. Son retour des tranchées lui avait définitivement ouvert les yeux. Il fallait agir et surtout se débarrasser des traîtres qui assassinaient l'Allemagne. Pas les communistes, l'armée s'en chargerait, mais tous ceux qui avaient poignardé le pays dans le dos et lui avaient fait perdre la guerre avant de la livrer à une paix humiliante. Les banquiers corrompus, les commerçants avides, les industriels esclavagistes, voilà les ennemis intérieurs. Sans compter les bourgeois accapareurs, les aristocrates dégénérés, les juifs cupides, une véritable société du crime dont il fallait à tout prix se purger.

Voilà pourquoi se retrouver dans un grand hôtel, le Vier Jahreszeiten, avec ce qu'il pressentait être les débris de la classe dominante, ne le tentait pas. Il n'avait pas survécu aux tranchées pour aider à sauver l'ancien monde, celui des nantis et des profiteurs. Mais Adolf avait appris à se méfier de ses propres répulsions et il se savait assez fort désormais pour non plus servir, mais se servir. Et qui sait si ces conspirateurs de salon ne pourraient pas l'aider ? Un nom surtout l'intriguait, *von Sebottendorf*. Et il savait qui pouvait le renseigner.

— Herr Hitler, il y a un problème ?

Étonné, le concierge tendait sa chandelle vers le visage de son locataire comme s'il avait du mal à le reconnaître.

— Vous m'avez bien dit avoir servi dans les plus grands palaces de Munich ?

— Absolument, et si des circonstances indépendantes de ma volonté ne m'avaient pas…

Agacé, Hitler le coupa :

— Connaissez-vous le Vier Jahreszeiten ?

— Si je le connais… Le meilleur hôtel de Munich, fréquenté par la fine fleur de la bonne société. Rien que du beau monde, des fortunes solides comme le roc, des familles qui remontent aux Croisades…

— Justement, connaissez-vous un certain von Sebottendorf ?

— Le Turc ? mais je ne connais que lui ! s'écria le concierge. Il se partageait entre notre établissement et l'hôtel des Quatre Saisons. Et chaque fois, il louait un appartement complet.

— Pourquoi le Turc ?

— On disait qu'il avait longtemps vécu en Turquie, qu'il étudiait l'histoire des religions. En tout cas, il n'avait pas besoin de travailler, l'argent lui coulait des mains, mais il dépensait tout en livres. Ses domestiques passaient leur temps à monter des bibliothèques !

— Il a fait la guerre ? interrogea Hitler.

Le concierge sourit avec commisération.

— Les gens comme lui ne font pas la guerre, Herr Hitler, ce sont les autres qui la font pour eux. Avec ses contacts en Turquie, il était très précieux pour le gouvernement. D'ailleurs, il recevait beaucoup de visites d'officiels, sans compter que…

Adolf se rapprocha.

— Que c'est un franc-maçon. Un dignitaire même. Souvent, il louait les salons de l'hôtel pour des cérémonies. Et croyez-moi, il y avait du beau monde !

Au mot « franc-maçon », Hitler ne réagit pas. Il

avait suffisamment de culture politique désormais pour savoir que les *frères*, c'était comme la salade, on en trouvait à toutes les sauces. La vraie question était ailleurs.

— Et politiquement ?

Le concierge se raidit comme s'il allait se mettre au garde-à-vous.

— Von Sebottendorf ? Un pur ! Un nationaliste à toute épreuve. Un véritable Allemand !

Hitler s'approcha du calendrier épinglé à la porte de la loge. *Le dernier lundi du mois.* Du doigt, il suivit les jours. 26… 27… 28. Il s'arrêta. Le 28. Ce soir-là, il ferait la rencontre de la société Thulé.

TROISIÈME PARTIE

« Pour comprendre l'essence même
du nazisme, vous devez haïr la raison. »

Colonel Karl Weistort.

37

Quelque part en Méditerranée
Novembre 1941

— Que fais-tu ?
— Je te fabrique un jouet, ma chérie.
La petite fille s'avança vers son père qui lui tournait le dos. Il s'affairait sur son établi, des coups de marteau résonnaient dans le grenier. Une fragrance de copeaux de bois humides et de vernis nappait l'air. Elle aimait cette odeur, douce et apaisante.
— Je peux le voir ?
— Tu es bien curieuse, mon enfant.
Elle contourna la haute silhouette voûtée et se hissa sur la pointe des pieds.
— C'est quoi ? demanda-t-elle d'une voix impatiente.
— Une surprise.
Son regard se posa sur la table de travail. Il y avait un curieux objet, une sorte de sculpture en bois de la taille d'un phonographe. Son père trempait un pinceau épais dans un pot de peinture rouge et en

badigeonnait les contours. Un rouge vif à la texture claire et liquide.

Le pinceau virevolta au-dessus de la sculpture qui prenait une teinte tomate écrasée. Une myriade de gouttelettes écarlates jaillissait dans l'air pour éclabousser le panneau de pin où étaient accrochés les outils.

— Papa, fais attention. Tu en mets partout.

Son père ne l'écoutait pas, il continuait de badigeonner l'objet sans se soucier des coulures. La petite fille reçut de la peinture sur le visage. Irritée, elle tira sur le pantalon en toile.

— Arrête, je suis tachée.

— Ça ne fait rien, j'ai fini.

Le père se tourna à la lumière et brandit son jouet devant elle. Elle poussa un cri d'horreur. Son visage était recouvert d'une fine pellicule rouge et striée d'où émergeaient des pustules noirâtres. Comme si on lui avait écorché la peau. Il tenait entre les mains une énorme croix gammée qui dégoulinait de sang visqueux.

— Regarde, ma princesse, dit-il en riant, voici mon présent ! La troisième swastika. La swastika de sang. Le cœur du pouvoir. Grâce à elle tu domineras le monde.

La petite fille terrorisée reculait au fond de la pièce.

— Papa, je t'en prie. Je veux pas…

— Tu ne peux refuser ! Sinon l'humanité périra.

Laure se réveilla en sursaut. Elle cligna des yeux

328

plusieurs fois et aperçut au-dessus d'elle un œil rouge qui la fixait avec malveillance. Elle mit quelques secondes à comprendre que c'était la veilleuse rouge encastrée dans le fuselage du Lockheed *Hudson*. Le bourdonnement assourdissant des moteurs Pratt & Whitney finit de ramener sa raison au-dessus de la ligne de flottaison.

Ce n'était qu'un cauchemar. Pourtant la swastika maléfique paraissait si réelle.

Des gouttes de sueur perlaient sur son front, sa bouche était sèche, ses lèvres gercées comme si elle n'avait rien bu depuis des jours. La jeune femme se redressa avec peine, son dos endolori n'était que courbatures. Comme ses compagnons de mission, elle s'était installé un matelas de fortune avec son sac commando posé sur le plancher de fer.

— La Royal Air Force ne se soucie guère du confort de ses invités. Cela dénote un manque total de savoir-vivre. Vous ne trouvez pas ?

Laure tourna la tête et vit le chef du commando assis à sa droite lui tendre une flasque en métal argenté.

— Prenez, c'est un mélange de ma composition, whisky écossais, ale du Portugal, citron espagnol et miel d'acacia dont je ne connais pas la provenance. Coup de fouet garanti à condition de ne pas en abuser.

— Non, merci, je préférerais de l'eau.

— Comme vous voudrez, Matilda.

Le capitaine Fleming sortit une gourde de son sac et lui versa de l'eau dans le gobelet réglementaire.

Laure le détailla tout en avalant le liquide à grandes goulées. Quand Malorley l'avait présenté à l'équipe avant d'embarquer, elle n'avait pas été la seule à s'interroger sur le profil de leur nouveau chef. Bel homme, il devait avoir la trentaine, de carrure mince, le regard clair et enjôleur, les cheveux plus longs que la coupe en vigueur dans l'armée, une moue ironique collée au coin des lèvres, l'homme ne ressemblait pas vraiment aux durs à cuire qui composaient les effectifs des commandos du SOE ou des SAS. Elle l'aurait plutôt vu évoluer dans des cercles mondains de l'aristocratie anglaise, à la table d'un casino ou dans un club huppé. Ses manières un peu trop affectées dénotaient une éducation soignée, certainement pas celle que l'on apprenait dans une caserne.

— Un mauvais rêve ? demanda l'officier. Je vous ai vue vous agiter.

— On peut dire ça. Nous sommes encore loin de Malte ?

— Non, on ne devrait pas tarder à arriver.

Elle jeta un coup d'œil par le hublot. Une lune pleine et blanche scintillait dans le ciel et faisait miroiter des gerbes d'écume argentée sur la mer. Un décor plus adapté à une lune de miel qu'à un théâtre de guerre. Elle ferma les yeux. Le visage doux et beau de son amant du Ritz resurgit. Une nuit magique. Improbable. Personne n'avait fait attention à eux. Au matin ils s'étaient séparés en se promettant de se revoir. Il lui avait laissé une adresse au service de poste restante des armées. Si tant est qu'ils reviennent tous deux vivants de leurs missions… Probablement pas.

Elle chassa le visage de Bradley de son esprit, puis se tourna vers Fleming.

— Je peux vous poser une question, capitaine ?

— Essayez toujours.

— Pourquoi vous a-t-on nommé chef de cette mission ?

Il eut un sourire énigmatique.

— J'aime l'Italie et Venise en particulier. J'en garde d'excellents souvenirs, le carnaval notamment. Avec moi, impossible de vous perdre dans ce dédale de canaux et de ruelles biscornues. Ajoutez à cela une bonne connaissance de la langue de Dante…

Il croisa les mains sous son menton, inclina la tête sur le côté et articula lentement :

— *Vanno spavalde, nude, disarmate, armate solo dei loro vestitini per espugnare una loro remota Gerusalemme celeste.*

— Traduction ?

— C'est le passage d'un poème d'Elio Pagliarani. « Elles vont nues, désarmées, armées seulement de leurs petites robes pour s'emparer d'une lointaine Jérusalem céleste. » C'est un peu vous non ?

— Je ne crois pas, capitaine, et vous n'avez pas répondu à ma question. Je doute qu'on nomme pour une telle mission un amateur de poésie.

— Vous avez raison. Et c'est tout ce que vous aurez comme réponse de ma part. Pour le moment et…

331

Une sirène hurla dans l'habitacle. La porte de pilotage s'ouvrit à toute volée. L'un des deux pilotes vêtus du gros blouson en peau de mouton RAF Sheepskin Flying Jacket cria d'une voix forte :

— Accrochez-vous aux sangles ! Attaque d'avions ennemis ! Et il y en a un paquet. Une escadrille italienne.

Les cinq autres membres du commando s'étaient levés à leur tour. Ça secouait de partout, comme si le *Hudson* était piloté par un aviateur ivre. Le pilote reprit sur un ton angoissé :

— Et en plus on n'a pas monté de mitrailleuse dans la tourelle arrière !

Laure s'accrocha à la poignée qui pendait de la tôle et plaqua son visage contre un hublot. À l'extérieur, la lune éclairait l'aile droite du *Hudson*.

— On est loin de La Valette ? hurla Fleming.

— Non, répondit l'aviateur. Mais le train d'atterrissage est...

Il n'eut pas le temps de répondre, une rafale de balles déchiqueta la carlingue de part en part. Sa tête explosa comme un œuf éclaté, des bouts de cervelle éclaboussèrent Laure et Fleming. Un cri jaillit à la droite de Laure. Un des agents du SOE gisait sur le plancher, baignant dans son sang.

Au moment où elle voulut lui porter secours, une seconde rafale retentit. Ce fut comme une sorte d'explosion étouffée, l'avion piqua du nez brutalement. Les passagers qui ne s'étaient pas agrippés aux sangles se fracassaient contre le plafond de l'appareil.

Les sacs volaient dans tous les sens. Seule la caisse contenant les armes et les munitions restait solidement attachée.

— Tenez bon ! cria le capitaine.

La jeune femme s'accrochait de toutes ses forces à la poignée, son corps pendait sous l'effet de la gravité vers la queue de l'appareil. Du hublot, elle vit avec effroi une boule de feu incandescente à la place du moteur fixé sur l'aile.

Le *Hudson* vrilla sur son axe et chuta à la verticale dans un rugissement de douleur.

La sangle craqua. Laure fut projetée à l'arrière de l'appareil comme si une main invisible lui avait attrapé les mollets. Elle se trouva plaquée contre le corps d'un homme lui-même collé à la paroi. La dernière vision qu'elle emporta avant de sombrer dans le néant fut un visage déchiqueté. Celui du pilote mort qui collait sa bouche ensanglantée sur la sienne.

38

Tristan avait pris ses quartiers dans la bibliothèque. À cette heure, elle baignait dans une obscurité qui accentuait son côté mystérieux. Enfant, il s'était souvent demandé ce que faisaient les livres en l'absence des hommes. Restaient-ils sagement rangés dans leurs rayonnages ou bien jaillissaient-ils de leurs étagères pour entamer une sarabande déchaînée ? Avant de s'endormir, il s'imaginait les livres assis côte à côte, se lisant les uns les autres. Il se demandait même, durant ses lectures clandestines, si les livres ne se mélangeaient pas entre eux, n'échangeaient pas des pages, pour finir par former un livre collectif, le livre des livres, que personne ne lirait jamais. Depuis, la vie s'était chargée de lui faire oublier ses rêves d'enfant, mais il avait gardé le secret espoir qu'un jour, dans une bibliothèque, il découvrirait ce que les autres hommes n'avaient jamais osé imaginer.

Tristan venait d'arriver dans la section des cartes. C'était une des collections les mieux nanties de la bibliothèque. On y trouvait aussi bien de lourds atlas que des plans manuscrits, griffonnés à la hâte par des explorateurs enfiévrés par leur découverte. Un véritable eldorado pour les spécialistes à condition de ne pas trop s'interroger sur l'origine de certaines pièces directement issues du pillage méthodiquement organisé par les SS en territoire occupé. Les cartes étaient une des passions d'Himmler qui aimait passer de longues soirées à rêver sur des espaces lointains où son imagination pouvait se déployer à volonté. Depuis que l'armée allemande avait envahi l'URSS, il consultait avec frénésie les cartes de l'ancien empire russe qu'il dépeçait comme un enfant avide, en créant sans cesse de nouveaux États germaniques imaginaires jusqu'aux frontières de l'Asie. Une ferveur qu'il partageait avec Hitler. *Il faut se méfier des hommes qui croient que leurs rêves de papier sont la réalité*, pensa Tristan.

Le Français ouvrit un long tiroir et en sortit un plan de Venise qu'il déroula sur la table voisine. Malgré les siècles, le papier, du vélin, craquait comme au premier jour. Tristan ferma les yeux comme s'il s'attendait à sentir le parfum de l'encre humide. Quand il les rouvrit, Venise brillait de tous ses feux. La Sérénissime était représentée au centre de la lagune, entourée d'un chapelet d'îles qui ressemblait à une poignée de gravier jetée dans une flaque d'eau. Du doigt, il chercha son premier repère, l'île de San Michele, le cimetière de la ville, l'endroit où tout Venise venait mourir. Juste en face se trouvait Fondamente Nove, le long quai de pierre qui longeait tout le quartier du Castello. C'est sans doute là qu'il débarquerait avec Erika : il n'y avait que deux rues à emprunter pour se retrouver devant le palais Bragadin. Il lui fallait maintenant un plan plus précis pour étudier les accès : rues et canaux. À Venise, toute demeure digne de ce nom avait deux entrées, l'une sur terre, l'autre sur l'eau. Quand on menait la vie mouvementée de Tristan, mieux valait connaître ces détails pratiques.

Comme il se levait pour aller consulter l'index, il se demanda si, à Londres, un des agents du SOE était lui aussi en train de se documenter sur Venise. Peut-être même dans un avion survolant la France, Laure remontait, elle aussi, les rues qui menaient au palais Bragadin, peut-être… brusquement des éclats retentirent sous l'une des fenêtres.

La brume prenait progressivement possession du parc, une nappe immaculée qui rendait encore plus surprenante la présence fébrile de silhouettes noires à travers les arbres et les taillis. À l'intérieur des locaux, malgré la nuit qui s'annonçait, plusieurs chercheurs étaient restés, observant des fenêtres l'effervescence qui s'emparait du jardin. Régulièrement, on entendait des ordres qui résonnaient comme des aboiements. Une sonorité rauque et agressive à laquelle répondait le croassement de mauvais augure des corbeaux dérangés dans leur solitude.

D'un étage à l'autre, les rumeurs circulaient. Un

jardinier avait tué sa femme et on cherchait son corps dans le parc. Un dignitaire allait arriver et on sécurisait les alentours… Tristan avait conseillé à Erika de ne rien révéler sur l'intrusion des hommes de Heydrich. Pour l'instant, mieux valait que les chercheurs et les employés fantasment. Ils sauraient bien assez tôt qu'un prêtre et un policier avaient été assassinés dans le village voisin et que la Gestapo soupçonnait le tueur d'appartenir à l'Ahnenerbe.

Déjà, Tristan avait remarqué que les sbires de Heydrich, malgré leur agitation apparente, s'intéressaient beaucoup au mur d'enceinte qui ceinturait le domaine. Ils avaient dû trouver la porte et inspecter la serrure. Des spécialistes pouvaient-ils en déduire qu'elle avait été utilisée récemment ? Le Français ne tenait pas à répondre affirmativement à la question, mais le risque était tel qu'il devait agir en conséquence. Il quitta la fenêtre et descendit dans la salle de tri. C'est là, dans un ancien salon d'apparat, qu'étaient réceptionnés et classés les envois des différentes expéditions que l'institut dirigeait aux quatre coins du globe. Erika restait très discrète sur ces missions à l'étranger, dont la plupart avaient été décidées par son prédécesseur, Weistort. Dans les couloirs, on murmurait que l'Ahnenerbe procédait à des fouilles en Amérique du Sud et près du cercle arctique, mais rien n'était confirmé. Quand Tristan entra dans la salle, des manutentionnaires, malgré l'heure tardive, ouvraient encore des caisses en bois dont ils déposaient délicatement le contenu sur une longue table de verre. Face aux artefacts qui s'alignaient, von Essling vérifiait leur numéro d'ordre et leur description dans un carnet frappé du sigle noir de l'Ahnenerbe.

— Les objets de Crète sont arrivés, constata Tristan, en reconnaissant un fragment de fresque où bondissaient des dauphins.

Absorbée par son travail, Erika se contenta de hocher la tête. Elle aussi était perturbée par les perquisitions de la Gestapo. Si elle était certaine que les meurtres du village n'impliquaient aucun de ses chercheurs, elle l'était beaucoup moins des véritables motivations de Heydrich. S'il y avait un domaine où l'âme damnée d'Himmler excellait, c'était la manipulation. N'avait-il pas réussi à faire tomber le ministre de la Guerre, le général von Blomberg, en révélant juste après son mariage que sa nouvelle épouse avait un lourd passé de prostituée ? Son soudain intérêt pour l'Ahnenerbe était suspect : un risque qu'il fallait rapidement écarter avant qu'il ne se transforme en menace. Posé à l'écart des autres objets de fouille, Tristan remarqua le bijou en or décoré d'une croix gammée, découvert juste à côté de la tombe vide d'Amalrich. Il semblait plus étincelant encore qu'à Cnossos comme si son métal précieux avait été fondu la veille. Pas un impact, pas une rayure n'altérait sa surface. À croire qu'il ne s'agissait pas d'un simple bijou, mais d'un véritable objet de culte.

— Tu l'as mis de côté ? interrogea le Français.

— Oui, je compte l'offrir au Reichsführer.

— Une croix gammée qui date de plusieurs millénaires, ça ne se refuse pas.

Tristan déplaça la lampe pour orienter la lumière électrique directement sur l'artefact. Le symbole, creusé dans l'or, était étonnamment bien taillé. Chaque angle était parfait, chaque ligne d'une précision quasi millimétrée.

— On dirait une matrice, suggéra le Français, comme si ce *bijou* avait d'abord servi à extraire une swastika en miniature.

— On voit bien que tu n'es pas archéologue, le corrigea von Essling. Regarde le trou en haut : il a servi à faire passer une chaîne de cou. Il s'agit bien d'un pendentif et de rien d'autre.

Le Français leva les mains en signe de reddition. On n'affrontait pas Erika sur son propre terrain, en revanche, on pouvait la provoquer ailleurs.

— Dis-moi, Himmler a une maîtresse ? Parce que tu risques fort de faire une heureuse. Arborer une swastika qui a traversé des siècles et des siècles, voilà qui devrait séduire une favorite du Reichsführer.

— Si tu veux des potins sexuels sur les dignitaires du Reich, c'est à Heydrich qu'il faut s'adresser. Tu sais, le chef de la Gestapo, le type au profil de hache dont les hommes sont en pleine investigation juste sous nos fenêtres…

L'échange s'annonçait orageux. Von Essling continua :

— Écoute-moi bien, nous prenons l'avion demain

soir à l'aéroport de Tempelhof. Un vol de nuit pour échapper aux chasseurs anglais. Nous atterrirons discrètement en bord de lagune. Ensuite, un canot sous escorte nous déposera à proximité du palais Bragadin. J'espère que tu es sûr de ton coup pour Venise parce que, cette fois, on n'a plus droit à l'erreur.

39

Île de Malte
Novembre 1941

— Réveillez-vous !
— Hein…
Laure cligna des yeux, des lueurs rougeoyantes
dansaient dans un ciel d'encre. Un visage aux
contours flous flottait au-dessus d'elle. Elle essaya
de se relever, mais trébucha.
— Attendez, je vais vous aider, dit la voix masculine. Laissez-vous faire.
Elle se sentit soulevée en avant.
Une douleur intense taraudait l'arrière de son
crâne alors qu'elle tentait de se tenir droite. Elle
tituba, deux mains fermes l'empêchèrent de perdre
l'équilibre. Le visage du capitaine Fleming se dessinait, avec en second plan la carcasse fumante du
Lockheed *Hudson* aux ailes fracassées. Un officier hurlait ses ordres à des soldats anglais qui
s'activaient autour de l'appareil avec des lances à
incendie.

Le paysage dansait sous ses yeux, tout semblait irréel.

— Où sommes-nous ? balbutia Laure d'une voix pâteuse.

— À Malte, aérodrome de Luqa, base aérienne des Escadrons 267 et 268 de la Royal Air Force. Je ne sais pas comment s'est débrouillé notre copilote, mais il a réussi à nous poser sur ce foutu tarmac.

Une odeur épouvantable de caoutchouc brûlé imprégnait l'air.

— Il semble que votre heure ne soit pas encore arrivée, dit le capitaine Fleming. En revanche, vous avez hérité d'une magnifique bosse.

— Et les autres ?

Il s'écarta. Quatre corps recouverts de bâches noires étaient alignés devant une Jeep à la capote rabattue.

— Nous sommes les seuls survivants, même le copilote y a laissé sa peau. Fin de la mission pour nos camarades de jeu. On nous envoie des remplaçants au port. Comment vous sentez-vous ?

— Un peu sonnée.

— Je peux demander au QG de vous faire remplacer...

Elle se détacha de lui et secoua la tête.

— C'est bon. Nous perdons du temps.

— Comme vous voudrez. Attendez-moi là.

Fleming s'approcha du commandant qui coordonnait l'unité de pompiers, s'entretint avec lui quelques minutes, puis revint vers Laure en levant le pouce.

— OK, nos sauveteurs ont mis notre barda dans la

Jeep, annonça-t-il en consultant sa montre. On a quatre heures devant nous, pas de quoi faire du tourisme à La Valette, mais largement de quoi rejoindre le port militaire et y prendre une bonne douche avant de monter dans le sous-marin qui nous emmènera à Venise. Suivez-moi, on nous a mis une Willys MB à disposition. De l'avantage de mener une opération prioritaire.

Il ouvrit la porte passager de la Jeep capotée et fit le tour pour monter à la place du conducteur. À peine Laure s'était-elle engouffrée dans le véhicule, que Fleming démarra en trombe. Le moteur hurla. Elle se retrouva plaquée contre le siège.

— Je croyais qu'on avait le temps ?

— La vitesse, c'est comme le vice, une fois qu'on y a goûté, impossible de s'en passer.

La Jeep fonça sur le tarmac, passa devant une rangée de Spitfire et d'antiques biplans Gloster Gladiator, puis slaloma entre deux hangars à moitié éventrés. Des soldats grouillaient dans tous les sens autour d'un énorme cratère fumant. Fleming faillit en écraser deux qui lui envoyèrent une bordée de jurons bien sentis. Laure toussa.

— Vous comptez tuer plus d'Anglais que l'aviation italienne, capitaine ?

— Bien au contraire, j'affûte leurs réflexes. Le soldat lent engendre le soldat mort.

Il pila devant le poste de contrôle de la sortie. Un garde à l'allure fatiguée, la veste déboutonnée, examina leurs papiers puis leur ouvrit la barrière.

— La route principale est coupée, vous devez faire

un détour par le sud et ensuite reprendre la nationale vers le port. C'est fléché. Faites attention sur le chemin, on a signalé des camions en feu.

— Merci, soldat. Et rectifiez votre tenue, vous représentez Sa Majesté !

Le militaire n'eut pas le temps de répondre, la Jeep fila sous son nez. Laure fronça les sourcils.

— J'ai cru comprendre que Malte vivait dans un état de siège permanent sous les bombardements ennemis, ce pauvre bougre à l'entrée a peut-être d'autres priorités que de soigner son allure.

— Pas d'accord. L'apparence est la première sentinelle de l'estime de soi. C'est justement dans les moments les plus difficiles qu'il faut y faire attention. Ma mère nous forçait, mon frère et moi, à porter des costumes quand nous étions terrassés par la grippe. Et je peux vous dire que ça marchait.

Laure se redressa sur son siège. Le bitume grisâtre et usé ondulait entre des bas-côtés hérissés d'énormes pins et des caroubiers dont les troncs ressemblaient à des sculptures de pierre.

— Merci de ne pas trop appuyer sur la pédale, je n'ai pas échappé à la mort dans l'avion pour finir encastrée dans un arbre.

La Jeep ralentit imperceptiblement.

— Moteur américain, mécanique robuste, un peu pataud… Je n'avais jamais essayé ce modèle. À leur place j'aurais mis un compresseur Amherst-Villiers pour insuffler plus de puissance, mais n'est pas Bentley qui veut.

Des lueurs orangées apparaissaient derrière la colline devant eux. Fleming prit les virages en lacet, les mains crispées sur le volant.

— Je peux vous poser une question, capitaine ?

— Je vous en prie.

— Vous êtes au courant du but de notre mission ?

— Oui, récupérer la troisième swastika magique qui pourrait changer le cours de la guerre. Quand mon supérieur, l'amiral John Godfrey, m'en a parlé, j'ai trouvé tout cela terriblement excitant. Digne d'un roman de John Buchan[1].

— On vous a fourni tous les détails de cette histoire ?

— Oui, votre supérieur a rédigé un rapport fascinant. J'ai longuement étudié le détail de l'opération de récupération de la relique de Montségur et ce qui s'était passé avant au Tibet et à l'abbaye de Montserrat. Personnage intéressant, cet archéologue agent double, j'ai hâte de le rencontrer à Venise.

— Tristan Marcas…

— Pour moi, il s'appelle John Dee. Du moins c'est le nom que nous a fourni Malorley.

Laure tourna la tête. C'était le nom qui était inscrit sur le dossier de Tristan quand elle avait fouillé les archives dans le bureau de la secrétaire.

— Curieux pseudo à consonance anglo-saxonne, Tristan est aussi français que moi.

---

1. L'un des maîtres du thriller anglo-saxon, très populaire avant-guerre.

Fleming sourit.

— Vous ne comprenez pas, laissez-moi vous éclairer. John Dee a réellement existé, c'était un très grand agent secret britannique qui opérait au XVIe siècle pour le compte personnel de la reine Élisabeth Ire. Il était mathématicien, astronome, mais aussi astrologue et féru de sciences occultes. Sous couverture de ses multiples talents il fréquentait toutes les cours royales européennes. À la fin de sa vie, il avait inventé un langage pour dialoguer avec les anges et se piquait d'avoir découvert la pierre philosophale des alchimistes. Que votre supérieur ait donné ce pseudo à votre Tristan est tout à fait logique. N'est-il pas lui aussi un agent secret spécialisé dans la recherche de secrets ésotériques à des fins politiques ?

La Jeep venait de passer le sommet de la colline et freina brutalement. Une longue file de voitures et de camions stationnait, moteur au ralenti, sur la route.

— Bon sang ! jura Fleming, heureusement qu'ils ont révisé les freins.

Laure remercia le ciel de s'être accrochée à la poignée de la carrosserie.

L'officier coupa le contact et tendit un étui à cigarettes argenté à Laure. Elle en prit une et alluma celle de Fleming.

— Malorley aurait dû conduire cette mission comme pour Montségur, dit la jeune femme, pourquoi le renseignement naval vient-il mettre son nez dans nos affaires ? Je ne crois pas une seule seconde à l'explication donnée par Churchill comme quoi l'Amirauté a la haute main sur les opérations secrètes en Méditerranée.

L'officier souffla une longue bouffée de fumée.

— Exact et je vais vous donner la véritable raison : c'est le SOE qui est venu piétiner nos plates-bandes sur l'étude de l'occultisme chez les nationaux-socialistes.

Laure le regarda avec surprise. Il reprit :

— C'est nous, au renseignement naval, qui avons été les premiers à ouvrir la porte du château hanté des nazis.

40

Munich
28 avril 1919

Situé dans l'artère la plus huppée de Munich, l'hôtel Vier Jahreszeiten était un mystère. Comment, dans une ville où régnait la dictature du prolétariat, un pareil endroit pouvait-il encore exister ? La révolution semblait s'être arrêtée au pied du bâtiment. Galonnés comme des généraux, des grooms se précipitaient pour ouvrir des voitures de luxe d'où sortaient des femmes talonnées de haut et des hommes en smoking. Attelée à deux chevaux piaffant d'impatience, une calèche attendait des promeneurs comme au plus beau temps de l'empire allemand. Alors que la ville vivait au rythme de la disette et des arrestations, le Vier Jahreszeiten semblait un îlot préservé d'abondance et de sécurité.

Immobile devant l'entrée, Hitler était stupéfait. C'était là que se réunissait la société Thulé ? Dans son veston sans cesse rapiécé et ses chaussures usées, il n'osait s'avancer. Ce n'était pas le regard des autres qui le gênait – d'ailleurs personne ne le remarquait – mais sa propre image. Sa pauvreté, sa médiocrité lui éclataient aux yeux. Depuis Vienne, rien n'avait changé. Dix ans s'étaient écoulés et il était toujours un va-nu-pieds. L'assurance qui était devenue la sienne, depuis qu'il avait retrouvé la vue à l'hôpital de Pasewalk, venait subitement de se volatiliser. Il serrait dans la main la swastika que lui avait donnée Lanz. Combien d'humiliations devrait-il encore subir ? Combien de temps encore la honte allait-elle le serrer à la gorge ? Il avait l'impression d'être un chevalier inconnu de tous, passant d'épreuve en épreuve sans jamais apercevoir l'ombre même d'une espérance. Il s'en voulait surtout de sa propre faiblesse : traverser la rue, monter les marches, adresser la parole au portier étaient au-dessus de ses forces. Lui qui avait vécu quatre ans de guerre sous les balles et les obus était terrifié à l'idée du regard méprisant dont les grooms ne manqueraient pas de le gratifier.

— Herr Hitler ?

Surpris, Adolf se retourna. Devant lui se tenait un jeune homme appuyé sur une canne. Ses cheveux montaient en bataille sur un large front plat qui paraissait se poursuivre jusqu'au menton. Son visage avait la forme d'un rectangle hâtivement tracé sur lequel on aurait plaqué une bouche trop fine et des yeux étrangement fixes. Mais ce qui surprenait le plus, c'était les sourcils, ébouriffés et charbonneux, qui lui donnaient l'expression d'un gnome à peine sorti des ténèbres.

— Vous ressemblez exactement au portrait que

m'a fait de vous notre ami Weistort. Je suis Rudolf Hess.

Rassuré, Adolf lui tendit la main.

— Vous êtes aviateur, n'est-ce pas ?

— Je l'étais. Désormais, je suis démobilisé et…

Il regarda le costume d'Hitler.

— Et comme vous à la recherche d'une couturière compatissante pour redonner illusion à mon veston.

Pour la première fois depuis des mois, Adolf se mit à rire. Enfin un ancien soldat comme lui qui n'avait pas peur de plaisanter de sa propre misère. Il montra du doigt la façade rutilante de l'hôtel d'où s'échappait la musique, vive et dansante, d'un orchestre.

— Avec nos haillons, nous n'avons aucune chance d'entrer.

Cette fois, c'est Hess qui laissa échapper un rire discret.

— Détrompez-vous. C'est comme dans les vieilles légendes : au cœur de la forêt sombre et dangereuse, le château de toutes les promesses semble interdit, sauf si l'on connaît le gardien du seuil.

— Et vous le connaissez ?

— Oui et vous, vous avez le talisman ? interrogea Rudolf en dévoilant une swastika accrochée à l'envers de sa boutonnière.

Hitler montra la sienne dans la paume de sa main.

— Alors les portes vont s'ouvrir.

Ils s'avancèrent vers l'entrée de l'hôtel. Un portier furibond se précipita, pour les chasser.

— Nous sommes des invités du comte von Sebottendorf.

Impressionné, le larbin se cassa en deux.

— Soyez les bienvenus, monsieur le comte vous attend dans le salon rouge.

Le hall de l'hôtel était surmonté d'une rotonde en vitraux qui lui donnait un air de cathédrale. L'illusion fut vite rompue quand Hitler découvrit l'étrange société dans laquelle il venait de tomber. Il avait à peine atteint le salon qu'une jeune femme en robe de soirée lamée et escarpins vertigineux lui proposa d'acheter des bijoux pour une *bouchée de pain*. Au mouvement convulsif que fit Adolf pour chasser la mèche qui lui tombait sur le front, elle éclata de rire et disparut en mimant un pas de danse. Entre deux portes, des hommes à la nuque épaisse et aux visages congestionnés d'alcool échangeaient des enveloppes froissées avant de s'évanouir comme des ombres. Tout le salon semblait une scène de théâtre où se jouait une comédie de secrets et de trahisons. Adolf eut un haut-le-corps – il détestait ce monde interlope – et se tourna vers Hess. Comment son camarade pouvait-il supporter pareille dégénérescence ? Il n'eut pas le temps de poser la question, car un air imprévu de piano surgit brusquement d'un angle tamisé du salon. Rivé au clavier, un homme aux cheveux blancs enchaînait les notes comme une dactylo tapait à la machine à écrire. C'était un cliquetis innommable où on ne reconnaissait ni rythme ni mélodie.

— C'est du jazz, annonça Rudolf, ça vient des États-Unis.

— Mais qui joue un pareil charabia ? s'étonna Hitler qui, en matière de piano, ne jurait que par les sonates de Beethoven.

— Les Noirs.

Un couple de jeunes femmes aux cheveux courts passa en s'embrassant avant d'éclater de rire. L'une d'elles avait glissé sa main dans la poche arrière de sa camarade de jeu. C'était la première fois qu'Adolf stupéfait voyait une femme porter des pantalons.

— Gomorrhe, murmura-t-il, accablé.

— Pour Sodome, ça se passe là-bas, indiqua Hess en montrant, dans l'embrasure d'une fenêtre, un soldat en uniforme qui enlaçait vigoureusement un homme aux lèvres fardées.

Ils s'approchèrent du bar où des conversations s'échangeaient en plusieurs langues. Deux étrangers en costume impeccable et moustaches fines discutaient, tantôt en italien, tantôt en anglais, avec un Oriental qui ne cessait de s'éponger le front.

— Et voici Babel, ajouta Rudolf.

— Pourquoi m'imposez-vous ça ? C'est une épreuve ? Une plaisanterie ? Vous vous moquez de moi ? s'écria Hitler qui serrait convulsivement sa swastika dans la main droite.

Avant que Hess ne réponde, un des barmen s'avança et les salua comme s'ils étaient des habitués.

— Ces messieurs sont-ils intéressés par des

alcools étrangers ? Nous avons tout ce dont vous pouvez rêver : cognac français, whisky écossais… et la plupart ont plusieurs décennies en bouteille.

Adolf faillit s'étrangler. Il ne buvait jamais et avait une répulsion innée pour les buveurs impénitents. Il saisit son voisin par la manche.

— Ne restons pas ici ! Amenez-moi tout de suite où se réunit la société Thulé.

Rudolf fit un geste d'apaisement

— Je prendrai un cognac. Un Rémy Martin.

— Excellent choix, monsieur. Et si vous preniez place dans les fauteuils près de la cheminée ? Deux messieurs sont déjà installés. Je suis certain qu'ils apprécieraient votre compagnie.

Accompagné d'Hitler qui le suivait à contrecœur, Hess salua et s'assit.

— Partageriez-vous le plaisir d'un bon cigare ? s'enquit un des inconnus. Malgré les restrictions, nous disposons encore d'une bonne cave. Havane ou dominicain, vous n'avez qu'à demander.

Adolf intervint. Il avait assez subi d'avanies comme ça.

— Je ne supporte pas le tabac. Si vous pouviez vous abstenir.

— On dirait que ce lieu ne vous convient pas.

Hitler fixa son interlocuteur. Son visage était lourd, boursouflé, les joues dilatées, le menton enfoui sous la graisse, les paupières en berne. Encore quelques années et la chair épaisse et gélatineuse aurait tout envahi. Seul subsistait le regard gris clair qui semblait venir d'un pays lointain.

— Un lieu où règne l'abondance quand le peuple meurt de faim, s'énerva Adolf, un lieu où s'affichent la corruption la plus vile, la débauche honteuse, la prostitution infâme…

— Toutes choses fort utiles en temps de crise. Croyez-vous que la victoire se gagne uniquement avec des fusils ?

Écœuré, Hitler se tourna vers Hess.

— Vous m'aviez promis de me faire rencontrer la société Thulé.

— Je viens de le faire.

Ébahi, Hitler revint vers son premier interlocuteur qui inclina ironiquement la tête.

— Je suis le comte Rudolf von Sebottendorf et voici le royaume de Thulé.

Les rythmes saccadés du piano venaient de s'éteindre, remplacés par la mélodie plus langoureuse d'un orchestre de cordes. Déjà des couples se formaient qui dansaient au milieu du salon.

— Nous ne voyons des événements que le tourbillon, expliqua von Sebottendorf, tout va trop vite, trop loin. Le mouvement du monde s'est emballé et il ne vous tend plus aucun miroir pour nous reconnaître. Nous avons peur et l'agressivité s'empare de nous.

Malgré sa surprise initiale, Hitler écoutait avec attention. Les paroles du maître de Thulé résonnaient étrangement. Il traduisait en mots justes tout ce qu'une génération sacrifiée ressentait profondément. La société allemande s'était brutalement effondrée, emportée par le torrent de la défaite et ravagée par la crue de la révolution. Et des millions de gens étaient restés, seuls au milieu des décombres, perdus, affolés, prêts à toutes les colères.

— L'erreur est de croire que l'on peut arrêter l'histoire quand elle s'accélère. Elle a ses propres rythmes. S'y opposer ne sert à rien. Bien au contraire.

Adolf ne put s'empêcher de réagir :

— Vous voulez dire qu'il faut suivre le mouvement ? Sombrer dans la décadence, la corruption…

— Absolument pas. L'histoire est comme une tornade : si vous êtes à l'intérieur, il ne vous arrive rien. Si vous êtes au centre immobile des événements, vous en êtes le pivot.

Von Sebottendorf montra le salon où les couples dansaient frénétiquement.

— Où croyez-vous être ? Dans un tripot où les débris de l'aristocratie, les bourgeois enrichis, les escrocs et les putains s'oublient dans l'ivresse de l'alcool et les tourbillons de la danse ? Non, vous êtes dans le royaume de Thulé, là où nous enterrons le passé et ressuscitons l'avenir.

Hitler se demanda s'il ne s'était pas trompé. Et si ce comte au nom impossible n'était en fait qu'un illusionniste, un faussaire des temps sombres ?

— Vous ne vous êtes pas demandé pourquoi en pleine insurrection rouge un tel lieu existe encore ?

Adolf acquiesça du regard.

— Parce que, alors que Munich est balayé par la tempête, c'est ici le seul point fixe du chaos.

À son tour, Hess se fit plus explicite :

— Ici tout se vend, tout se troque. Voilà pourquoi les communistes ne ferment pas ce lieu. Ils savent que, dans ce salon, en apparence dédié au seul plaisir, se situe la véritable Bourse de Munich. Et ils en ont besoin.

— Mais pourquoi ?

— Parce que c'est ici et pas ailleurs que l'on corrompt un chauffeur de l'armée qui livrera des armes, qu'on paie une fille qui couche avec un officier supérieur pour avoir des renseignements…

— C'est ignoble, s'écria Hitler.

D'une voix lente et mesurée, von Sebottendorf reprit la parole :

— La corruption, c'est la continuation de la politique par d'autres moyens. Les communistes croient en profiter, mais qui vous dit qu'on leur fournit la bonne information, que les armes qu'on va leur livrer n'ont pas un défaut de fabrication ?

— Le gouvernement masse des troupes près de la ville, expliqua Hess. Il va bientôt passer à l'offensive, mais les militaires craignent une guerre de rues. Barricade après barricade, immeuble après immeuble, Munich n'y survivrait pas, voilà pourquoi la société Thulé a infiltré cet endroit : pour affaiblir l'insurrection et préparer l'intervention.

Von Sebottendorf sortit une swastika, identique à celle d'Hitler et de Hess, et la posa sur la table.

— Depuis les origines, ce symbole fascine chaque civilisation. On le retrouve aussi bien en Asie centrale qu'au nord de l'Europe, dans la religion tibétaine que sur les murs des églises catholiques. Pour les ethnologues, il représente la course du soleil.

Calmement, le comte fit pivoter la swastika de droite à gauche avant de reprendre :

— Pour notre ami Lanz, il s'agit du symbole des peuples aryens et il en a fait le signe de reconnaissance d'*Ostara*.

— Et pour vous ? demanda Hitler.

À nouveau von Sebottendorf fit tourner la swastika, mais cette fois dans le sens des aiguilles d'une montre.

— Ce qui importe, ce n'est pas le sens de ce symbole, mais qui le fait tourner. La pointe invisible, le pivot secret… et la main qui l'actionne.

— La société Thulé, murmura Adolf.

— Aujourd'hui, oui, mais il nous faut déjà penser à demain. Ce ne sera plus seulement Munich, mais toute l'Allemagne…

Le comte imprima un mouvement d'accélération à la swastika qui se mit à tourbillonner.

— Et le monde entier qui va s'emballer.

Hess allait prendre la parole quand le barman s'approcha du comte.

— Monsieur, on nous dit que les troupes du gouvernement viennent de pénétrer en banlieue. Les premiers accrochages sont extrêmement violents. En ville, les communistes procèdent à des arrestations de masse.

Von Sebottendorf fixa la swastika qui tournoyait encore.

— Qui sait quand elle s'arrêtera désormais ? murmura-t-il.

Puis se tournant vers Hess et Hitler :

— Messieurs, je crois qu'il est temps pour vous de partir.

Adolf se leva le premier, une question brûlante aux lèvres :

— L'armée attaque, les Rouges vont répliquer. Que va faire la société Thulé ?

Le comte lui prit les mains.

— Écrire l'histoire et, cette fois, en lettres de sang.

41

Londres
Novembre 1941

Le Green Lion était l'un des rares pubs à l'est de Kilburn High Road où les habitués pouvaient encore boire une bière à une heure tardive sans craindre de se faire racketter en sortant de l'établissement. Sa façade ne payait pas de mine et les fenêtres à carreaux jaunis encastrés dans un ciment verdâtre n'incitaient pas à pousser la porte.

Dans ce bastion irlandais du nord de Londres, les chefs de la pègre locale et les sympathisants de la cause indépendantiste avaient leurs habitudes et ne toléraient pas la moindre violence. On y croisait des truands, des militants de l'IRA, des taulards fraîchement libérés en quête d'un job et des nostalgiques de l'Eire natale. Tous Irlandais. Aucun policier, aucun indic, aucun détective ne se serait risqué à prendre une pinte dans cette vénérable institution. Le patron, un sexagénaire irish pur jus, qui cumulait plus de vingt ans dans les geôles de Sa Majesté, avait l'œil pour repérer les intrus. Personne ne connaissait son vrai nom, tout le monde l'appelait Old Uncle et aucun client n'aurait été assez bête pour lui demander des explications. Il avait été mis là par un des boss du quartier depuis tellement longtemps.

Quand un gros homme chauve poussa la porte pour pénétrer dans le bar, le patron l'inspecta avec méfiance. L'intrus n'avait pas l'allure d'un Irlandais, son aspect efféminé et précieux n'augurait rien de bon. Aleister Crowley balaya la salle d'un regard blasé, il avait fréquenté des cafés bien plus dangereux dans sa vie. Il s'approcha du comptoir surmonté du drapeau irlandais, trois bandes verticales verte, blanche et orange. Sur un pilier, à côté de la pompe à bière, était accroché un tableau dans lequel était dessinée une caricature : John Bull[1] se faisant botter les fesses par un âne vert et hilare.

— Vous avez un bien bel estaminet, cher monsieur. Vous devez en être très fier ?

Old Uncle haussa les épaules. L'accent du type était indéfinissable, en tout cas, pas du coin.

— Ici, on boit. Ou on retourne d'où on vient.

— Ça tombe bien, j'ai soif. Donnez-moi un verre de votre meilleur vin.

Le tenancier ne put s'empêcher de sourire. L'un des clients assis sur un tabouret ricana.

---

1. John Bull est le personnage emblématique de l'Angleterre, comme l'Oncle Sam aux États-Unis ou Marianne en France.

— Hey Uncle, il est drôle ce clampin. Du vin… Et pourquoi pas du champagne ?

— On sert pas d'vin ici. Vous devriez aller voir ailleurs. Allez à gauche en sortant et partez tout droit en direction de la Tamise. Et prenez un bateau pour la France.

Des rires fusèrent autour du comptoir. Crowley eut un sourire béat.

— Ah, je vois que cet établissement possède une carte réduite. Bon, trêve de plaisanterie, j'ai rendez-vous avec Moira. Elle est là ?

Le patron hocha la tête et indiqua une porte au fond de la salle.

— Bien aimable, mon ami, dit Crowley. Apportez-moi une bière, du moins celle qui ne fait pas de trous dans l'estomac. Une Kilkenny fera l'affaire.

Le mage traversa la salle sans se soucier des regards insistants qui se posaient sur lui et passa dans une autre pièce, tout en longueur, où se nichait une succession de box séparés par des cloisons. Il reconnut sans peine la chevelure rousse de la propriétaire du Hellfire. Elle était en train de lire le *Guardian* en sirotant une Stout Beamish à la robe aussi sombre que son âme.

— Aleister, vingt minutes de retard, dit-elle en levant le nez de son quotidien. Je désespérais de te voir.

— Désolé, je n'ai pas l'habitude de fréquenter ce coin de la capitale. C'est tout juste si mon taxi ne voulait pas que je finisse la course à pied.

Le patron entra à son tour et posa un gros verre de bière devant le mage. Il lança une courte phrase en irlandais à Moira et dont Crowley ne comprit aucun mot.

— Oui, tout va bien, mon invité est un gentil Anglais.

— Ça n'existe pas des gentils Anglais, tu devrais le savoir, grommela le patron en tournant les talons. Ils sont tous à pendre.

— La légendaire hospitalité irlandaise, gloussa Aleister.

Moira étala le journal sous les yeux de son interlocuteur.

— Regarde, ça devrait t'intéresser. Un reportage sur le cimetière de Tower Hamlets. La police vient d'y découvrir le cadavre d'une pauvre fille. Les détails sont horribles, la victime a été mutilée.

Crowley prit le journal comme s'il touchait un serpent venimeux. Il reconnut sans peine la jeune femme dont il avait croisé le cadavre au Hellfire. L'article s'étalait sur deux pages avec les témoignages des gardiens du cimetière. Apparemment la police n'avait aucun élément sur l'identité de la victime.

— Quelle horreur, murmura Crowley, étais-tu obligée de la charcuter ?

— Son âme est en sécurité si ça peut te rassurer. Comme le jeu de photos te concernant. Tu as des informations à me transmettre ?

Crowley sortit de son manteau une enveloppe

qu'il glissa sur la table. Elle voulut la prendre, mais le mage laissa sa grosse main posée dessus.

— Quand aurai-je les négatifs ?

— Retire ta main, Aleister.

Il s'exécuta avec peine. Elle ouvrit l'enveloppe et parcourut la douzaine de feuillets avec attention, puis le fixa.

— Maigre moisson. La localisation des centres d'entraînement du SOE, les installations d'écoute, l'organigramme du service... Tout est déjà connu. Je crains que tu ne me sois d'aucune utilité. Les journalistes vont être ravis de recevoir la suite du feuilleton macabre de Tower Hamlets. Il va falloir que tu te trouves un sacré bon avocat, non ?

— Tu crois que c'est aussi facile que ça ? Que je peux débarquer au siège du SOE et choisir ce qui me plaît ? Et puis tu es allée trop vite, lis la seconde moitié de la septième page.

Elle reprit le feuillet et le parcourut plus lentement.

— Opération Crépuscule 1... Récupération avortée... *Thule Borealis*. Interrogatoire de Rudolf Hess... Je ne comprends rien.

— Il s'agit d'une mission planifiée par mon supérieur et qui s'est déroulée dans le sud de la France. Dans le château de Montségur. L'opération aurait échoué et une nouvelle mission serait en cours, mais Malorley fait preuve de nervosité à ce propos. L'opération serait en lien avec l'interrogatoire de Hess.

— Tu m'as dit qu'il était complètement fou.

— Si tu ne veux pas de mes informations…

— J'ai toujours l'impression que tu me caches des choses, Aleister.

Trois hommes en casquette entrèrent dans la pièce et s'assirent dans le premier box. La patronne du Hellfire Club baissa le ton.

— Je vais envoyer tout ça à Berlin, on verra bien ce qu'ils diront. Tu auras vite de mes nouvelles.

Crowley se leva sans avoir touché à sa bière.

— Tes grands amis allemands… Tu es au courant de leurs activités en Europe ?

Elle lui jeta un regard froid.

— La guerre avec les Russes, non ?

— Pas seulement… Ils font des choses horribles là-bas. Aux juifs.

— Comme les Anglais aux Irlandais quand ils se sont rebellés. Comme l'Inquisition aux sorcières… Rien de nouveau sous le soleil de la cruauté.

— Je ne crois pas, ça va très loin. On parle d'extermination de tout un peuple.

— Je n'ai rien contre les juifs, et je suis attristée par leur sort, mais ils ne vont pas m'aider à libérer mon pays de la griffe des Anglais.

— *Goddam*, foutue *Paddy*[1]. Tu ne vas pas me faire pleurer, vous l'avez eue votre indépendance. L'Eire est même officiellement neutre dans le conflit

---

1. Surnom péjoratif, dérivé de Patrick, donné aux Irlandais par les Anglais.

et Dublin se paye le luxe d'avoir une ambassade allemande.

— Pas si neutre… Beaucoup d'Irlandais soutiennent toujours l'Angleterre, trop à mon goût, et se portent volontaires pour combattre avec tes compatriotes. Et puis que fais-tu de l'Irlande du Nord ? Nos camarades de Belfast sont toujours sous la botte des *bloody Tommies*[1]. Tant que toute notre île ne sera pas réunie, le combat continuera.

— Vous vous choisissez de bien curieux alliés…

— L'Allemagne a toujours été dans le camp de l'Irlande républicaine indépendante. Le Kaiser a financé notre soulèvement pendant la Première Guerre mondiale, et le Führer continue de nous soutenir. Il est notre ami. C'est aussi simple que ça. Et puis ce n'est pas toi qui vas me donner des leçons de morale, toi qui invoques le diable et toute sa cour de démons répugnants depuis des décennies.

Crowley secoua la tête et se dirigea vers la sortie. Au moment où il poussa la porte il se retourna vers elle et lui lança :

— Dans cette guerre, Satan a trouvé pire que lui. Bien pire.

— Qui ?

— L'homme.

_____
1. Surnom des soldats anglais.

Au même moment
Berlin
Aéroport de Tempelhof

Une rafale de vent s'engouffra dans le hangar où les mécaniciens s'affairaient autour de l'appareil. Pour éviter d'être pris en chasse par un raid de l'aviation anglaise, les croix gammées qui ornaient les ailes et le gouvernail du Messerschmitt avaient été repeintes à la hâte. Pas de quoi tromper un pilote britannique chevronné, mais assez pour tenter de piquer vers l'aérodrome le plus proche. Adossée à une cloison en tôle ondulée, Erika suivait du regard les gestes précis des mécaniciens. L'un d'eux contrôlait la pression des pneumatiques, un autre traquait les fuites possibles du système hydraulique. Quand on réfléchissait au nombre invraisemblable d'éléments, de pièces qui devaient fonctionner ensemble pour faire voler un avion, on se demandait où on trouvait la confiance pour monter à bord. Chez Erika, le courage avait depuis longtemps remplacé la confiance. C'était un sentiment plus sûr, car il ne dépendait de personne d'autre que de soi, tandis que la confiance…

— La météo risque de poser problème, annonça Tristan, surtout quand on va survoler les Alpes.

Erika leva un regard droit et clair.

— Nous ne pouvons pas attendre. Nous devons impérativement décoller pour Venise.

— Le pilote va sans doute vouloir t'en parler.

Elle fixa longuement son amant, cherchant en lui

une ombre de peur ou de doute, mais rien. Si elle décidait de partir, il monterait dans l'avion avec une plaisanterie aux lèvres pour tout commentaire. Sauf que chez lui, ce n'était ni du courage, ni de la confiance, mais un autre sentiment qu'elle ne parvenait pas à cerner. Elle sourit.

Il fallait qu'elle le reconnaisse. Confiance ou pas. Désormais, elle aimait cet homme.

— Dis au pilote que nous décollons. J'en prends la responsabilité.

42

Île de Malte
Novembre 1941

Bloqués par l'embouteillage, Laure et Fleming étaient sortis de la Jeep et fumaient leurs cigarettes en contemplant le paysage d'arbres secs et de maquis. La nuit étoilée enveloppait la campagne environnante. Un léger vent frais rafraîchissait l'air, l'hiver allait bientôt s'installer sur la Méditerranée.

— Comme c'est paisible, dit Fleming. On a peine à croire que l'île est assiégée de toutes parts par les Italiens et les Allemands. Que le monde a sombré dans le feu et le sang.

— Nous sommes dans l'œil du cyclone, mais pas pour longtemps… Vous n'avez pas terminé votre explication. Pourquoi les services de renseignement de la marine anglaise ont-ils mis leur nez dans ces histoires d'ésotérisme nazi ?

— Ça remonte à l'année dernière, en mai 1940. Une semaine avant l'offensive sur les Pays-Bas, la Belgique et la France, Goebbels, le chef de la propagande nazie, a fait imprimer des centaines de milliers de tracts sur lesquels étaient écrits des quatrains de Nostradamus[1]. Il y était question de la défaite des Alliés et du triomphe de l'Allemagne. Les textes écrits en français et en hollandais ont été largués en masse pour démoraliser les populations. Après la victoire allemande, Goebbels s'est d'ailleurs vanté à plusieurs reprises de cette opération.

— Ne me dites pas que les gens ont cru à ces prédictions ?

— Mais si, on a vu des colonnes de réfugiés s'enfuir vers le sud, car les prophéties assuraient que cette zone serait protégée des bombardements. Du coup, nos services ont pris cette affaire très au sérieux, non pas le contenu des prédictions, mais leur impact psychologique. Il se trouve que le renseignement naval a été pionnier en matière de guerre psychologique. De plus, mon supérieur, l'amiral Godfrey, a toujours manifesté un intérêt personnel prononcé pour les sociétés secrètes, l'astrologie et l'occultisme. Il a donc commandé un rapport secret sur cette affaire et j'ai été l'officier en charge du dossier.

Laure se garda bien de demander pourquoi on l'avait choisi pour cette mission d'information. Une question qu'elle conservait pour plus tard.

— En recoupant plusieurs sources d'information, expliqua Fleming, j'ai découvert, stupéfait, que des astrologues allemands avaient été réquisitionnés par

---

1. Authentique.

Goebbels pour fabriquer cette propagande noire. Deux autres de mes collègues se sont pris au jeu et ont étudié les réseaux occultistes qui gravitaient autour des principaux dirigeants nazis comme Hess, Himmler ou Rosenberg. Et pour mieux comprendre ce qui se passait dans la tête de nos adversaires, nous avons alors fait appel à un astrologue allemand réfugié en Angleterre, Louis de Wohl. Un homme charmant, quoiqu'un peu trop exalté à mes yeux. Le tout, vous devez vous en douter, dans la discrétion la plus absolue. À la différence du SOE…

— Comment ça ?

— Quand votre chef, Malorley, est venu interroger Rudolf Hess à la Tour de Londres avec le pittoresque Aleister Crowley, ça a provoqué pas mal de remous en haut lieu. C'est comme ça que mon supérieur a appris la création de votre officine de magiciens au SOE ainsi que la quête de ces fameuses reliques.

Laure, que le ton péremptoire de Fleming commençait à agacer, lui coupa la parole :

— Ça ne m'explique toujours pas ce que vous faites là !

— Très simple. Mon patron est allé voir Churchill pour lui révéler notre antériorité sur ce genre d'affaires et comme le Premier ministre ne peut rien refuser à l'amiral Godfrey qui est un ami de longue date, un compromis a été trouvé et on m'a envoyé sur le terrain. Quant à Malorley, il garde toujours le commandement de l'opération. Bref, tout le monde est content.

— Et je suppose que vous adresserez aussi votre rapport au renseignement naval ?

— Bien sûr…

La Française écrasa méticuleusement son mégot. Dans la campagne environnante, la moindre brindille d'herbe était sèche et risquait de s'enflammer à la première étincelle.

— Si je résume, un amiral, passionné d'occultisme, qui emploie un astrologue, un service secret dédié à la recherche de reliques mystiques. Un Premier ministre qui envoie un commando pour mettre la main sur une croix gammée magique… Les Britanniques m'étonneront toujours. Je vois mal le Deuxième Bureau français perdre son temps avec des voyants et autres devins.

Fleming souffla une longue bouffée qui s'évapora aussitôt dans la touffeur de l'air.

— Vous ne devriez pas être trop rationnelle. Toutes les grandes légendes et figures ésotériques sont nées dans votre pays. Nostradamus, la tragédie des cathares, le secret des templiers, le spiritisme, l'alchimiste Nicolas Flamel, le conte du Graal… Quoique, dans ce dernier cas, je pense que Chrétien de Troyes nous a volé une légende celtique.

— Des fables !

— Vous ne comprenez pas, Laure. L'important n'est pas tant de savoir si oui ou non ces choses-là existent, mais pourquoi nos ennemis y croient. À partir de là on peut considérer qu'ils possèdent une faille exploitable et ainsi prévoir leurs comportements.

Voire anticiper des événements en tenant compte d'une logique cachée aux yeux du plus grand nombre. Une dynamique obscure et secrète dont les convulsions engendrent ce que l'on appelle l'histoire des hommes.

Des bruits de moteurs résonnèrent suivis d'un concert de klaxons. La circulation avait été rétablie. Fleming fit un signe à Laure. Ils montèrent dans la Jeep qui démarra bruyamment.

— Vous pourriez être plus précis, capitaine ?

— Prenez l'invasion de l'Union soviétique, ne trouvez-vous pas curieux qu'Hitler ait déclaré la guerre à Staline un 22 juin ?

— Je ne vois pas…

— Ça m'étonne pour une Française. C'est tout juste un an, jour pour jour, après la signature de l'armistice avec votre pays. Dans le wagon de Rethondes. Le 22 juin 1940.

— Oui et alors ?

— Pile, un an après la victoire totale contre les forces de l'Ouest, il lance la plus grande invasion de tous les temps contre celles de l'Est ! Et ce n'est pas tout. Il y a aussi Napoléon.

— Que vient faire Napoléon là-dedans ?

— Votre empereur a lui aussi envahi la Russie un… 22 juin. Le 22 juin 1812, soit le lendemain du solstice d'été, le jour le plus long de l'année. L'aigle corse a lui aussi mobilisé la plus grande armée de son temps, exactement comme Hitler. Avouez que c'est curieux, non ?

— Une coïncidence.

— Libre à vous de le croire, mais il existe une tradition païenne qui enseigne que le jour suivant le solstice les forces solaires descendent dans le monde des ténèbres pour le purifier. Une fois leur mission accomplie, elles reviendront victorieuses à la surface au solstice d'hiver, le 21 décembre. Mettez-vous dans la tête d'un nazi farci de croyances nordiques, persuadé d'être dans le camp de la lumière, remplacez les ténèbres par les communistes et vous admettrez que la symbolique est troublante.

Laure commençait à comprendre pourquoi Fleming avait été choisi pour cette mission. Lui aussi avait l'esprit électrisé par les coïncidences occultes et les révélations secrètes.

— Saviez-vous que Himmler célèbre les deux solstices de l'année dans son château de Wewelsburg en compagnie de tout son état-major ? reprit l'Anglais. Qu'il y allume un brasier visible à des kilomètres à la ronde ?

— Admettons…

La Jeep roulait en évitant les chaos sur la route. Au loin apparaissaient les lumières de la capitale de l'île, La Valette.

— Et je n'ai pas terminé avec Napoléon et Hitler. Le Führer attaque la Russie cent vingt-neuf ans après votre empereur. Ce chiffre, 129, relie les deux tyrans de façon bien curieuse. Bonaparte est couronné empereur en 1804, Hitler est nommé chancelier en 1933. Soit cent vingt-neuf ans plus tard. Napoléon bat l'Autriche en 1809, Hitler annexe ce même pays en 1938, faites le calcul… Toujours le même chiffre.

— Vous faisiez quoi dans le civil avant-guerre, expert en coïncidences ?

— Non, mais j'ai toujours été fasciné par les nombres et je suis doté d'une curiosité aiguë.

— Et 129 ça veut dire quelque chose ?

— L'éternel recommencement ! L'un de mes amis, spécialiste en numérologie, m'a expliqué que si l'on effectue la somme pythagoricienne de 129, cela donne 1+2+9 soit 12. Douze, le chiffre du temps et du renouveau. Les douze heures qui reviennent à l'infini sur le cadran de votre montre, les douze mois de l'année… Vous voyez la symbolique, Hitler est l'avatar de Napoléon. Il revient après un cycle de 12 unités symboliques.

Laure secoua la tête.

— Il n'y a qu'un Anglais pour suggérer ce genre de comparaison ! Napoléon fut un grand conquérant, pas un monstre. Il n'a pas inventé la Gestapo et il n'était pas antisémite.

— Voilà bien la remarque d'une Française. Un conquérant avec des millions de morts européens à son actif. Allez demander l'avis des Espagnols, des Russes ou des Allemands. Je ne parle même pas des Noirs qu'il a remis en esclavage. Mais oublions le passé. Cette méthode peut servir à prévoir les événements futurs. Vous qui avez quitté votre pays, la France, pour nous rejoindre, que voudriez-vous savoir ? Quelque chose qui vous tienne le plus à cœur.

374

— Mettre les Allemands dehors !

— Appliquez ma méthode…

— De mémoire, Napoléon quitte définitivement la France pour l'île de Sainte-Hélène juste après la défaite de Waterloo, en 1815. Ce qui nous donnerait donc si l'on ajoute 129… L'année 1944.

— En 1944 les Allemands seront boutés hors de l'Hexagone, mais cela ne veut pas dire pour autant qu'Adolf quittera la scène cette année-là.

— Encore trois ans à attendre… Allez au diable avec vos maudits chiffres !

— C'est dommage, je pourrais aussi évoquer les similitudes dans le camp des révolutionnaires. Regardez, Staline prend le pouvoir en Union soviétique en 1922, à l'ombre de Lénine et il instaure son régime de terreur communiste. Or, 129 ans plus tôt, en France, nous sommes en 1793. L'année de la… Terreur rouge sang, organisée d'une main de fer par Robespierre. Ce n'est pas tout, un autre lien unit Staline et le révolutionnaire sanguinaire. Ils sont nés à cent vingt années d'intervalle.

— Ce n'est plus 129, on est sauvés.

— Pas tout à fait. 120 est le jumeau mathématique de 129 en numérologie. C'est 12 + 0 = 12. Eh bien figurez-vous que 120 correspond aussi à l'écart entre les naissances de… Napoléon et Hitler. La boucle du temps et de l'histoire est bouclée.

— Vous avez l'art de toujours retomber sur vos pattes avec vos démonstrations invraisemblables.

— Je pense qu'il existe une harmonie cachée des

nombres derrière notre perception de la réalité. J'en suis certain. Prenez le monde du renseignement, là encore tout n'est que chiffres. Nous communiquons avec des codes secrets pour obtenir des informations qui se réduisent bien souvent à des successions de chiffres. Coordonnées terrestres d'un bombardement ennemi sur notre sol, quantité de matériels de guerre mis en place par nos adversaires, date d'une opération militaire à venir, numéro d'une unité de char en manœuvre, vitesse d'un chasseur, capacité de production d'une usine…

Laure fixait Fleming. Il semblait intarissable.

— D'ailleurs les Allemands ont été les premiers obsédés par la tyrannie des nombres. Vous savez jusqu'où cela va ? Jusqu'aux exécutions de leurs ennemis. J'ai vu passer des rapports glaçants sur les assassinats de masse de juifs perpétrés par des commandos spéciaux, les Einsatzgruppen, au fur et à mesure de leur avancée sur le front russe. On leur impose un quota précis, quantifié, de morts. La faucheuse nazie manie le calcul avec une dextérité fatale.

La voiture ralentit pour prendre une route qui longeait la mer.

— Nous n'allons pas tarder à arriver au port. Dans un quart d'heure maximum, si ces damnés Italiens ne nous bombardent pas.

Laure laissa son regard errer sur l'étendue qui s'offrait à ses yeux. Elle réalisa que dans une poignée d'heures elle s'enfoncerait dans les profondeurs de cette mer paradisiaque. Elle s'était enfuie de France à bord d'un sous-marin et elle en reprenait un autre pour retrouver ses ennemis.

— Pourquoi êtes-vous tant fasciné par les nombres ? demanda-t-elle sans quitter des yeux la Méditerranée.

— Pas seulement les nombres. En fait par tout ce qui peut mettre le bordel dans la tête de nos ennemis.

43

Munich
7 septembre 1919

Par la fenêtre, Hitler aperçut un camion bâché qui se rangeait dans la cour de la caserne. C'était le cinquième depuis qu'il attendait dans le bureau du capitaine Mayr. Et à chaque fois, c'était le même rituel. Une fois la bâche levée, on faisait descendre à coups de crosses et de cris des hommes et des femmes qui, les mains levées, tentaient de se protéger. C'était des suspects communistes qu'on allait méthodiquement interroger dans les caves déjà surpeuplées de la caserne.

— Bonjour, caporal.

Le capitaine Mayr venait d'entrer, monocle vissé sur l'œil gauche et bottes de cheval impeccablement cirées. L'archétype du *junker*, de l'officier aristocrate allemand qui donnait l'impression que ni la défaite ni la chute de l'empire n'avaient eu lieu. Il se rapprocha de la fenêtre et alluma un court cigare. Hitler se garda bien de manifester son aversion pour le tabac.

Le capitaine Mayr dirigeait le Grukko – le service de renseignement de l'armée à Munich – et il n'avait pas la réputation de tolérer la moindre contradiction.

— Depuis que la ville est tombée fin avril, nous en arrêtons encore près d'une cinquantaine par jour. Pour la plupart par dénonciation. D'après vous combien sont victimes d'un mari jaloux ou d'un voisin envieux ?

— Je ne sais pas, capitaine.

— D'après nos premières statistiques, près de la moitié. Mais, voyez-vous, c'est un mal pour un bien, car ces innocents ont tellement peur qu'on les déclare coupables qu'ils se transforment à leur tour en dénonciateurs. Encore quelques semaines et, grâce à leur concours involontaire, nous aurons nettoyé tout Munich de sa lèpre communiste.

Mayr s'installa à son bureau, ouvrit un tiroir fermé à clé et en sortit un dossier barré d'une lanière rouge dont il fit sauter les scellés marqués du mot « confidentiel ».

— Asseyez-vous, caporal. Je vais vous montrer des photos. Regardez-les bien.

Face à la première vue, Hitler eut un mouvement instinctif de recul. C'était un homme, effondré au sol, à la chemise déchirée, et dont une main anonyme tenait la tête par les cheveux comme un trophée de chasse. Remis de sa surprise, Adolf se pencha pour mieux voir. Ce qu'il avait d'abord pris pour des déchirures dans la chemise était en fait des trous sombres.

— Dannehl Franz, exécuté au Luitpold-Gymnasium. Son nom, son visage vous disent quelque chose ?

— Non.

Une nouvelle photo glissa sur la table. Cette fois, le corps était entièrement dénudé et posé sur une civière. Le visage était dans l'ombre, mais son bras d'un blanc laiteux pendait vers le sol carrelé. Sans doute une morgue.

— Deike Walter, lui aussi exécuté au Luitpold-Gymnasium. Regardez bien sa main.

Adolf rapprocha l'image de son regard, mais ne distingua rien de précis. La photo, prise en intérieur, manquait de clarté.

— L'index a été amputé pour s'emparer de sa chevalière. On ignore si cette mutilation a été faite *ante* ou *post mortem*. Reconnaissez-vous cet homme ?

— Non, capitaine. Mais pourquoi me posez-vous ces questions ?

— Parce que vous avez croisé chacune de ces victimes, quelques heures avant leur mort. Maintenant regardez bien cette dernière photo.

Cette fois, le visage d'Hitler changea d'expression. Il essaya de le masquer en relevant brusquement sa mèche de son front. C'était une femme, écroulée contre un mur où l'on voyait encore l'impact des balles en forme de cratère noirci. Ses assassins l'avaient fusillée en robe de soirée. Un de ses talons avait roulé au sol. Adolf la reconnut. C'était cette jeune mondaine qui lui avait proposé d'acheter des bijoux dans le salon rouge de l'hôtel Vier Jahreszeiten.

— Heila von Westarp, elle aussi abattue au Luitpold-Gymnasium. Elle avait trente-trois ans.

Avant même que le capitaine ne lui pose la question, Hitler préféra répondre.

— J'ai effectivement rencontré cette personne dans un hôtel du centre de Munich lors d'une soirée en avril dernier. Je suppose que j'ai dû aussi croiser les hommes dont vous m'avez montré les dépouilles.

— C'est exact, car ils font partie d'un groupe de sept personnes, tous arrêtés par les communistes, à l'hôtel Vier Jahreszeiten, dans la nuit du 28 avril et fusillés dans les heures suivantes au Luitpold-Gymnasium.

— Je savais, par les journaux, que les communistes avaient assassiné plusieurs personnes, juste au début de l'intervention militaire, mais j'ignorais qu'ils avaient été arrêtés au Vier Jahreszeiten.

— Que faisiez-vous dans cet hôtel ? demanda Mayr. Ce n'est pourtant pas un lieu que fréquente habituellement un simple caporal. Pas plus d'ailleurs qu'un aviateur démobilisé comme votre ami Rudolf Hess.

— Nous étions invités.

— Par cet homme ?

Hitler n'eut pas besoin de regarder la photo.

— Par le comte von Sebottendorf, oui.

— C'est en effet lui que les communistes souhaitaient arrêter et… fusiller. Par dépit, ils ont capturé et abattu sept de ses amis. Un nombre très symbolique, vous ne trouvez pas ?

— Je ne sais pas.

— Comme vous ne savez sans doute pas où peut se trouver von Sebottendorf ?

Devenu muet, Adolf sentait comme une corde glacée se resserrer autour de son cou.

— Vous êtes un étrange personnage, caporal Hitler, avec d'étranges fréquentations. Vous n'avez rien à me dire ?

— Non, capitaine.

— Levez-vous et approchez-vous de la fenêtre.

Dans la cour, des détenus, après avoir été interrogés, attendaient leur transfert. Des soldats les divisaient en deux groupes sous la directive d'un sous-officier qui observait attentivement chaque prisonnier.

— Savez-vous comment nous avons identifié les fusillés du groupe Thulé ? Grâce à des listes, avec lieu et date d'arrestation. Les communistes adorent la bureaucratie. C'est un tort. Il ne faut jamais laisser de trace.

Du doigt, il montra dans la cour un groupe de prisonniers qui montait dans un camion.

— Au Grukko, il n'y a jamais de liste. Jamais rien d'écrit, commenta Mayr. Nous faisons appel à des physionomistes. Ils repèrent les prisonniers sélectionnés durant les interrogatoires, les reconnaissent à leur sortie et les regroupent discrètement ensemble.

— Je ne comprends pas bien, osa Hitler.

— Les hommes que vous voyez grimper dans le camion seront fusillés dans moins d'une heure. On ne retrouvera jamais leur corps.

Adolf tapota nerveusement sa moustache.

— Beaucoup sont d'anciens soldats d'ailleurs. Leur famille est loin, pas d'amis connus... Ils vous ressemblent. Une dernière fois : avez-vous quelque chose à me dire sur la soirée au Vier Jahreszeiten, caporal Hitler ?

— Non.

Mayr sortit une swastika de sa vareuse et la posa sur la table avant de la faire tourner d'un doigt nonchalant.

— Ne posez pas de questions inutiles. Il suffit que vous sachiez que de Jörg Lanz à moi, en passant par von Sebottendorf, il y a une lignée d'intérêts invisibles, mais communs.

Tétanisé, Hitler fixait la swastika qui venait de s'immobiliser.

— Je fais partie de la société Thulé depuis sa création et si vous m'aviez révélé la teneur de vos échanges à l'hôtel Vier Jahreszeiten, je vous aurais fait fusiller. Connaissez-vous exactement les activités du Grukko que je dirige ?

— Surveiller, infiltrer les mouvements communistes, leurs militants, leurs dirigeants... Du moins je suppose.

Dehors le camion démarra.

— Et les réprimer. Toutefois, le travail du Grukko ne se limite plus à combattre les idéologies subversives, mais désormais à prévenir leur diffusion. Et pour arriver à ce résultat, il nous faut faire de la politique. De la politique préventive.

Adolf acquiesça. Depuis le printemps, il avait été chargé, par sa hiérarchie, d'assurer la formation idéologique des nouvelles recrues de son régiment et il avait été effaré de leur incompréhension des enjeux de société.

— Il faut une action efficace de propagande, reprit le capitaine, tourner les masses appauvries par la guerre et désemparées par la défaite.

Hitler hochait la tête mécaniquement, il suivait le grondement du camion qui conduisait les détenus à la mort à laquelle il venait d'échapper. Pourquoi n'avait-il pas rendu compte de son échange avec von Sebottendorf ? Par loyauté, par vanité ? Non, son instinct avait parlé pour lui. Le même qui, de Vienne aux tranchées, de l'hôpital de Pasewalk à Munich, semblait guider ses pas.

— Pour vaincre le communisme, il faut l'affronter sur son terrain, celui des idées sociales, et créer une offre politique rivale, précisa le capitaine Mayr. Nous devons cibler prioritairement les chômeurs, les anciens combattants, les veuves de guerre, et leur redonner espoir et surtout une dignité.

— Si je puis me permettre, capitaine, les Rouges sont beaucoup plus efficaces que nous pour promouvoir leurs idées. Ils ont un parti structuré, hiérarchisé, une logistique éprouvée et des militants volontaires.

— Nous n'avons pas le temps, ni les moyens de

créer une nouvelle structure. Alors, il nous faut user de la tactique du coucou qui pond ses œufs dans un autre nid que le sien. Connaissez-vous les partis Wolkish ?

Depuis la fin de la guerre, une multitude de groupuscules avaient surgi en Allemagne qui, tous, voulaient relever le pays, se venger de la France et surtout trouver un bouc émissaire, responsable de la défaite. Pour la plupart, ils ne regroupaient que quelques exaltés réunis autour d'une idée fixe. Certains voulaient ressusciter le Saint Empire germanique qui datait du Moyen Âge, d'autres recréer les chevaliers teutoniques ou alors remplacer l'alphabet latin par les runes vikings, quand ce n'était pas l'Église catholique par les anciens dieux de la Germanie. La diversité de ces groupes était telle qu'ils ne parvenaient pas à constituer une force politique sérieuse et efficace.

— Nous avons recensé soixante-trois groupes Wolkish, mais le chiffre est fluctuant. Certains sont victimes de scissions successives, d'autres disparaissent au bout de quelques mois. Pour autant, ils sont révélateurs d'une tendance, peu visible et encore diffuse, mais qui fait de plus en plus d'adeptes. Un vent se lève que nous devons faire souffler sur toute l'Allemagne.

Hitler réfléchissait. S'il partageait la plupart des idées Wolkish, il méprisait en revanche ces groupuscules qui passaient leur temps à se réunir dans les tavernes pour boire de la bière et beugler des slogans nationalistes. Ils n'avaient pas d'organisation, pas de hiérarchie, aucune ressource financière et leurs membres étaient, pour la plupart, des agités perpétuels. Des vociférateurs de brasserie tout juste bons à tabasser en meute un juif famélique. Il ne comprenait vraiment pas comment Mayr pouvait s'intéresser à pareils énergumènes.

— Il faut fédérer ces groupes pour leur donner un poids politique et une existence médiatique. Et il faut le faire ici à Munich où ils sont le plus nombreux.

Adolf osa une remarque :

— Vous savez que ces Wolkish n'ont pour la plupart aucune culture, aucune vision politique…

— Cessez de raisonner en étudiant des Beaux-Arts qui croit que, parce qu'il tient un pinceau entre ses doigts, il est supérieur à ceux qui ont les mains dures et calleuses.

Hitler croisa ses mains derrière le dos pour en contrôler le tremblement intempestif. Il détestait qu'on fasse référence à sa jeunesse.

— Ces hommes que vous méprisez vont devenir le levier qui va renverser le sens de l'histoire. Mais ce levier, il faut le mettre en mouvement.

— Par quels moyens ?

— Le peuple est un corps. Un corps qui souffre parce qu'il ne parvient plus à s'exprimer. Il a besoin d'une voix. Et nous allons lui donner cette voix.

— Une voix ?

— Oui, la vôtre.

Devant le silence ahuri d'Adolf, Mayr expliqua :

— Il y a bien longtemps que *nous* vous suivons. À Vienne, Lanz vous avait repéré. Vous aviez déjà cette frustration muette, cette colère aveugle qui, désormais, est celle de toute l'Allemagne.

— C'est pour ça que Lanz m'a entraîné à l'abbaye de Heiligenkreuz ? Mais pourquoi m'a-t-il fait participer à son rituel ?

— Parce qu'on ne fait pas se lever le peuple uniquement par la voix, il faut un symbole fort, qui va agir comme un aimant. Voilà pourquoi Lanz vous a révélé la swastika.

Hitler songea au nombre de fois où ce symbole avait surgi dans sa vie. À l'hôpital de Pasewalk quand il s'était opposé aux révolutionnaires rouges, à Munich quand il avait rencontré von Sebottendorf et, ici, une fois de plus.

— Mais la frustration, la colère, même associées à un symbole puissant, ne suffisent pas pour soulever les foules. Celui qui veut incarner le peuple doit d'abord franchir des épreuves décisives.

— La guerre…, murmura Adolf.

— Oui, les tranchées sont comme un creuset alchimique : ou on y meurt ou on en sort purifié à la hauteur de son destin.

— Ou bien aveugle.

— La lumière se cache toujours au fond des ténèbres, répliqua le capitaine. L'avez-vous découverte ?

Hitler hésita. Depuis qu'il avait retrouvé la vue, la certitude montait en lui qu'il pouvait accomplir de grandes choses. Ce qui le retenait encore, c'était son manque de confiance, non pas en lui, mais dans les autres. Lanz avec ces cérémonies occultes, von Sebottendorf avec sa société secrète, Mayr avec son service de renseignement, tous provoquaient en lui une méfiance innée, une crainte profonde de n'être qu'un instrument, de se faire manipuler. Si la guerre était un creuset alchimique, la paranoïa d'Adolf ne s'y était pas purifiée. Bien au contraire.

Il fixa Mayr. Cet homme avait besoin de lui et pas le contraire : voilà la seule vérité. Alors il allait jouer le jeu. Mais dès qu'il en aurait compris les règles, jamais plus personne ne lui dicterait son avenir.

— Dites-moi ce que je dois faire ?

L'officier posa devant lui une série de tracts.

— Voilà les noms des différents partis Wolkish. Vous avez le choix. *L'anneau germanique*, *Le marteau de Wotan*, *Le bouclier d'argent*... Mais je vous conseillerais plutôt le *Parti ouvrier allemand*, une création de la société Thulé.

— Le *Parti ouvrier allemand* ? Pas fameux comme nom !

— Exact. Quand on veut s'adresser aux prolétaires, il faut parler leur propre langue. *Parti socialiste allemand*, voilà qui sonnerait beaucoup mieux.

— Si l'on veut parler aux millions de chômeurs, d'anciens combattants que la défaite a plongés dans la misère et le désespoir, c'est le mot « national » qui est le plus important

Mayr lui tendit le tract.

— Eh bien, vous leur expliquerez. Ils se réunissent dans cinq jours, le 12 septembre, à la brasserie Sterneckerbräu. Vous avez rendez-vous avec votre destin.

44

Venise
Décembre 1941

L'aéroport militaire où ils venaient d'atterrir
donnait directement sur la lagune. Les deux pilotes
s'affairaient autour de l'appareil qui devait repartir
immédiatement pour Berlin. Autour de la piste, un
détachement de la Wehrmacht, directement attaché
à la sécurité de Tristan et Erika, attendait l'ordre
d'embarquer sur le bateau. Le Français, malgré
l'obscurité, tentait d'apercevoir les chenaux qui par-
couraient la lagune, cet espace entre terre et eau qui
formait comme un labyrinthe protecteur autour de la
Sérénissime.

— Nous serons à Venise dans une heure, annonça
von Essling. J'ai fait prévenir le responsable du patri-
moine de la ville. Il nous attendra sur le quai pour
nous conduire directement au palais Bragadin.

— Tu ne veux pas d'abord descendre à l'hôtel ?
s'étonna Tristan.

— Hitler arrive demain.

Le Français n'avait pas besoin d'explications supplémentaires. Himmler voulait être le premier à satisfaire les désirs de son maître. Les soldats, casqués et bottés, montaient à bord du bateau. Erika avait du mal à dissimuler son agacement. Depuis la Crète, et son cortège de cadavres, elle jugeait que, dans une situation délicate, la présence de militaires ne faisait qu'empirer les choses.

— Dès que nous débarquons, je vire ces incapables.

Tristan ne réagit pas. Il trouvait sa compagne de plus en plus mutique, comme plongée dans des abîmes de réflexion et, quand elle en sortait, c'était pour manifester sa mauvaise humeur. Certes, elle était soumise à une forte pression, mais d'habitude elle réagissait avec insolence et humour. Ce changement d'humeur le mettait en alerte. Il posa sa main sur son épaule et l'attira près de lui. Elle se laissa faire, mais sans répondre par aucune marque semblable de tendresse. Son profil était rivé vers l'avant du bateau qui venait de s'engager dans un chenal plus large, matérialisé par des rangées de pieux d'où s'échappaient des cris stridents de mouettes. Tout au bout, de pâles lumières scintillaient comme une promesse. Venise allait bientôt surgir des eaux de la nuit.

Un vent frais balayait le long quai de l'Ospedale. Le silence régnait en maître sur la cité des Doges. En face, on pouvait apercevoir la forme trapue de l'île cimetière de San Michele disparaître sous un linceul de brume. La vedette motoscafo camouflée aux couleurs de la Regia Marina accosta à l'embarcadère sous l'œil médusé d'une poignée de Vénitiens. L'escouade de soldats allemands jaillit de l'habitacle et bouscula sans ménagement les Italiens. En quelques instants, ils formèrent une garde d'honneur sur le ponton en bois qui menait jusqu'au quai.

Tristan et Erika sortirent à leur tour du bateau et passèrent rapidement entre les gardes. Deux rats filèrent entre leurs jambes pour se réfugier dans l'obscurité complice d'une venelle.

— Ce que j'apprécie le plus chez vous, les Allemands, c'est votre sens du romantisme et de la discrétion, commenta Tristan. Il ne manque plus qu'une fanfare. Et moi qui croyais que nous allions faire une balade romantique dans la ville, prendre une gondole et…

— Nous n'avons pas le temps. Nous devons tout faire pour retrouver la relique avant l'arrivée du Führer. D'ailleurs, voilà notre guide.

Un petit homme en manteau aussi noir que sa chemise leur faisait de grands signes à l'entrée d'une ruelle qui débouchait sur le quai. Accompagné d'un aide qui brandissait une lanterne, il se précipita vers eux.

— Je suis Matteo Deonazzo, responsable du grand conseil fasciste des monuments de Venise. Même au cœur de la nuit, quel honneur de rencontrer l'une des plus célèbres archéologues du grand Reich !

Il effectua un simulacre de baisemain à Erika et secoua vigoureusement la main de Tristan.

— Le palais Bragadin n'est qu'à quelques minutes de marche d'ici. Veuillez me suivre, je vous prie.

Le chef du détachement de la Wehrmacht qui commandait l'escouade fit un signe à ses hommes, mais Erika secoua la tête.

— Ça ira comme ça, lieutenant. Restez ici, je vous ferai signe si j'ai besoin de vous.

— Mais Fräulein, j'ai reçu des ordres !

— Et moi je vous en donne de nouveaux. Nous partons juste en repérage, le secteur est sécurisé, ça grouille de policiers dans tous les coins.

— Comme vous voudrez, dit le lieutenant, impressionné par l'aplomb de la SS.

Tristan et Erika suivirent leur guide qui s'était enfoncé dans une ruelle entourée de hauts murs de brique rongée d'humidité. Le Français n'en revenait pas de la rapidité avec laquelle ils s'étaient retrouvés à Venise. À peine quatre heures depuis l'aéroport berlinois de Tempelhof. Himmler leur avait alloué l'un des Messerschmitt de transport les plus rapides de son escadrille personnelle. Plus que jamais, il comptait sur eux pour retrouver la confiance du Führer. Cette rencontre avec Mussolini, dont il n'avait pas été informé, le touchait comme une disgrâce personnelle. Il devait marquer des points. À n'importe quel prix. Tristan se demandait si les Alliés se rendaient compte combien le premier cercle autour d'Hitler était un vrai panier de crabes. Entre Goering, prêt à tout pour conserver son titre de favori du Führer, Goebbels, qui se servait de sa femme comme d'un appât, Himmler, dont les SS métastasaient tout le Reich, la lutte pour la succession avait déjà commencé.

— Je suis admiratif, annonça Deonazzo, à peine sortis de l'avion, et vous voilà tous les deux à pied d'œuvre. Et en pleine nuit !

— Le service du Reich n'attend pas, répliqua Erika. Nous sommes encore loin ?

— À quelques centaines de mètres, mais vous ne voulez pas que je vous fasse visiter d'autres palais ? Le quartier regorge de somptueux édifices au passé extraordinaire. Évidemment, il faudrait réveiller les propriétaires, mais…

— Non, seulement le Bragadin, répliqua Erika.

Ils tournèrent à droite dans une rue plus large qui s'enfonçait dans le Castello. On n'entendait que le claquement des bottes, au fur et à mesure qu'ils avançaient. La rue était déserte. Les petits commerces avaient depuis longtemps fermé leurs portes. Seule une échoppe, à la devanture mal tirée, laissait s'évader un mince filet de lumière.

— En voilà un qui risque une amende, soupira Deonazzo, mais comment empêcher les Vénitiens de se réunir pour bavarder ! Surtout que la nouvelle s'est répandue de l'arrivée de votre chef. Vous savez que la gare Santa Lucia est entièrement bouclée et sécurisée. On dit que le Duce va accueillir directement le Führer sur le quai…

Tristan s'arrêta. Il venait de reconnaître l'entrée du palais. Un porche de pierre clos d'une lourde porte.

Sur le fronton, on devinait un médaillon sculpté d'où s'échappait un visage de pierre.

— Un des nombreux Bragadin dont s'honore l'histoire de notre ville, montra Deonazzo, celui-là…

— On va s'éviter le cours d'histoire, l'interrompit Erika. Qui vit ici ?

— Justement c'est une particularité, figurez-vous que ce palais appartient à une famille française, les de Montrond. Bien sûr, ils ne sont pas présents.

Intrigué, Tristan allait poser une question quand il vit sa compagne s'impatienter à nouveau. L'historien, qui craignait aussi les réactions de l'archéologue, actionna fébrilement une clochette.

— Nous avons prévenu le concierge. Comme les propriétaires lui ont laissé un double des clés, il a déjà tout préparé, tout éclairé.

Mal réveillé, un Italien à la barbe grisonnante ouvrit lentement un des battants, révélant un long jardin insoupçonné. Des arbres, qui n'étaient plus taillés depuis des années, montaient jusqu'à une haute façade dont le sommet se perdait dans l'obscurité. Une imposante grille en fer forgé semblait, elle, s'enfoncer dans d'invisibles entrailles. Juste au-dessus, une fenêtre, où battait un volet, était éclairée par une procession de chandelles. Tristan eut l'impression de plonger dans un passé sans retour.

— Voici le palais Bragadin.

45

Mer Adriatique
Quelque part au large de Venise
Décembre 1941

Les moteurs diesel du sous-marin HMS *Triumph*
tournaient à bas régime. Le monstre d'acier flottait
paisiblement à la surface de l'eau calme et noire. On
entendait juste le clapotis des vaguelettes qui frap-
paient avec régularité la peau de métal du masto-
donte. Debout dans la tourelle, Fleming inspirait
longuement de grandes brassées d'air salé, à défaut
d'inhaler la fumée de son tabac préféré. Il se conso-
lait en imaginant que ses poumons viciés par l'air
empuanti d'huile et de transpiration du sous-marin se
purifiaient. L'agent secret se désolait de ne pouvoir
s'allumer une cigarette. Mais interdiction d'émettre la
moindre lumière. Ordre du commandant du *Triumph*.
Ce dernier se tenait d'ailleurs à côté de Fleming et
scrutait la côte avec ses jumelles.

Ils étaient arrivés avec deux heures d'avance
sur l'horaire, quelque part au sud-est de Venise. À

environ dix milles nautiques de l'entrée de la lagune. L'officier avait pu naviguer à l'air libre une bonne partie de la nuit afin de prendre de la vitesse et de recharger ses accumulateurs. Le bâtiment avait remonté l'Adriatique sans encombre, ne plongeant qu'une seule fois au large de Brindisi à l'approche d'une escadre italienne probablement en route pour la Libye.

Fleming jeta un œil en contrebas. Laure était assise sur la travée centrale du pont avec les trois autres nouveaux membres du commando qui avaient remplacé les victimes du crash sur Malte. Tous des durs à cuire, des soldats de l'unité d'élite SAS (Special Air Service) qui auraient dû rejoindre leur brigade stationnée en Égypte. Fleming les avait briefés sur leur mission. Sans en révéler le but ultime. Ils avaient tous revêtu des habits de pêcheur, Fleming le premier, en pantalon ciré gris, épais pull de laine et bonnet bleu nuit. Trois canots étaient attachés aux flancs du *Triumph*, le matériel du commando soigneusement sanglé dans le dernier.

Soudain, le commandant se raidit et pointa son doigt en direction de la lagune. Des clignotements brefs, puis longs apparurent dans la nuit.

— À onze heures, lança le commandant.

L'officier décrypta sans efforts le code morse et articula à voix basse :

— *Le doge dort en son palais.* Parfait !

Il déposa ses jumelles et toucha de sa main l'épaule du matelot penché sur le bloc optique de transmission.

— Le signal convenu. Transmettez : *Ses enfants sont de retour.*

Le marin s'exécuta, une série de flashs lumineux jaillit de la tourelle. Le commandant se tourna vers Fleming.

— Le bateau de nos amis italiens est au rendez-vous. Préparez-vous à débarquer avec vos hommes, capitaine.

— Ne le prenez pas mal, mais je suis ravi de remettre pied à terre, je n'aurais pas tenu une minute de plus dans votre boîte de conserve. Votre foutue interdiction de fumer m'a rendu dingue.

— Ça n'a duré que vingt-quatre heures, n'exagérez pas… Nous reviendrons dans quatre jours. J'ai toujours rêvé de visiter Venise avec ma femme, mais je ne vous envie pas d'aller y faire du tourisme. On doit y croiser plus de policiers et de fascistes que de couples d'amoureux. Bonne chance.

— Merci commandant, je ramènerai un souvenir pour votre épouse.

Fleming descendit sur le pont d'un pas rapide, puis monta à bord d'un des canots qui tangua sous son poids.

— On ne peut pas aller directement à Venise en sous-marin ? demanda Laure qui l'aida à s'installer à l'arrière.

— Oui bien sûr. Le moyen le plus certain pour finir au fond de la lagune et terminer notre mission à converser avec les poissons. Venise est l'une des bases de la Regia Marina. Et un peu plus au nord, on a Trieste, un des ports les plus stratégiques d'Italie. Le coin regorge de mines sous-marines et de patrouilleurs motoscafi armés jusqu'aux dents.

Un ronronnement sourd monta à la surface de la mer. Soudain, un bateau de pêche surgit des ténèbres. De taille imposante, sa proue était surmontée d'une haute drague de couleur rouille, spécifique aux chalutiers qui opéraient dans cette portion de l'Adriatique.

Les membres du commando sortirent des courtes rames et les plongèrent dans l'eau glacée. Il leur fallut une bonne dizaine de minutes pour se coller aux flancs du navire de pêche. Des marins les aidèrent à monter à l'intérieur. Un petit homme, d'une soixantaine d'années, le crâne vissé sous une casquette défraîchie, salua Fleming et jeta un coup d'œil surpris à Laure.

— Soyez les bienvenus en Vénétie, dit l'homme avec un fort accent italien. Je ne vous donne pas mon nom. Je n'ai pas envie qu'on me retrouve si les fascistes vous arrêtent et vous font parler.

— Pareil pour moi.

— On va vous installer dans la cale, désolé pour l'odeur de poisson, *signora*.

Il inspecta les deux agents secrets et d'une main rapide remonta leurs bonnets sur le côté droit.

— C'est un peu mieux, mais je doute que vous fassiez illusion auprès de vrais pêcheurs. On ne porte pas ce genre de pantalon et de pull par ici. Vos habits semblent tout droit sortis d'un magasin de costumes.

— Vous parlez très bien notre langue pour…, répondit Fleming qui ne termina pas sa phrase.

— Pour un petit pêcheur vénitien ? *Sangue di Bacco*[1]… Ah ah ah… Je dirige une entreprise de salaison et d'exportation et avant-guerre j'ai fait beaucoup de commerce avec vos compatriotes. Montons dans la cabine et *avanti popolo* ! Comme dit notre Duce bien-aimé.

Laure et Fleming suivirent le capitaine jusqu'au poste de pilotage. L'Italien prit la barre et actionna un levier sur la gauche. Le moteur du bateau fit vibrer toute la carcasse, une forte odeur de gasoil se répandit dans la cabine. La poussée fut telle que Laure et Fleming faillirent basculer en arrière sous l'œil goguenard du marin.

— Moteur Isotta Fraschini, avec ça on peut aller au bout du monde. Ou presque.

— Où allez-vous nous débarquer à Venise ?

Le marin secoua la tête.

— Changement de programme, mon ami. Avec la visite d'Hitler et de Mussolini, les autorités maritimes ont doublé les patrouilles. Tous les bateaux sont fouillés systématiquement avant d'accoster en ville. Nous allons faire un détour sur une île dans la Lagune. Je m'en serais d'ailleurs bien passé.

L'homme cracha par terre et sortit un juron en italien.

— Il n'a pas l'air content, murmura Laure.

— Vous pourriez être plus précis, capitaine ? demanda Fleming.

---

1. « Sang de Bacchus », juron vénitien.

400

— Nous nous rendons sur Poveglia. L'île est considérée comme maudite par les Vénitiens. Elle a servi de mouroir aux lépreux pendant le Moyen Âge, puis de prison et maintenant d'asile d'aliénés. On dit que les fantômes des âmes mortes hantent ce lieu pour l'éternité.

— Charmant. On peut savoir ce qui va se passer ensuite ?

— Les fascistes et les carabiniers ne mettent jamais les pieds sur Poveglia. Le directeur de l'établissement est un sympathisant de notre cause. Il a trouvé un moyen astucieux pour vous faire entrer dans Venise.

— Lequel ?

Le capitaine articula lentement, sans aucun soupçon d'ironie :

— Il va vous tuer.

46

Nuremberg
30 août 1933

La couverture de nuages se déchira brusquement et l'avion plongea dans une mer de lumière. De sa main boudinée, Goering montra les rayons du soleil qui ruisselaient comme de l'or liquide sur les ailes du Junker. Hitler se pencha un instant vers le hublot avant de se renverser dans la pénombre rassurante de son siège. Il n'aimait pas la lumière. Il fit signe à son secrétaire qui attendait, un calepin à la main.

— Notez. À l'intention des responsables des organisations de jeunesse. Limitez l'exposition des membres des jeunesses hitlériennes au soleil, c'est très mauvais pour la santé.

Assis à côté, Hess hocha la tête. Comme d'habitude, le Führer avait raison. Il fallait préserver le capital humain de la nouvelle Allemagne. Un véritable nazi se devait de mener une vie exemplaire. Comme Hitler qui ne buvait que de l'eau, refusait le tabac et mangeait uniquement végétarien. Pas comme ce gros porc de Goering dont le ventre rebondissait sur sa ceinture et l'haleine empestait les relents de cigare.

— Notez. Pour le programme d'aujourd'hui. Prévoyez une heure de battement à mon arrivée à Nuremberg. Je veux voir Himmler.

La voix inquiète de Goebbels résonna dans la carlingue. Assis à l'arrière de l'avion, il rédigeait le discours de clôture que prononcerait Hitler au congrès du parti nazi. Le premier depuis qu'Hitler avait été élu chancelier au mois d'avril.

— Mais mon Führer, vous avez rendez-vous avec les responsables locaux du parti, suivi d'un entretien avec le bourgmestre…

— Ne vous inquiétez pas, Joseph, nous ne ferons que les décaler. Magda est déjà arrivée à Nuremberg, je crois ?

— Oui, elle organise la journée des femmes du parti.

— Ah, Joseph, vous avez là une épouse exceptionnelle !

Goebbels eut un sourire forcé. Trois jours auparavant, Magda et lui avaient fait valser vases et assiettes dans leur résidence berlinoise. L'*épouse exceptionnelle* manquait singulièrement d'empathie quand son mari se dévouait à fréquenter de jeunes actrices afin de les convaincre de tourner dans des films de propagande à la gloire du Reich.

— Nous allons commencer notre descente vers Nuremberg, annonça Goering, la ville va apparaître sur le côté gauche de l'appareil, j'ai demandé au pilote de la survoler à basse altitude.

Hitler ne répondit pas. Enfoncé dans son siège, il regardait la cité se dessiner progressivement. D'abord les premiers faubourgs, puis la ville médiévale avec son lacis de ruelles et de vieilles demeures. D'immenses oriflammes nazies ensevelissaient les deux tours de la cathédrale du clocher jusqu'au parvis. Désormais, même l'église reconnaissait la suprématie du nazisme. Hitler savourait sa victoire. En quelques années, il avait réussi à imposer le règne de la croix gammée, qu'il portait à sa boutonnière, à toute l'Allemagne. Le pilote continuait de descendre. Dans une rue bordée d'arbres, des membres du parti s'entraînaient à défiler. Demain, pour la grande parade, ils seraient des centaines de milliers, venus de tout le pays célébrer la conquête du pouvoir. L'Allemagne et Adolf Hitler faisaient destin commun.

Assis quelques sièges plus loin, Hess contemplait le Führer. Qui aurait dit que cet inconnu qu'il avait rencontré quinze ans auparavant à Munich serait aujourd'hui le maître adulé du Reich ? À croire qu'il avait été touché par une grâce imprévue.

— Rudolf !

— Oui, mon Führer.

Hess venait de s'asseoir auprès d'Hitler sous le regard épieur de Goebbels et de Goering.

— Dites-moi, Rudolf, vous pensez parfois au passé ?

— À l'instant même, je me rappelais Munich.

C'est là que je vous ai rencontré pour la première fois.

À l'évocation de ce souvenir, Hitler ne laissa échapper aucune réaction. Lui aussi se souvenait de Munich, de la guerre civile, de la misère et surtout d'autres choses. Survolant Nuremberg où ses partisans se préparaient à l'acclamer, il pouvait mesurer le chemin parcouru depuis ses années difficiles à Vienne jusqu'à la chancellerie de Berlin. Un chemin dont il ne voulait plus voir que l'arrivée, semblable à l'immense esplanade qui venait d'apparaître dans le hublot : la Reichsparteitagsgelände où le parti allait célébrer sa victoire.

— Qu'est devenue la société Thulé ? interrogea Hitler.

— Elle n'existe plus et ses membres sont dispersés.

— Et von Sebottendorf ?

— Il avait longtemps vécu en Turquie. Il y retourne. Définitivement.

Hitler tapota la main de Hess. Ils s'étaient parfaitement compris. Himmler allait se charger du reste. Le choc sourd de la sortie du train d'atterrissage retentit sous leurs pieds.

— Mon Führer…, annonça Goering.

— Je sais, Hermann, nous sommes arrivés.

Tout le long du trajet, la foule s'était amassée contre les barrières gardées par des SS en uniforme noir. Debout, dans la Mercedes de parade, Hitler saluait en levant le bras, déclenchant des hurlements d'approbation. Le conducteur surveillait compulsivement le rétroviseur droit craignant de rater un signe de son maître. Si Hitler, après avoir salué, posait la main sur son ceinturon, il devait ralentir. Le chauffeur n'eut pas longtemps à attendre. Une mère brandissait un enfant tenant un bouquet dans son minuscule poing serré. La voiture s'arrêta. Hitler repoussa son service d'ordre et traversa seul les quelques mètres qui le séparaient de la foule. Postée dans la voiture suivante, une caméra ne perdait pas une image de la scène. Hitler prenant l'enfant dans ses bras. Hitler l'embrassant sur les joues. Hitler serrant dans ses bras la mère en pleurs. Ces images allaient faire le tour de l'Allemagne.

La foule devenait plus dense au fur et à mesure qu'il se rapprochait du centre-ville. Hitler s'était assis, se contentant de lever mécaniquement le bras à chaque coin de rue. Il devait économiser ses forces. À ses côtés Hess s'enivrait des hurlements de la foule qui redoublaient d'intensité.

— Quelle passion, mon Führer, quelle passion ! Le peuple est envoûté !

La Mercedes s'immobilisa devant l'hôtel de ville. Après avoir salué brièvement les officiels qui l'attendaient debout depuis des heures, Hitler s'engouffra dans le bâtiment aussitôt bouclé.

— Himmler est arrivé ?

Un officier SS se précipita pour prévenir son chef. Avant qu'il ne s'enferme dans un salon, Goebbels arrêta Hitler au passage.

— Mon Führer, vous devez venir saluer au balcon. Les journalistes étrangers viennent d'arriver. Il faut absolument qu'ils voient la liesse de la population dès que vous apparaissez.

Hitler se laissa conduire docilement devant une fenêtre. Goebbels était un séducteur compulsif et un piètre mari, mais c'est lui qui avait popularisé le nom d'Hitler partout en Allemagne. Il avait fait de la propagande un art absolu. Le balcon était inondé de soleil. Aveuglé par la lumière, Adolf ne voyait rien, mais entendait le rugissement de son nom scandé par une marée humaine. Il ôta sa casquette, sourit et salua la foule. Ne rien voir ne le dérangeait pas. Il avait l'habitude depuis Pasewalk. Et il ressentait mieux la ferveur du peuple qui l'emplissait d'une énergie toujours prête à déborder.

— Tournez-vous plus à gauche, mon Führer, c'est là que sont regroupés les journalistes.

Une fois la fenêtre fermée, Hitler se rendit dans le salon où l'attendait Himmler, plongé dans la lecture d'un dossier. À l'entrée du Führer, le chef des SS se leva.

— Restez assis, Heinrich.

Himmler ferma son dossier qu'il fit glisser devant Hitler.

— J'ai un projet que j'aimerais vous soumettre. Vous savez combien le monde universitaire nous est sourdement hostile.

Hitler haussa les épaules.

— Des émasculés de la pensée ! Des rongeurs de

papier ! Des broyeurs de néant dont les idées déviri-lisent le peuple allemand et corrompent la jeunesse !

— Voilà pourquoi je souhaiterais créer un nouvel institut universitaire, entièrement dévoué à notre cause.

— Qu'avez-vous en tête ?

— Je veux recruter tous ceux qui n'ont pas été contaminés par les idées de marxisme et de démo-cratie. Et je veux leur confier une mission : prouver au monde entier la suprématie de la race germanique.

— Et vous avez une idée de nom pour votre institut ?

— L'Ahnenerbe, *l'héritage des ancêtres.* Pour affirmer notre supériorité, il faut retrouver et prouver notre lignée à travers les âges, je vais avoir besoin d'archéologues, d'ethnologues, d'anthropologues…

Le Führer leva la main.

— Accordé, Heinrich, vous pouvez commencer à recruter sur le budget de la SS, mais vous avez une idée de qui pourrait diriger votre institut ?

— Je vous soumettrai une liste de noms et…

— J'ai moi un nom à vous proposer.

Derrière ses lunettes cerclées de métal, Himmler laissa s'échapper une lueur de surprise. Ce n'était pas dans les habitudes d'Hitler de recommander qui que ce soit.

— Weistort. Karl Weistort.

Ce nom était parfaitement inconnu à Himmler. Il allait tout de suite lancer une enquête. Heydrich, qu'il venait de nommer à la tête des renseignements de la SS, en ferait une priorité.

— Un excellent choix, je n'en doute pas, mon Führer.

Comme s'il lisait dans les pensées de son interlocuteur, Hitler demanda :

— Dites-moi, Heinrich, vos services de renseignement ont-ils des contacts en Autriche ?

— Bien sûr. Les sympathisants de notre cause y sont nombreux. Sans compter de nombreux hauts fonctionnaires qui nous informent.

— J'aimerais que vous m'y retrouviez un certain Jörg Lanz. Un ancien moine.

Un coup discret retentit contre la porte, suivi de la voix de Goebbels :

— Mon Führer, ils sont des dizaines de milliers de militants à vous attendre. Et il en arrive de partout. Nous n'arrivons plus à les canaliser. La ville va être submergée…

Hitler se leva, aussitôt imité par Himmler.

— Dès que je l'aurai retrouvé, je vous préviendrai.

— Ne me prévenez pas. Arrangez-vous pour qu'il retourne dans son monastère. Et qu'il n'en sorte jamais.

47

Venise
Île de Poveglia
Décembre 1941

Le chalutier était sagement amarré dans l'étroit goulet artificiel qui faisait office de quai. À l'aplomb se dressait la façade haute et massive d'un bâtiment rectangulaire et austère du XVIIIᵉ siècle. Des enchevêtrements de lierre couraient sur les murs d'enceinte à moitié écroulés. Derrière, à l'intérieur des terres, on apercevait la flèche d'un campanile qui paraissait encore plus ancien.

Laure et Fleming descendirent du navire, précédés des trois hommes du commando portant de gros sacs de toile. Ils s'engouffrèrent, à l'invitation du capitaine, dans un chemin de pierre qui longeait le bâtiment.

— Dépêchez-vous, mieux vaut ne pas traîner.

— Je croyais que nous étions en lieu sûr.

— Oui, mais je ne connais pas tous les pensionnaires de l'établissement, dit-il en pointant l'index en direction de la façade.

Laure leva les yeux et aperçut au premier étage une femme aux longs cheveux blancs qui semblait flotter dans une blouse blanche. Elle regardait fixement Laure et dessinait quelque chose sur la vitre. Ses yeux étaient grands ouverts, comme si elle n'avait pas de paupière. Laure tira la manche de Fleming pour lui montrer le curieux personnage, mais le temps qu'il lève les yeux, la femme avait disparu.

— Vous avez vu un fantôme ? plaisanta Fleming.

— Très drôle, je crois plutôt que c'était une pensionnaire de ce charmant établissement. Que voulait dire le capitaine quand il disait que le directeur de cet asile voulait nous tuer ?

— Je n'en sais rien, c'est peut-être une forme d'humour vénitien.

— Du temps de la peste noire au Moyen Âge on a construit un lazaret pour accueillir ici tous ceux qui avaient été contaminés, expliqua le capitaine en marchant d'un pas vif. C'est ce bâtiment qui a été par la suite aménagé en asile. On a enterré ici près de cent soixante mille corps, tous fauchés par l'épidémie. Vous marchez sur les morts.

Un long hurlement jaillit soudain au-dessus de leur tête. Il provenait d'une fenêtre aux volets de bois à moitié ouverts.

— Quel sens du spectacle ! On dirait qu'on égorge des gens là-haut, commenta Fleming d'une voix moins assurée qu'il ne l'aurait voulu.

— Bon Dieu, qu'est-ce que c'est ? demanda l'un

des commandos SAS que les explications du marin avaient alerté.

Le capitaine s'arrêta devant une lourde porte de fer et l'ouvrit dans un grincement épouvantable. Il leur intima l'ordre d'entrer.

— Ne faites pas attention. Ce sont les patients du docteur Giamballo. Passez vite à l'intérieur.

Les hommes du commando échangèrent des regards méfiants.

— Ça ne me dit rien qui vaille, capitaine, marmonna l'un des hommes.

— Allez, c'est juste un asile d'aliénés. On n'a pas de temps à perdre avec ces enfantillages.

Fleming s'engouffra le premier à l'intérieur, suivi de Laure qui décocha un regard ironique aux trois soldats hésitants.

— Si vous avez peur de rentrer là-dedans, aidez les pêcheurs à nettoyer le poisson. Vous servirez au moins à quelque chose.

Les hommes maugréèrent et pénétrèrent à leur tour dans le passage sombre.

Quelques minutes plus tard, le commando et le capitaine du bateau se retrouvaient dans une pièce aux murs blanchis à la chaux qui servait de dépôt pour des piles de planches de bois clair. Le seul ornement mural se résumait à un tableau noirâtre représentant une Vierge au regard accablé. Au moment où ils allaient jeter leurs sacs à terre, une voix résonna en provenance d'une porte entrouverte.

— Non, ne posez rien, nous avons très peu de temps.

Un homme en blouse blanche, au teint délavé, les yeux bouffis cerclés de petites lunettes rondes, arriva à leur rencontre. Quoique essoufflé, il étreignit vigoureusement le capitaine du bateau et salua Fleming.

— Je suis le docteur Gianni Giamballo, directeur de Santa Maria di Poveglia. Désolé pour l'inhospitalité, mais vous êtes seulement dans une zone de transit.

Un nouveau hurlement ponctua la tirade du médecin. Celui-ci esquissa un sourire, comme si tout était normal.

— Vous soignez qui, ici ? demanda Laure.

— Des personnes atteintes de troubles mentaux… et sociaux. Le fascisme ne tolère plus dans les rues que des Italiens sains de corps et d'esprit. Un comportement anti-social ou non productif est désormais considéré comme de la folie. Les autorités nous envoient tous ceux que la société considère comme déviants. Nous avons même eu un temps une ancienne maîtresse du Duce, une femme exquise, mais un peu perturbée.

— On la comprend… Coucher avec un type comme Mussolini, ça doit être une expérience éprouvante, à la limite du traumatisme, commenta Laure sur un ton sarcastique.

— En tout cas, merci de nous aider, dit Fleming.

— Je vous en prie, je considère ce régime et sa

413

politique comme l'expression d'une authentique démence. L'Italie, patrie de l'art, de la culture et de la beauté ne mérite pas son pauvre sort. Nous sommes nombreux à regretter ce qui se passe ici. Vous ferez bientôt la connaissance de notre chef de réseau. Un homme de grande valeur, c'est lui qui a réussi à me convaincre de rejoindre les rangs de la résistance antifasciste. Veuillez me suivre, s'il vous plaît.

Il repassa par la porte, suivi du petit groupe. Après avoir longé un couloir ils arrivèrent dans une chapelle aux murs tout aussi immaculés que la première pièce. Devant l'autel, cinq cercueils étaient alignés, posés sur des tréteaux. Le médecin ouvrit ses bras.

— J'ai prévu des modèles larges, j'espère que vous ne serez pas trop à l'étroit à l'intérieur.

Immédiatement, les trois soldats du SAS braquèrent leurs pistolets-mitrailleurs Sten sur le médecin.

— C'est quoi ce traquenard, lança l'un des hommes, tu t'imagines pas que je vais me faire enfermer dans un putain de cercueil ?

Laure et Fleming échangèrent des regards complices.

— Maintenant, je comprends mieux la remarque du capitaine, dit Laure.

— Baissez vos armes, je vais vous expliquer, répondit le docteur. Notre établissement ne reçoit plus aucune aide du gouvernement et ce que versent les familles ne suffit pas à assurer son fonctionnement. Nos patients les plus valides travaillent dans notre atelier de menuiserie : ils fabriquent des cercueils bon marché. Une activité qui, hélas, ne connaît pas de baisse de régime. Une fois assemblées, les bières sont ensuite livrées par bateau au centre de Venise où elles sont réparties dans les différents services de pompes funèbres. Les carabiniers comme les chemises noires répugnent à les ouvrir par superstition, car elles viennent de Poveglia, l'île maudite.

Laure s'approcha du premier cercueil et le regarda avec répulsion.

— Quelle charmante attention, on a mis des coussins à l'intérieur.

— Des trous d'aération ont été discrètement percés pour vous permettre de respirer, dit le médecin. Lorsque vous serez sur le bateau qui assure le transport jusqu'à Venise. Comptez une à deux heures. Une fois arrivés, vous rencontrerez notre chef.

— Pas question que je monte dans vos foutues boîtes, dit l'un des hommes en se signant. Je me suis engagé pour faire la guerre, pas pour jouer les macchabées.

Il transpirait et paraissait affolé, son index toujours calé sur la détente de son pistolet-mitrailleur. Fleming posa la main sur son épaule.

— Je crains que nous n'ayons pas d'autre choix, soldat.

L'homme, visiblement énervé, se dégagea. La peur se lisait sur son visage. Il contemplait les cercueils comme s'ils étaient destinés à recueillir de véritables dépouilles.

— Je refuse… Laissez-moi tranquille.

Fleming sortit un Browning noir et mat de son étui et le colla contre la tempe du commando. Il arma le pistolet.

— Baissez votre arme tout de suite. Désobéissance à un ordre d'un supérieur en temps de guerre, c'est de la désertion devant l'ennemi. J'ai le droit de vous abattre pour préserver la mission. Votre cadavre ira rejoindre ceux des pestiférés. Choisissez : le cercueil ou la fosse commune de l'île.

L'homme continuait de suer à grosses gouttes. Il secouait la tête. L'un de ses camarades s'approcha de Fleming.

— Mon capitaine, c'est pas si simple…

— Expliquez-vous.

— Pendant la campagne de France, du côté d'Abbeville, Douglas a passé une nuit entière dans un fossé rempli des cadavres de ses compagnons de brigade. Il a réussi à s'échapper au petit matin, mais il est devenu… claustrophobe.

— *Damn it*, lança le soldat, vous pouvez m'emmener jusqu'en enfer, mais pas dans ces foutues boîtes !

Fleming consulta Laure du regard, elle haussa les épaules : il n'y avait rien à faire contre les phobiques. Le médecin italien intervint :

— Capitaine, j'ai déjà soigné des malades atteints de cette pathologie, je ne pense pas que cet homme

416

simule. Laissez-le ici, on verra bien si on ne peut pas le faire acheminer par un autre moyen.

Mécontent, Fleming rengaina son arme.

— Et encore un homme en moins, je vais finir par croire que cette mission est vraiment maudite.

48

Venise
Palais Bragadin
Décembre 1941

Une gondole noire glissait sur le canal étroit. Il n'y avait personne à l'intérieur, elle semblait guidée par une force invisible. Ou alors elle était manœuvrée par un fantôme. À Venise, tout était possible. Pourquoi les fantômes n'auraient-ils pas droit de flâner en gondole ? Assis contre le parapet du balcon de pierre qui surplombait le bras d'eau, Tristan se demandait si l'embarcation allait tourner d'elle-même à l'intersection des canaux.

Son regard se tourna vers le salon. Il aperçut Erika juchée sur une table. Elle scrutait les détails du plafond peint dont la peinture s'écaillait à certains endroits. Un décor de *putti* – des angelots potelés comme des nouveau-nés – ainsi que des corbeilles de fruits exotiques. Dans un angle, un faisceau de lances abandonné contre un tronc d'arbre suggérait qu'après la guerre venait le temps du paradis terrestre.

Une allégorie de Venise dont les richesses résultaient aussi bien de la pratique du commerce que du fer des conquêtes.

Ils avaient passé plus de deux heures à inspecter le palais en compagnie de leur guide, Deonazzo, sans résultat probant pour leur quête.

Tous deux étaient devenus incollables sur l'histoire des lieux. Le célèbre séducteur Casanova y avait résidé à l'invitation du propriétaire auquel il avait sauvé la vie. L'aventurier, pour financer ses plaisirs, y organisait des séances de magie, invoquait la kabbale, et profitait de la crédulité du maître de maison et de ses amis pour leur extorquer des sommes d'argent considérables. Deonazzo leur avait livré quantité d'anecdotes piquantes. Comme le scandale qui avait éclaté dans tout Venise quand le bruit s'était répandu que l'ambassadeur de France y organisait des rendez-vous amoureux avec une jeune religieuse… Si Tristan s'était laissé bercer par les talents de conteur de leur guide, Erika avait, elle, manifesté plusieurs fois son agacement et son désarroi. Rien dans l'histoire du palais Bragadin ne la reliait à leur quête de la swastika. Cette fois, Tristan s'était avoué impuissant à relier les fils.

Des cris fusèrent le long du canal qui passait sous le palais. Tristan se retourna et vit deux hommes sur un ponton en train de jouer au lasso avec la gondole échouée contre le mur lépreux d'un édifice qui avait connu des jours meilleurs. On aurait dit qu'elle était vivante et se cabrait furieusement sous les assauts des apprentis cow-boys. Tristan sourit, la scène avait quelque chose de surréaliste, il pria en secret pour que la gondole s'échappe et continue sa course poétique dans le dédale de la Sérénissime.

Un bruit familier de pas claqua contre la pierre. Erika passa sa tête et une botte dans l'entrebâillement de la porte-fenêtre.

— Tristan, viens !

Il se détacha avec regret de la tentative de domptage.

L'archéologue se tenait face à lui, les mains sur ses hanches, une expression de froideur plaquée sur le visage.

— Nous sommes dans une impasse. Il n'y a qu'une explication : tu t'es trompé en nous envoyant ici.

— C'est possible.

— Je m'étonne que tu réagisses ainsi.

Tristan s'approcha d'elle, la prit par la taille et l'embrassa.

— Et si pour une fois, on voyait le bon côté de la situation, nous sommes à Venise, c'est quand même plus romantique que l'abbaye de Heiligenkreuz. Nous pourrions même en profiter pour nous autoriser un peu de… détente.

Il glissa sa main sous sa chemise pour atteindre le creux des reins.

— Non… En ce moment, ce n'est absolument pas de ces talents dont j'ai besoin.

Il l'enlaça de plus belle.

— J'ai repéré un lit moelleux à l'étage, l'escalier est juste derrière cette porte…

— Comment peux-tu penser à ça, en ce moment ?

Toutefois, elle ferma les yeux, semblant apprécier son étreinte, puis se détacha en le repoussant de ses mains jointes.

— Le temps est compté, il faut se remettre au travail. Même si on ne trouve rien, je veux apporter des éléments à Himmler avant sa venue avec le Führer. On va reprendre à zéro, je…

Tristan secoua la tête.

— Non, ça suffit. J'en ai ma claque.

Il paraissait irrité et continua d'une voix forte :

— On n'a pas arrêté depuis des jours, je suis exténué. À peine débarqué de Berlin on déboule ici sans un seul instant de repos. Je ne suis pas allemand, je ne suis pas une machine. Tu crois qu'il suffit d'aboyer tes ordres pour résoudre des énigmes d'un coup de baguette magique ?

Elle recula surprise par la réaction de son amant. Deonazzo avait surgi dans le salon, alerté par les éclats de voix.

— Tout va bien *signora* von Essling ?

Tristan prit l'Italien par l'épaule et le reconduisit d'une poigne forte.

— La *signora* et moi avons un besoin pressant d'intimité. Veuillez nous excuser.

Il le poussa hors de la pièce avant de claquer la porte.

— Tu perds ton sang-froid, Tristan.

— Non, je suis juste épuisé. J'ai besoin de passer une nuit entière à dormir, de détendre mon cerveau et de jouir de Venise. Je ne peux pas résoudre des mystères vingt-quatre heures sur vingt-quatre.

L'archéologue le regarda sans répondre. Il continua d'une voix exaspérée :

— Et entre nous, je me fous de ton Führer, de ton Reichsführer et de tous tes petits camarades dont les titres ridicules finissent par Führer. Quant à votre maudite croix gammée sacrée vous pouvez vous la mettre où je pense ! Après tout, ça m'arrangerait peut-être que vous ne la trouviez pas cette foutue relique. Et que le grand Reich se prenne enfin une bonne déculottée.

Le Français s'affala sur un canapé et croisa les bras d'un air de défi. Erika le détailla avec étonnement.

— Tu sais que ce genre de propos peut te conduire devant un peloton d'exécution ?

— *Me ne frego !*

— Pardon ?

— C'est la devise de vos amis fascistes. *Je m'en fous*. Quitte à se faire buter autant que ce soit dans cette ville. Ne dit-on pas : « Voir Venise et mourir » ?

Elle s'assit près de lui et lui caressa la joue.

— Pour ton plus grand bien, je vais oublier ce que tu viens de dire. Tu as raison, j'ai peut-être présumé de nos forces. Moi aussi, j'ai besoin de repos. Mais avant d'aller à l'hôtel…

Elle l'embrassa sur les lèvres, puis soudain l'enfourcha entre ses cuisses.

— Tu es très séduisant quand tu te mets en colère, murmura-t-elle.

— Et si on montait plutôt à l'étage ?

Elle le plaqua avec force contre le canapé.

— Ne sois pas si conventionnel… Qui a besoin d'un lit ?

49

Venise
Décembre 1941

La place Saint-Marc était déserte, seulement hantée par des vols de pigeons qui volaient en grappe serrée autour du campanile. Exceptionnellement, Hitler avait renoncé à ses habitudes de lève-tard pour visiter en compagnie d'Himmler le palais des Doges. La police italienne, renforcée par deux détachements SS, avait bloqué tous les accès tandis que la lagune était étroitement surveillée par des unités maritimes. Cela faisait des décennies que la place la plus célèbre du monde n'avait été aussi vide. Le silence était tel qu'on entendait le reflux de la marée résonner sous l'allée couverte qu'empruntaient Hitler et le chef de la SS.

— On dit que Mussolini n'aime pas Venise, remarqua Hitler. Ça ne m'étonne pas, c'est un paysan de la Romagne, il est incapable d'apprécier toute cette beauté.

— Absolument, mon Führer, acquiesça Himmler.

— D'ailleurs Venise n'a rien à voir avec l'Italie.

Quoi de commun entre un sang-mêlé de Napolitain et les habitants qui ont bâti cette ville de marbre sur l'eau ?

— Rien. Je suis d'ailleurs certain que Venise a été édifiée par des peuples issus de Germanie, renchérit Heinrich. Dès notre retour je le ferai démontrer par nos meilleurs chercheurs de l'Ahnenerbe.

Hitler s'arrêta devant la porte d'entrée du palais des Doges dont il dessina du doigt l'arcade flamboyante.

— Regardez du pur gothique ! D'ailleurs, savez-vous combien de temps Venise est restée sous autorité autrichienne ? Presque un siècle ! Je me demande si je ne devrais pas exiger de Mussolini qu'il nous restitue la Vénétie.

Malgré son habitude de masquer ses réactions, Himmler eut un moment de panique. Subitement, il imagina la tête du Duce face aux exigences territoriales d'Hitler. Le *Crapaud*, comme le surnommait Hitler, risquait fort d'entrer dans une colère noire.

— Vous souhaitez traiter de questions territoriales avec Mussolini, mon Führer ?

Hitler s'était arrêté au centre de la cour intérieure pour admirer la dentelle immaculée des façades.

— Je sais ce que vous craignez, Heinrich, mais rassurez-vous, c'est de tout autre chose que je veux entretenir le Duce. Ce n'est pas uniquement un voyage de propagande comme le croit Goebbels. Maintenant que nous sommes sur le point d'en finir avec les Russes, nous devons tourner notre regard ailleurs. Vers le sud.

D'une nature défiante, Himmler s'étonna.

— Nous sommes déjà présents en Grèce, dans les Balkans et nos troupes dirigées par le général Rommel se battent en Libye pour aider les Italiens. Vous savez que j'ai toujours été contre cette intervention de l'autre côté de la Méditerranée.

— Ah… Heinrich, vous allez tout comprendre dans quelques instants.

Ils venaient d'emprunter l'escalier monumental qui montait au premier étage. Hitler ne leva pas le regard vers le plafond richement décoré de caissons sculptés. En architecture, il détestait le trop-plein.

— Je ne serais pas étonné que des juifs aient collaboré à ce décor. Du tape-à-l'œil, du m'as-tu-vu ! Venez, je vais vous montrer quelque chose.

Himmler sentit son cœur battre. Il était toujours ému quand Hitler, avec ses responsabilités écrasantes, prenait le temps de partager son intimité. Il avait l'impression d'entrer dans le saint des saints, le lieu profond où le Führer était vraiment lui-même.

— Quand j'étais en prison[1] j'ai passé des nuits entières à dévorer des livres sur Venise, à imaginer cette ville, ce palais. Si vous saviez combien de fois je l'ai arpenté en esprit !

— Vous avez donné votre vie pour l'Allemagne, vous êtes un saint pour notre mère patrie !

Le ton d'Himmler était sincère. Entre l'arrivée

---

1. Après un coup d'État raté à Munich en 1923, Hitler avait été emprisonné avec Hess. Condamné à cinq ans de détention, il n'en avait effectué que neuf mois.

d'Hitler au futur parti nazi et son accession au pouvoir, presque quinze ans s'étaient écoulés. Des années de lutte obstinée pendant lesquelles il s'était dépensé sans compter. Et durant ses mois de détention, alors qu'il écrivait *Mein Kampf,* réorganisait le parti du fond de sa cellule, il avait trouvé le temps et l'énergie d'étudier à fond Venise.

— Regardez !

Le Führer venait d'ouvrir une porte révélant une pièce qui semblait oubliée des visiteurs. Une odeur de cire fanée flottait encore dans l'air. Heinrich releva les stores baissés des fenêtres. Ce qu'il aperçut sur les murs le stupéfia : là où il s'attendait à voir des portraits de vieux doges ridés ou des vierges à l'enfant, c'était un condensé du monde qui s'offrait à lui.

— Vous êtes dans la salle des cartes, annonça Hitler. Oubliez les angelots sculptés et les plafonds peints, oubliez les salons d'apparat, l'or jeté à la face des visiteurs pour les éblouir, les aveugler… Ici vous êtes au cœur secret de Venise. Là où se mûrit son ambition et se décide sa politique.

L'univers s'étalait sur les murs. Ici, Heinrich reconnaissait la côte adriatique, parsemée des possessions de la Sérénissime, puis la Crète et ses forteresses imprenables, plus loin la mystérieuse Afrique d'où surgissaient les caravanes serrées, remplies d'or et d'ivoire… Hitler montra du doigt l'Europe.

— Regardez ce que nous avons déjà conquis. Même Venise au faîte de sa puissance n'est jamais allée si loin ! Mais nous n'allons pas nous arrêter là !

Le chef des SS contemplait la Méditerranée. Toute la rive nord appartenait au Reich ou à ses alliés, l'Espagne et l'Italie. Brusquement, il crut saisir le véritable dessein d'Hitler. Et si le Führer avait envoyé un corps expéditionnaire en Libye, non pas pour aider son allié Mussolini, mais pour s'emparer du Proche-Orient et de là faire exploser l'Empire colonial britannique ? Jusqu'en Inde.

— Vous êtes un visionnaire !

— Maintenant, vous comprenez pourquoi j'ai besoin de Mussolini ? Il a des troupes sur place, mais elles ne sont pas assez nombreuses.

Himmler osa une remarque :

— D'après nos militaires, ces soldats ne sont pas très efficaces au combat...

— Ce sont des Italiens, ils ne savent plus se battre depuis les empereurs romains. En revanche, nous en avons besoin pour assurer l'intendance : transports, ravitaillement... Dans le désert, c'est vital.

Hitler tendit la main vers le Nil.

— Il faut d'abord s'emparer de l'Égypte. Ensuite tout tombera comme des dominos. La Palestine, la Syrie, le Liban... puis l'Irak et l'Arabie qui nous offriront leurs gigantesques réserves de pétrole... Je réveillerai la puissance et les rêves du monde arabe... Je libérerai le continent indien...

Dessinée sur le mur, l'Inde n'était qu'une côte. Les connaissances et l'ambition des Vénitiens avaient une limite. Pas celles du Führer.

— Dès le printemps prochain, j'enverrai de

428

nouvelles troupes en Russie et nous foncerons vers le Caucase. Là aussi, tous les peuples opprimés par les Russes se soulèveront sur notre passage. Des millions d'hommes qui nous devront leur liberté. Du moins ceux que nous jugerons dignes de nous servir.

Alors même qu'il ne buvait jamais, Himmler se sentait ivre. L'Allemagne nazie allait écrire une nouvelle page du monde. Une page qui ne s'arrêterait ni au Caucase ni à l'Inde… Napoléon s'était arrêté face au Jourdain, Alexandre devant l'Indus, Hitler, lui, irait bien plus loin.

Jusqu'aux rives du Pacifique.

— Mon Führer, la voix d'Himmler était émue, je ne vois pas de meilleur moment pour vous offrir ceci.

Surpris, Hitler saisit la boîte que lui tendit le Reichsführer et l'ouvrit.

— L'Ahnenerbe l'a trouvée à Cnossos. C'est sans doute une des plus anciennes croix gammées d'Europe. Elle a été taillée dans de l'or, il y a plus de deux mille ans.

Le Führer ôta l'artefact de son écrin et l'examina en silence. Hitler avait les doigts courts et trapus, mais il manipulait les objets avec une délicatesse étonnante.

— Je suis certain que l'artisan qui a gravé ce symbole était un Germain. La pureté de l'incise dans le métal précieux est parfaite…

Himmler montra la swastika en or qu'Hitler portait à la boutonnière de sa veste.

— On pourrait presque y insérer votre croix gammée.

Instinctivement Hitler posa la main sur son insigne fétiche. Il ne s'en séparait jamais.

— Merci, Heinrich, c'est un cadeau exceptionnel. Plus encore que vous ne le pensez.

Il avait le regard fixé sur une carte où se détachait toute la façade atlantique, des côtes de Bretagne au rocher de Gibraltar. L'océan semblait se perdre à l'infini.

— L'Amérique n'existait pas alors, remarqua Himmler, désormais c'est une puissance ascendante. Nous devrons l'affronter un jour.

Hitler toucha à nouveau son insigne.

— Croyez-moi, Heinrich, tant que je serai ce que je suis, jamais l'Amérique n'entrera en guerre contre nous.

50

Venise
Siège de la délégation du Conseil fasciste
Décembre 1941

— Mes amis, avant de prendre le café de l'amitié pour clore ce dîner des Faisceaux de la Sérénissime, je vous propose de porter un nouveau toast à la gloire de l'homme que nous admirons tous !

— Au Duce ! cria à l'unisson l'assemblée des convives, les hommes en pantalon et veste d'apparat, blancs et immaculés, plastron noir au cou, et leurs femmes en robe de soirée.

Tous s'étaient levés pour brandir leurs verres.

L'homme qui portait le toast avait des tempes argentées, le nez aquilin et le regard acéré. Son visage émacié et sa silhouette altière lui conféraient une autorité naturelle. Une allure de condottiere[1] des temps anciens. Il porta le verre à ses lèvres, inspecta

---

1. Mercenaire, souvent d'origine noble, qui mettait ses troupes à la disposition d'une ville italienne.

la tablée avec un air satisfait, et avala son verre de barbaresco d'un seul trait. Le comte Galeazzo Di Stella portait lui aussi la tenue des officiels de haut rang du régime, l'insigne des faisceaux dorés cousu sur le revers de la veste se complétait par une rangée de médailles à rubans multicolores, datant de la Première Guerre mondiale. Toutes pour faits d'armes, dont la prestigieuse croix de l'Ordre de Savoie. Aucun des autres hommes présents autour de la table n'arborait autant de décorations militaires, et pour la plupart ce n'étaient que des médailles honorifiques du parti fasciste ou des opérations de la campagne d'Éthiopie. Le comte, descendant d'une des plus vieilles familles de Venise, reposa son verre sur la table.

— Merci à vous tous, notre guide suprême a besoin de votre énergie et de votre loyauté inébranlable. Et je vous suggère de passer au salon pour prendre un verre d'excellente grappa afin de fortifier nos ardeurs fascistes.

Des éclats de rire ponctuèrent son intervention pendant que des domestiques passaient entre les convives pour faire place nette sur la table. Un officier de marine au front bombé et aux cheveux noirs plaqués sur les côtés s'approcha du maître des lieux.

— Mon cher comte, je ne sais pas où vous vous approvisionnez, mais ce repas était une splendeur. Ce veau flambé ne déparerait pas la table du Duce.

— Merci, prince Borghèse. Resterez-vous parmi

nous ou partirez-vous pour une prochaine opération avec vos vaillants nageurs de la Decima Mas[1] ?

L'homme en tenue de commandant de la Regia Marina secoua la tête et mit son doigt sur ses lèvres.

— Secret militaire !

— Je m'en doutais.

— Non, je plaisante. Je devais partir en opération, mais on m'a convié à assister au dîner d'honneur organisé pour le Führer et le Duce demain soir. Vous y serez ?

— Bien sûr. Mais je ne comprends pas pourquoi il est entouré d'autant de mystères. Pas de discours officiels, pas de visite guidée, rien à voir avec le sommet de 1934.

L'officier de marine jeta un regard de conspirateur de gauche à droite, puis se rapprocha de son hôte.

— On peut parler franchement ?

— Je vous en prie.

— Que pensez-vous de cette visite imprévue d'Hitler ?

— C'est un grand honneur, répondit le comte avec emphase.

— Certes, mais je parlais de la raison de cette rencontre.

Le comte Di Stella tendit un cigarillo à son interlocuteur qui déclina poliment.

---

1. Unité d'élite de la marine italienne, rendue célèbre pour ses unités de plongeurs commando qui pilotaient des torpilles sous-marines.

— Ils ont sûrement besoin de s'entretenir en direct de l'évolution de la guerre sur le front de l'Est. La conquête de la Russie est une totale réussite, mais Moscou n'est toujours pas tombé et les troupes de l'Axe vont devoir affronter l'hiver. Nous avons quand même envoyé là-bas un corps expéditionnaire de plus de deux cent mille soldats pour prêter main-forte aux Allemands. Je n'envie pas nos hommes qui vont devoir affronter un climat sibérien.

— La campagne de Russie, c'est ce que je me suis dit aussi, mais je me demande s'il n'y a pas autre chose.

— À quoi pensez-vous ? dit l'aristocrate en allumant son fin cigare.

— L'Afrique du Nord... Rommel ne tient plus ses lignes, le siège du port de Tobrouk a été un échec et nos troupes commandées par le général Bastico reculent en Libye. Malte résiste toujours à nos assauts. Je n'aime pas ça du tout.

— Allons... Ce n'est qu'un revers temporaire. Nos forces sont supérieures à celles de nos ennemis.

— Oui, mais c'est la première fois que nous subissons autant de pertes. Et je vous rappelle que les côtes de Libye sont plus proches de Rome que les rives de la Volga.

Le comte haussa les sourcils.

— Ne soyez pas défaitiste. Pas vous, pas le Prince noir, Junio Valerio Borghese, le fier commandant des unités d'élite de la Decima Mas.

L'officier de marine sentit une pointe d'ironie dans la voix de son interlocuteur mais ne la releva pas.

— Il ne s'agit pas de défaitisme, mais de stratégie. La Méditerranée c'est le *mare nostrum* de l'Italie, notre espace vital, comme les plaines de l'Europe de l'Est le sont pour l'Allemagne. Notre principale sphère d'influence. Si l'Angleterre joue les trouble-fête plus que de raison, il faudra renforcer notre présence. Sinon, nous risquons de perdre la Libye et la Tunisie comme nous avons été chassés d'Éthiopie cette année.

Un domestique les interrompit pour murmurer à l'oreille du maître de maison. Le comte hocha la tête, puis le congédia d'une main agacée. Le marin continuait sa diatribe.

— Mussolini doit négocier avec le Führer pour un renforcement de l'Afrika Korps en Libye, c'est indispensable pour reprendre l'offensive contre l'Égypte tenue par les Anglais.

Le comte souffla une longue bouffée de fumée et riva son regard dans celui de son interlocuteur.

— Vous plaisantez, Borghese ! gronda l'aristocrate. Nous avons déjà demandé l'aide des Allemands après notre invasion ratée de la Grèce. Et Hitler doit concentrer toutes ses forces pour anéantir les Rouges ! Pas question de s'humilier une seconde fois.

— Ce n'est pas une question d'ego. Si les Américains entrent en guerre aux côtés des Anglais, il n'est pas besoin d'être devin pour savoir qu'ils envahiront l'Afrique du Nord. Et ce sera le début de la fin...

Le comte Di Stella posa sa main avec fermeté sur l'épaule de son interlocuteur.

— La discussion est close. Notre glorieuse armée est capable des plus grandes prouesses et elle fera son devoir, en Afrique comme en Russie. Je ne veux plus entendre un seul mot défaitiste sous mon toit. Ces paroles sont indignes d'un officier aussi prestigieux que vous. Reprenez-vous tout de suite !

Borghese rougit et bomba le torse.

— Je vous présente toutes mes excuses, comte.

— Un fasciste ne s'excuse jamais. Il ne connaît que deux verbes. Obéir et agir !

— Oui !

L'homme aux tempes argentées sourit.

— À la bonne heure, je vais m'empresser d'oublier à la seconde vos confidences. Et si vous alliez déguster cette fameuse grappa à la santé de notre bien-aimé Duce ?

— Avec plaisir, vous m'accompagnez ?

— Je dois d'abord régler une affaire urgente. À tout de suite.

L'officier de marine s'inclina et passa dans la pièce voisine, pendant que le comte le suivait du regard. Il attendit que son invité ait disparu de son champ de vision pour tourner les talons et se diriger vers une porte au fond du salon. Un domestique en livrée s'inclina, puis ouvrit.

— Si on me cherche, je reviens dans une dizaine de minutes.

— Oui, monsieur le comte.

L'aristocrate descendit rapidement les marches et déboucha dans une salle aux murs rongés d'humidité. Un groupe de huit hommes, tous habillés en chemise noire, se tenaient debout face à quatre cercueils posés côte à côte. Ils se redressèrent d'un coup quand le comte arriva à leur hauteur.

— Où les avez-vous récupérés ?

— À la capitainerie, dans l'entrepôt prévu.

— Ouvrez-les !

Un par un, les membres du commando anglais émergèrent de leurs cercueils, stupéfiés par la présence inquiétante des hommes qui les ramenaient à la lumière. Fleming et Laure surgirent les derniers. Ils rejoignirent, sans un mot, le reste du commando, les mains levées au-dessus de leur tête.

Le comte Di Stella les observa en silence quelques instants. Son regard était perçant, impérieux, caractéristique d'un homme qui avait l'habitude de se faire obéir. Il prit la parole d'un ton tranchant :

— Je sais que vous êtes des Anglais envoyés pour effectuer une mission précise à Venise. Mais je n'en connais pas la nature exacte. Vous allez donc me renseigner immédiatement à ce sujet.

Aucun Anglais n'ouvrit la bouche. Laure sentit son pouls s'accélérer : ils avaient dû être trahis par les pêcheurs ou le médecin de l'île. Elle passa sa langue au-dessus de la molaire qui contenait la petite capsule de poison. Il suffisait de mordre très fort et tout serait fini en moins d'une minute.

Le comte saisit le fusil de l'un de ses hommes et planta le canon dans le ventre de Fleming.

— Selon mes informations, vous êtes le chef de ce groupe.

— Je ne comprends vraiment pas de quoi vous voulez parler. Nous sommes des Américains et faisons du tourisme en Italie. Je ne sais pas comment on s'est retrouvés dans ces cercueils. Sûrement une coutume vénitienne de bienvenue !

Le comte resta silencieux quelques secondes, puis éclata de rire.

— Du tourisme avec des mitraillettes Sten. Ce genre d'humour, seuls les Anglais peuvent en être capables. Baissez vos mains. Je suis le comte Di Stella et désolé pour cette petite comédie, mais nous avons eu une tentative d'infiltration récente par des hommes d'Heydrich qui tentaient de se faire passer pour des agents anglais.

— C'était plus vrai que nature, lâcha Fleming.

Laure desserra ses mâchoires, soulagée. La perspective d'une mort dans d'ignobles convulsions s'éloignait. Temporairement.

— Il y a une chose que je ne comprends pas. Pourquoi portez-vous la tenue d'honneur des dignitaires du régime ?

— Parce que je suis le responsable de l'OAF, organisation aristocratique fasciste. J'organise en ce moment même un dîner officiel avec les plus hauts

438

responsables fascistes de la ville. Ils sont tous là-haut au-dessus de vos têtes dans le fumoir. Ici, ce serait bien le dernier endroit pour traquer un commando anglais, vous ne croyez pas ?

51

Londres
Quartier de Holborn
Décembre 1941

— Bon sang, vous avez quoi à la place du cerveau ? De la marmelade ?

— Je suis désolé… Vraiment.

Malorley plaqua Crowley contre le mur et serra le col de son manteau comme s'il allait l'étrangler.

— Vous êtes le plus grand taré que la terre ait porté, après Hitler. La prochaine fois, je vous laisse croupir dans votre cellule.

L'homme du SOE avait attendu d'avoir tourné le coin de la rue du commissariat d'Holborn, à l'abri du regard du bobby en faction, pour exploser de colère.

— Vous mettez mon service en péril avec vos imbécillités.

— Vous me faites mal… Je… ne peux plus respirer, pleurnicha le gros homme, le visage empourpré.

— Je peux vous infliger bien pire. Vous seriez

étonné de ce que l'on apprend au SOE en matière de souffrance.

Malorley lâcha le mage, celui-ci s'affaissa sur lui-même comme une flaque d'huile. L'Amilcar déboucha du coin de la rue et se gara à leur niveau. Le chauffeur sortit pour leur ouvrir les portières.

— Montez ! ordonna Malorley d'une voix tranchante.

À peine les deux hommes s'étaient-ils assis que la voiture démarra en trombe. Le commander sortit une liasse de feuillets dactylographiés qu'il jeta à la figure du mage.

— Agression sur prostituée, absorption de drogue, sacrifice d'animaux, exhibitionnisme sur voie publique, insulte à agent. Et le pire c'est que vous avez eu le culot de dire que vous apparteniez au SOE.

— Je vais tout vous expliquer, glapissait Crowley, j'ai demandé à une… professionnelle de participer à un rituel de magie. J'ai mal dosé la décoction à base de champignons hallucinogènes et la fille a très mal réagi. Je vous jure. La police est intervenue à cause des voisins qui ont entendu ses hurlements. Quant au coq, j'avais juste besoin d'un peu de son sang, je ne l'aurais jamais tué. Quand les policiers nous ont trouvés, j'étais nu. Mais c'était obligatoire pour faire circuler les énergies.

— De la magie ! Au nom du ciel qu'est-ce qui vous est passé par la tête ?

— Vous ne comprenez pas, c'est comme une

441

drogue. Si je ne communique pas avec les esprits je n'aurai plus de force. La magie me tient en vie.

— Foutaises !

Crowley se redressa et s'essuya le visage avec un mouchoir brodé. Il renvoya un regard de défi à Malorley.

— Vraiment ? Et le fait de croire que des croix gammées magiques peuvent changer le cours de la guerre, ce ne sont pas des foutaises ?

L'officier du SOE ne répondit pas et resta un moment silencieux. Le ronronnement du puissant moteur de l'Amilcar faisait vibrer l'habitacle. Dehors, les édifices changeaient de style imperceptiblement. Les somptueuses demeures victoriennes laissaient place à des bâtiments plus austères, plus fonctionnels. La richesse s'éloignait. Malorley se tourna vers le mage.

— Heureusement pour vous que j'ai pu récupérer le procès-verbal de vos exploits, l'avantage d'appartenir aux services spéciaux c'est que l'on peut compter sur la collaboration de la police.

— Merci. Merci beaucoup.

Le regard de Malorley était froid.

— À la prochaine incartade, je me charge personnellement de vous. Définitivement. Je me suis bien fait comprendre ?

— Oui…

La voiture filait à toute allure sur Eversholt Street en direction du nord de Londres. Les stigmates des bombardements de l'année précédente n'étaient pas

442

effacés. Les immeubles éventrés alternaient avec les boutiques abandonnées aux devantures barrées de planches sales.

— Parfait, maintenant je vais vous déposer chez votre amie du Hellfire Club. Vous lui ferez passer ces documents, dit Malorley en lui tendant une enveloppe grise avec le tampon du SOE.

— De quoi s'agit-il ?

— Il y a trois noms de saboteurs travaillant pour les Allemands et qui opèrent à Coventry, Manchester et Cardiff. Ce sont tous des Anglais qui ont été des chemises noires de Mosley. Ils sont surveillés par le MI5 depuis des mois.

— Je ne comprends pas, vous ne les arrêtez pas ?

— Ce sont des agents d'importance mineure. S'ils plient bagage, nous saurons que Berlin prend au sérieux les informations de votre amie, la Fée écarlate. Nous pourrons par la suite les abreuver d'informations vérolées.

Venise
Palais Di Stella

Les membres du commando finissaient le repas somptueux offert par leur hôte. Caponata chaude à base d'aubergines, de tomates et d'oignons, tendres côtes de bœuf à la florentine, Pecorino Romano et Valtellina Casera en guise de fromages et pour finir un délicieux panforte fourré d'amandes fraîches, d'épices et nappé de miel… Le comte Di Stella avait mis son cuisinier personnel à contribution pour honorer les Anglais. Ils avaient attendu le départ des invités de la réception pour se rendre dans une petite salle à manger.

— Je n'ai jamais aussi bien mangé depuis le début de la guerre, lança Fleming repu. Dorénavant je me porte volontaire pour n'importe quelle mission en Italie.

— Le fait de diriger l'association de la noblesse fasciste de Vénétie accorde quelques privilèges en matière d'approvisionnement, répondit le comte qui scrutait ses invités de son regard d'aigle.

Laure refusa poliment le vin et s'essuya les lèvres avec une serviette brodée.

— Comment se fait-il que vous, le chef d'une organisation fasciste, aidiez des Anglais, ennemis de votre pays ?

L'aristocrate s'assit en bout de table et brandit son verre à la lumière du lustre pour contempler la robe du vin.

— Ne vous méprenez pas, mademoiselle, je ne me considère pas comme un traître à ma patrie. J'ai marché sur Rome en 1922 avec Mussolini[1]. J'ai cru sincèrement que le fascisme était la seule voie pour redresser le pays et lutter contre les Rouges. Et puis il y a eu la guerre en Éthiopie, j'ai perdu Bartolomeo,

---

1. Mussolini a pris le pouvoir en octobre 1922 en marchant avec ses chemises noires sur Rome.

mon premier fils, il avait trente-deux ans. Ensuite ce fut l'invasion de la Grèce qui m'a coûté mon deuxième garçon, Livio, vingt-huit ans. Je n'ai aucune descendance à cause de la folie du Duce. La lignée Di Stella va s'éteindre.

— Je suis désolée, répliqua Laure, je…

— Ne le soyez pas, coupa le comte. Je suis responsable en partie de la mort de mes fils puisque j'ai aidé à mettre au pouvoir ce dément. Et ce n'est pas tout. J'ai perdu aussi mon fidèle secrétaire et ami, Samuel, un juif dont la famille était installée depuis trois générations à Venise. Il a fui en 1938, à cause des lois antisémites. Le pire de l'histoire, c'est qu'il était fasciste lui aussi.

— On pouvait être juif et fasciste ? demanda Fleming intrigué.

— Bien sûr, jusqu'à son alliance avec Hitler, Mussolini n'avait rien contre les juifs, il en avait autour de lui. Mais il a été corrompu par le *diavolo* allemand dont la puissance est basée sur le mensonge : supériorité d'une pseudo-race aryenne, conspiration des juifs, exaltation du sang germanique… Et le peuple adore les mensonges, surtout ceux qui le flattent. Les racines du national-socialisme se nourrissent des terres de l'ignorance. Terres sur lesquelles Hitler déverse sans cesse l'engrais de sa haine. Mais sachez que de nombreux Italiens ont honte de ce qui se passe dans leur propre pays.

— Comment avez-vous pris la tête de ce réseau ?

Le comte avala son verre d'un trait.

— Avant-guerre, j'avais de nombreux amis anglais, dont Malorley qui dirige le SOE, n'oubliez pas que nous étions dans le même camp pendant la Première Guerre mondiale. Et puis l'aristocratie transcende les frontières depuis bien longtemps. Quant à mes hommes, cela va vous étonner, mais certains sont d'anciens socialistes et communistes.

Fleming hocha la tête.

— Ça ne m'étonne pas, on voit ça dans beaucoup de réseaux de résistance en Europe. Après tout, nous sommes désormais alliés à l'Union soviétique. Bien, comment voyez-vous la suite des événements ?

— L'un d'entre vous doit rencontrer l'agent infiltré chez les Allemands demain. Malorley m'a indiqué qu'il sera en haut du campanile de la place Saint-Marc, à seize heures précises. Je ne connais que son nom de code : John Dee. Je dois vous transmettre le mot de passe de reconnaissance.

Laure se figea. Fleming remarqua son trouble et prit la parole :

— Notre amie ici présente se rendra là-bas, elle l'a déjà croisé. Nous verrons alors comment continuer cette mission.

— Vous devez récupérer un objet important grâce à cet homme, c'est bien ça ? demanda le comte.

— En effet.

— J'espère que le jeu en vaut la chandelle, nous risquons gros.

Londres
Hellfire club

Moira O'Connor était couchée à même la pierre, nue, bras et jambes écartés, les mains et le front badigeonnés de rouge, les yeux clos. Un rouge sang. Ses extrémités touchaient les pointes de l'étoile à cinq branches peinte sur le sol. Et devant chaque pointe, était agenouillée une femme en robe de bure noire, capuchon relevé. Celle qui se faisait appeler la Fée écarlate ouvrit soudain les yeux et lança une incantation surgie du fond des âges :

— *Diolco to dea Herecura genatan nemi ac diaras ac carantian dumni. Esi inter dumnei ac diara ac nemei*[1].

Le rituel était terminé. Le groupe avait passé deux heures à invoquer la grande déesse mère, comme il le faisait chaque soir de pleine lune. L'odeur d'encens boisée qui planait dans la cave voûtée masquait en partie l'humidité qui suintait des murs rongés de salpêtre.

Moira se leva lentement, imitée par les cinq autres adeptes. L'une d'entre elles lui tendit une serviette humide pour enlever le sang de ses mains. Une autre passa autour d'elle un peignoir de soie aussi noire que la nuit. Moira flottait dans un état de bien-être total.

---

1. En celte : « Merci à la déesse aimée, déesse des saisons, fille du ciel et de la terre, et épouse du monde souterrain. Tu es entre le monde souterrain, la terre et le ciel. »

Le rituel la purifiait et lui apportait une énergie douce et profonde. Au moment où elle allait donner l'accolade à ses officiantes, on frappa à la porte. Moira fronça les sourcils, personne au Hellfire n'était autorisé à la déranger pendant le rituel de la lune rouge. Sous peine d'un châtiment exemplaire. Elle ouvrit la porte avec agacement. L'homme à tout faire du manoir, un Écossais au visage couturé de cicatrices syphilitiques, s'inclina.

— Maîtresse, pardonnez-moi de vous déranger, Aleister Crowley demande à vous voir, il dit que c'est urgent.

Venise
Palais Di Stella

Le capitaine Fleming souffla une bouffée de l'excellent cigare cubain offert par le comte et poursuivit son récit.

— Et voilà comment cette incroyable mission au Portugal s'est terminée par une mémorable partie de baccara au casino d'Estoril. Je me suis fait étriller face à des joueurs allemands. Mais comme il existe un bon Dieu pour la canaille, j'ai rencontré une séduisante comtesse italo-bulgare, Vesper Di Alexandra. Nous avons passé une nuit des plus torrides…

Le comte sourit, ce Fleming possédait un don indéniable pour narrer ses aventures, même s'il le soupçonnait d'enjoliver la réalité.

448

— Moi aussi j'ai fréquenté les tables d'Estoril, dit l'aristocrate, mais c'était avant-guerre, un endroit fort distingué à l'époque, on y croisait tout le gotha. On m'a dit que c'était devenu un repaire d'espions. Les traditions se perdent.

Les deux hommes devisaient depuis un bon quart d'heure dans ce bureau, savourant une grappa des Abruzzes. Fleming avait voulu s'entretenir seul à seul avec lui. Les autres membres du commando étaient partis se coucher dans une dépendance du palais. Laure avait eu la surprise de bénéficier d'une chambre avec baignoire et ne s'était pas privée pour en profiter.

Le comte se leva et s'approcha d'un mur décoré d'une toile représentant un homme en armure de la Renaissance, le regard hautain et la main posée sur son épée à la garde. Le fier guerrier avait le même profil d'aigle que lui.

— Mon cher capitaine Fleming, je vous présente Sigismondo Di Stella, l'un de mes ancêtres. Il a joué les condottieres pendant sa jeunesse et s'est rangé après avoir rencontré son épouse, une beauté de la noblesse vénitienne. Sa devise était *Non decipimur specie*. Ce qui se traduit par « Ignore les apparences ».

— Et donc ?

Di Stella se rapprocha de Fleming et posa sa main sur son épaule.

— Vous ne m'avez pas tout dit sur votre mission. Je ne crois pas un seul instant qu'il existe un objet suffisamment digne d'intérêt pour monter une entreprise de cette envergure. Je me trompe ?

— Non, en effet. J'attendais que nous soyons seuls pour vous en parler.

— Je vous écoute.

— Dans un sens, c'est une double mission. La première consiste à récupérer un objet dont je vous tairai l'importance. Vous me prendriez pour un fou.

— Et la deuxième, qui est, je suppose, la plus vitale ?

Fleming se leva et croisa les bras. Son regard s'était durci. Il écrasa le bout de son cigare dans un cendrier de marbre et articula d'une voix grave :

— Mettre fin à cette guerre. Tuer Hitler et Mussolini.

QUATRIÈME PARTIE

« Je me donnerais volontiers au diable,
si je ne l'étais moi-même. »

Faust, Goethe.

52

Venise
Place Saint-Marc
Décembre 1941

La visite d'Hitler du palais des Doges s'était ache-
vée, la place Saint-Marc avait retrouvé son anima-
tion habituelle. Laure ralentit le pas au niveau du
café Florian. En dépit du froid humide, la terrasse
était bondée de clients, mais d'un genre spécial. Une
dizaine de tables étaient occupées par des officiers et
sous-officiers de l'armée allemande en tenue vert-de-
gris. Ils affichaient des sourires béats et semblaient
prendre un plaisir infini à écouter le *Beau Danube
bleu* joué par l'orchestre du café. Laure frissonna, la
dernière fois qu'elle avait vu ces uniformes, c'était
en France, sur sa terre natale. Les mêmes uniformes
sans visage qui avaient tué son père.

Elle se mit à l'abri d'une arcade pour les observer
en détail.

L'ennemi. À nouveau face à elle. Une bouffée de
haine pure envahit son esprit comme une coulée de

lave dévalant les pentes d'un volcan et calcinant tout sur son passage.

Elle aurait voulu avoir sa mitraillette Sten sous la main et les exterminer tous. Que des nappes de sang dégoulinent des tables et inondent la place entière. Voir leurs visages déchiquetés, leurs ventres criblés de balles, leurs membres hachés de toutes parts. Et surtout, entendre leurs cris de douleur jusqu'à couvrir les trompettes et les violons de l'orchestre. Et quand le dernier soudard aurait expiré son âme putride, elle poserait ses talons ensanglantés de chair encore tiède sur une table et viderait un verre de chianti à la mémoire de son père enfin vengé.

Une main se posa sur son épaule et une voix désagréablement gutturale résonna à son oreille.

— *Scusi, signora !*

Une onde glacée lacéra son échine. Les mots étaient italiens, mais l'accent venait du nord. D'Allemagne. Son cœur fit un bond, comme s'il allait jaillir hors de sa poitrine. Instinctivement, elle pressa sa main autour du petit pistolet Browning qu'elle cachait dans son imperméable. Puis, elle se retourna lentement.

Un officier SS se tenait debout face à elle. Il semblait gigantesque et la dépassait d'au moins vingt centimètres.

Elle avait été repérée.

Son cerveau fonctionnait à toute allure. Quelle erreur avait-elle commise ? Comment s'était-elle trahie ? Elle n'aurait jamais dû s'arrêter pour scruter les militaires du café.

Puis, l'homme lui sourit comme s'ils étaient deux amis qui venaient de se retrouver. Il sortit un plan de la ville et posa son doigt à l'emplacement de la place Saint-Marc.

— *Dov'è il palazzo di Doge ?*

Laure avait bien appris quelques phrases de base en italien pour la mission, mais rien ne venait. Elle était tétanisée.

— *Dov'è ?*

Elle inspira longuement et répondit d'une voix qui se voulait calme. Le tout enrobé de son sourire le plus charmeur.

— Je ne sais pas, je suis française.

L'Allemand la dévisagea avec curiosité.

— Parlez-vous ma langue ? continua-t-elle.

— Un petit peu… J'ai été stationné à Paris. Que faites-vous ici, mademoiselle ?

Elle soutint son regard.

— Je suis la fille de l'ambassadeur de Vichy en visite culturelle dans la ville.

Le mensonge avait jailli presque instinctivement. L'un de ses instructeurs du SOE avait coutume de dire que la créativité était au mensonge ce que la sève est à l'arbre.

Au moment où le SS allait lui répondre, un coup de sifflet retentit à l'autre bout de la place. L'Allemand poussa un soupir.

— Je suis désolé, je dois rejoindre mon groupe. Où êtes-vous descendue ? Peut-être nous croiserons-nous de nouveau ?

— Désolée, mais on ne demande pas ce genre de renseignement à une jeune femme bien élevée. Au plaisir de vous revoir.

Elle pressa le pas sous le regard insistant du SS. Au fur et à mesure qu'elle s'éloignait de lui son cœur bondissait de plus belle. Elle traversa le reste de la place sans se retourner une seule fois.

Arrivée devant le campanile, elle contempla la célèbre tour de brique rouge qui faisait la gloire de Venise. Arrivée à l'entrée, elle tendit un billet de vingt lires au gardien et s'attaqua aussitôt aux légendaires escaliers. Avec près de cent mètres de hauteur, le campanile de Saint-Marc avait brisé les genoux comme le courage de milliers de visiteurs avant elle. Laure mit dix bonnes minutes à grimper. Parvenue tout en haut, le visage en feu, elle s'avança : il y avait quelques touristes, deux familles d'Italiens, encore un soldat allemand et un curé entouré de deux bonnes sœurs. Aucune trace de celui qu'elle cherchait, mais la coursive faisait le tour du sommet du campanile. Elle s'approcha du parapet. La vue sur la place était à couper le souffle.

Venise ressemblait à une forêt. Une forêt de pierre d'où émergeaient la haute silhouette des clochers coiffés de marbre, les toitures vernissées des palais qui se reflétaient dans l'eau immobile des canaux et le labyrinthe infini des ruelles tortueuses comme la vie.

Et soudain elle le vit.

Tristan.

Il était là. Face à elle. Adossé à un pilier de pierre, une cigarette coincée entre les lèvres. Habillé d'un complet sombre, le visage en partie recouvert par un chapeau de feutre mou, il l'observait s'avancer vers lui.

— Venise est bien plus froide que Rome en cette saison, murmura-t-il.

— Mais moins que Turin…

— En voilà une surprise, cette chère Laure d'Estillac. Ainsi Malorley vous a embauchée dans son grand cirque ? Où est passé le commander, il n'est pas avec vous ?

— Il est resté à Londres, contraint et forcé. Vous le regrettez ?

— Nullement, ça me donne l'occasion de vous revoir. Dans mes souvenirs, notre dernière rencontre avait été un peu tumultueuse. Vous ne sembliez pas m'apprécier.

— Un Français serviteur zélé de nazis de la pire espèce, ça n'incite pas à la fraternisation. Félicitations pour votre rôle de composition, monsieur Marcas. Ou devrais-je dire John Dee. Je m'y perds avec tous vos pseudos.

Sans le vouloir, Tristan fronça les sourcils.

— Vous connaissez mon nom ?

— Oui. Tristan est votre vrai prénom ?

— Qui sait ?

Un soldat allemand qui prenait des photos de la place se rapprocha d'eux, Marcas la prit par le bras pour s'éloigner.

— De combien d'hommes disposez-vous ?

— Nous sommes quatre avec mon supérieur, plus les amis du comte Di Stella, ça devrait faire une bonne douzaine.

— Une douzaine… Quelle ironie, alors que cette ville dégouline de fascistes et de nazis à tous les coins de rue ! Que Mussolini et Hitler, les deux hommes les plus criminels d'Europe, vont arriver dans quelques heures avec leurs meutes enragées ! Et nous, nous devrions faire face avec une douzaine de types ? Je dois être fou pour jouer à ce jeu-là.

— Un jeu qui en vaut la chandelle, non ? Vous l'avez bien joué à fond à Montségur ?

— Justement, où est la relique ?

— En lieu sûr… Très loin.

— Tant mieux.

Agacée par la banalité de la réaction de Tristan, Laure répliqua :

— Sauf que je n'ai pas l'impression qu'elle ait changé quoi que ce soit dans cette guerre.

— Les Allemands ont bien envahi la Russie, non ? Ouvrant ainsi un second front qui laisse un répit providentiel et salvateur aux Anglais.

— Parce que vous aussi, vous croyez à son efficacité ? Décidément, vous êtes tous plus dingues les uns que les autres.

Tristan lui serra le bras.

— Je n'ai pas le temps de plaisanter. Il y a des forces qui vous dépassent. Qui nous dépassent tous. Des gens sont morts pour que cette relique ne tombe pas aux mains des nazis. Comme votre père ! Il croyait en son pouvoir.

Elle se libéra brusquement de son étreinte. Décidément, la rencontre ne se passait absolument pas comme elle l'avait espéré.

— Merci, vous n'avez pas besoin de me le rappeler. J'ai payé le prix du sang pour le savoir.

La voix de Tristan se radoucit comme à l'approche d'un danger.

— Désolé, mais notre mission, elle, n'attend pas. Alors vous allez m'écouter attentivement : je sais où se trouve la troisième relique. Et je sais comment la récupérer. Sauf que nous n'avons aucune chance d'y survivre.

Elle le regardait, sidérée. Lui contemplait la ville. Il avait passé beaucoup de temps sur les cartes pour trouver un endroit où il savait qu'Erika et lui ne découvriraient jamais rien. Le palais Bragadin. Des fresques, du sol au plafond, dans toutes les pièces. De quoi perdre des heures précieuses à chercher, croire et espérer. Mais lui avait tout inventé, tout imaginé. Une fois que Goebbels avait révélé la venue d'Hitler à Venise, il n'y avait plus eu de choix. Alors, il avait créé cette fausse piste qui les avait tous conduits ici.

— Mais la relique, elle est où ? demanda Laure.

Tristan sourit.

La swastika avait bien séjourné en Crète et le moine-chevalier Amalrich avait bien construit son jeu de piste. Mais quelqu'un l'avait trouvée avant eux. Quelqu'un qui avait changé la face du monde et que tout le monde ignorait. Quelqu'un qui était vieux, oublié. Et qui avait parlé à Tristan, un soir d'hiver dans un monastère. Lanz, l'homme qui avait fait Hitler.

— Là où personne n'ira jamais la chercher. À la boutonnière du Führer.

53

Venise
Île du Lido
Palais du cinéma
Décembre 1941

Les dernières mesures de *Tannhäuser* explosèrent
dans un déluge de cuivres et de cordes. Le chef d'orchestre fit virevolter sa baguette dans l'air une ultime
fois, son front perlait de sueur, ses mains tremblaient.

Un tonnerre d'applaudissements se répercuta sur
les parois de béton de la grande salle de réception du
Palais du cinéma. Le haut lieu vénitien de la Mostra[1]
et des soirées mondaines et artistiques avait été
construit un an avant le déclenchement de la guerre
et arborait le nouveau visage de l'Italie. Celui d'un
modernisme monolithique, viril, conquérant et sans
fioritures. À l'opposé des vénérables palais construits

---

1. Festival international du cinéma créé par le pouvoir
fasciste.

du temps des doges, sentinelles de pierre d'un passé trop raffiné et jugé décadent aux yeux des fascistes.

Cette fois, aucune star du cinéma ne récoltait les ovations. Tous les regards convergeaient vers les deux dictateurs assis au premier rang. Ce fut Mussolini qui se leva le premier pour se joindre aux vivats de l'assistance. Même en soirée, il adoptait sa posture favorite, visage tendu, menton relevé, regard impérieux. En guise de contentement, le Duce faisait osciller son crâne, luisant et poli comme une boule de billard, de haut en bas. Comme s'il avait lui-même conduit l'orchestre. Hitler se dressa à son tour. Transfiguré, le regard brillant. Wagner le mettait toujours en joie, quelles que soient les circonstances.

L'homme le plus puissant d'Europe et son homologue italien, qui se persuadait d'être au même niveau, se tournèrent vers la salle et se serrèrent la main. Comme à son habitude, le Duce en rajoutait dans les effusions, affichant un sourire un peu trop chaleureux pour être sincère. Ce qui n'était pas pour déplaire au maître du Troisième Reich. Ils avaient passé deux heures en réunion et l'Italien s'était montré plus que prévenant pour satisfaire les exigences du Führer. Augmentation du contingent d'Italiens en Russie, accordé. Renforcement des troupes pour appuyer l'Afrikakorps en Libye, accordé. Intercession auprès du pape Pie XII pour qu'il calme la poignée d'évêques allemands récalcitrants, accordé. Durcissement des lois antijuives en Italie, accordé. Mussolini n'avait pas eu vraiment le choix. Hitler l'avait sauvé de l'humiliation après la tentative d'invasion désastreuse de la Grèce par les armées fascistes. Refoulés par les descendants de Sparte et d'Athènes, les Italiens avaient vu arriver avec soulagement le renfort de plus d'un demi-million de soldats allemands, un bon millier de chars et des centaines d'avions. La bataille de Grèce s'était soldée par une victoire pour Hitler et une défaite morale pour Mussolini. Le rapport de force avait basculé définitivement entre les deux dictateurs, au détriment du second.

Assis au quatrième rang, Tristan et Erika applaudissaient eux aussi. La responsable de l'Ahnenerbe se pencha et murmura à l'oreille du Français :

— Je ne sais pas pourquoi, mais j'ai comme l'impression que tes applaudissements manquent de sincérité.

— Pas du tout, j'ai beaucoup apprécié le concert. Pour le reste…

— Je m'en doutais. As-tu retrouvé ton esprit de déduction au cours de ta balade dans la ville ?

— Oui… ça m'a fait beaucoup de bien.

Elle lui lança un regard étrange.

— Tu m'en vois ravie. C'est étonnant, le pouvoir de Venise. Et si nous écourtions les mondanités pour reprendre les recherches au palais Bragadin ?

Tristan secoua la tête.

— Pas tout de suite. Pour une fois que j'ai l'insigne honneur de côtoyer ton Führer, je vais en profiter.

Goebbels était apparu sur l'estrade et serrait avec vigueur la main du chef d'orchestre. Le maître de la propagande rayonnait de plaisir et savourait son triomphe. Cette visite éclair d'Hitler à Venise était une réussite totale. Il prit le micro que lui tendit un musicien. L'assistance se tut.

— Quel bonheur de se retrouver dans ce temple de la célèbre Mostra du cinéma où a été primé *Les Dieux du Stade* de notre chère Leni Riefenstahl, lança-t-il en affichant un large sourire.

Puis se tournant vers les deux dictateurs :

— Mon Führer, Duce, je sais que vous ne tenez pas à faire d'allocution officielle. Je voulais juste vous remercier d'avoir pris de votre temps précieux pour assister à cette modeste soirée en votre honneur. Nous savons combien vous travaillez dur pour nous guider dans la victoire. Je souhaite le plus grand succès aux forces de l'Axe et… je vous prie de passer au buffet dans la salle voisine.

Les applaudissements fusèrent à nouveau. Le *Nabot* jeta un œil méfiant à Himmler assis à l'écart. Il savait que ce dernier s'était longuement entretenu avec le Führer et enrageait de ces moments d'intimité. Mais, ce soir, le Reichsführer était sur la touche, c'était lui qui prenait la lumière. L'assistance ondula vers la salle voisine. Le comte Di Stella s'approcha de Goebbels.

— Merci pour votre hommage, Docteur. J'ai une question qui me brûle les lèvres, pourquoi avoir invité l'orchestre philharmonique de Vienne plutôt que celui de Berlin ?

— Le Führer est né en Autriche et il a découvert

Wagner dans cette ville délicieuse. Et puis cet orchestre ravit son cœur, soixante musiciens sur cent vingt-trois possèdent la carte du parti national-socialiste, un record. Et une grande fierté pour la culture aryenne. La musique est un instrument fabuleux pour conduire les masses.

— Vraiment ?

— Bien sûr, savez-vous que je suis en train d'imposer dans toute l'Europe une nouvelle fréquence pour les diapasons[1] utilisés en musique classique ? De 432 Hz nous sommes passés à 440 Hz, la norme allemande.

— Et pourquoi ?

— Les études de notre institut de recherche, l'Ahnenerbe, ont montré que cette fréquence favorisait la discipline. La musique pénètre les replis les plus profonds du cerveau et module son activité.

Le comte hocha la tête pour masquer son scepticisme.

— Je ne le savais pas… Au fait, pourquoi ne pas avoir invité le chef d'orchestre préféré du Führer, Furtwängler ?

Une ombre voila le visage de Goebbels.

— Comme on dit chez nous, ne remuez pas la dague dans la gorge du bolchevik ! Le maestro a décommandé au dernier moment, officiellement un coup de froid. Mais je n'y crois pas une seule seconde. J'ai des doutes sur son attachement au parti. Je suis

---

1. Authentique.

persuadé qu'il ne voulait pas apparaître en compagnie du Duce et du Führer.

— Il a pourtant donné un concert extraordinaire l'année dernière en présence d'Hitler.

— Oui, si ce n'est que j'ai appris qu'il était intervenu, en sous-main, en faveur de musiciens juifs. Oh, il est malin, mais je le coincerai. J'ai l'idée d'organiser un concert, l'année prochaine, pour l'anniversaire de notre Führer. Je vais réquisitionner Furtwängler bien à l'avance, comme ça, il ne pourra pas se décommander. Et pas question qu'il tombe malade, je le ferai suivre par mon médecin personnel. Et s'il refuse, ce sera le camp d'internement !

Un serveur passa devant eux avec un plateau rempli de coupes de champagne. Goebbels se servit alors que le comte observait l'assistance qui se dirigeait vers les buffets.

— En tout cas félicitations pour avoir choisi Venise plutôt que Rome ou Milan, dit l'aristocrate. Toute la bonne société fasciste de la ville se sent honorée.

Un officier SS s'approcha d'eux. Grand, mince, le regard curieusement étiré, il arborait une assurance un peu trop marquée comme s'il était le maître des lieux.

— Ah Heydrich, le fidèle limier d'Himmler, lança Goebbels au nouveau venu. Avez-vous apprécié le concert ?

Le chef de la Gestapo dominait d'une bonne tête son interlocuteur. Il lui rendit un regard glacial. Dans la bouche du nain, il fallait comprendre chien plutôt que limier.

466

— Un vrai bonheur, à part la section corde qui manque un peu de subtilité, à mon goût.

— J'avais oublié qu'en plus d'être un policier zélé vous étiez aussi violoniste à vos heures perdues. Laissez-moi vous présenter le comte Di Stella, qui m'a aidé à organiser cette soirée.

— Nous nous connaissons déjà, répondit l'aristocrate.

Le SS s'inclina.

— Docteur Goebbels, il vous a peut-être échappé que je m'occupe de la sécurité du voyage du Führer. J'ai contrôlé la liste des invités et du personnel avec le comte. Et nous avons passé une bonne heure à inspecter les abords du palazzio.

— Je sens que cette conversation m'ennuie déjà, lâcha Goebbels en bâillant ostensiblement. Je préfère parler culture qu'œuvre de basse police. Excusez-moi comte, je dois saluer une amie.

Le chef de la propagande les planta net pour se ruer vers Erika qui devisait avec Tristan.

— Erika von Essling, sauvez-moi ! dit le hiérarque en effectuant un impeccable baisemain.

— Et de qui, cher Docteur ?

Goebbels jeta un œil méprisant à Heydrich.

— De ce sinistre individu. Dès qu'il arrive quelque part, on a l'impression qu'il va arrêter tout le monde. Himmler l'a bien choisi.

Erika présenta Tristan.

— Je suis certaine que vous préférerez la conversation de mon collègue français Tristan Marcas. Un archéologue de premier plan.

— J'aime bien les Français, même s'ils sont un peu trop métissés à mon goût. Vous n'êtes pas juif au moins, Herr Marcas ?

Tristan serra la main du chef de la propagande en réprimant un sourire. Le *Nabot* aux cheveux gominés d'un noir de jais n'était pas vraiment l'incarnation de l'idéal aryen.

— Je ne crois pas, mais on ne peut jurer de rien. Je m'y perds un peu.

— C'est-à-dire ?

— Parfois on tombe sur des Allemands, de purs Aryens, de petite taille, dotés d'une capillarité ténébreuse et parfois sur des juifs plus blonds qu'un épi de blé à la moisson et athlétiques comme des statues grecques. Allez y comprendre quelque chose. Ayant un esprit scientifique, je préfère l'archéologie à la biologie raciale.

Erika lui lança un regard sombre. Goebbels se dressa sur ses talonnettes comme un coq agressé.

— Je suppose que c'est de l'humour français ?

— Pas du tout, mentit Tristan. J'ai beaucoup d'admiration pour votre Führer. Je suis sidéré et admiratif de ce qu'il a accompli. Quand on se souvient de ces millions d'Allemands appauvris et humiliés après la défaite de 1918, de tous ces pauvres bougres en haillons, sans emplois, de tous ces loqueteux désespérés et aigris, de…

— C'est bon, on a compris, Tristan, le coupa Erika irritée. Où veux-tu en venir ?

— À la prouesse d'avoir transformé des hordes

de miséreux en conquérants bottés, casqués et disciplinés. Notez que je n'emploie pas le mot obéissant. Quel prodige. Pareil pour le Duce avec son peuple qui a troqué l'huile d'olive pour le ricin[1]. Nous n'avons pas eu cette chance en France, c'est sûrement pour ça qu'on a pris une sacrée raclée. Heureusement que notre vénérable maréchal a ouvert la voie à la collaboration. Peut-être que nous réussirons à vous imiter. Sûrement en moins bien, j'en conviens…

Goebbels opina. Il ne semblait pas avoir perçu l'ironie de son interlocuteur.

— Voilà des paroles qui me vont droit au cœur, cher monsieur Marcas. Si je puis me permettre, il manque quelque chose de fondamental à Pétain : la divinité !

— Vous m'intriguez.

— Ouvrez les yeux ! Hitler et Mussolini ne sont plus des hommes, ce sont des dieux. Ils sont craints et vénérés par des millions d'hommes et de femmes. Leur puissance est sans limite. Ils imposent leur volonté à des peuples entiers. Le nazisme et le fascisme sont les avatars des anciens cultes païens. Ce sont les dieux des temps nouveaux. Des femmes perdent connaissance pour avoir croisé le regard du Führer ou du Duce. Et j'ai participé activement à cette déification, la propagande n'est-elle pas une forme de grande prêtrise de l'adoration des masses ?

---

1. Les fascistes faisaient boire de l'huile de ricin à leurs opposants.

— Moi qui croyais que votre force résidait dans vos Panzer et vos Messerschmitt…

— Erreur ! Les prouesses industrielles ne sont pas tout, répliqua Goebbels, exalté. Vous, les Français, croyez trop en la raison. Vous avez perdu la mystique du chef depuis la décapitation du roi Louis XVI. L'esprit des Lumières a perverti votre peuple, coupant le lien charnel et spirituel avec un chef suprême. C'est plus qu'un culte de la personnalité, c'est de la vénération. Une vénération qui pousse des peuples à sacrifier leur vie pour leur dieu.

Soudain on entendit un fracas de verre brisé à l'autre bout de la salle. Des éclats de voix retentirent. Un hurlement jaillit.

C'était la voix d'Hitler.

54

Venise
Île du Lido
Palais du cinéma
Décembre 1941

La serveuse paraissait terrifiée. Son plateau gisait sur le sol de marbre criblé de verre cassé. Hypnotisé par la tache de vin écarlate étalée sur le revers de la veste, Adolf Hitler finit par lever les yeux, le visage crispé, prêt à broyer tout l'univers.

Tous les regards, les discussions s'étaient figés, après l'exclamation du maître du Reich. Sur l'ordre de Heydrich deux SS surgirent et empoignèrent la fille par les bras, comme si elle avait essayé d'attenter à la vie de leur chef.

Mussolini brisa le silence en jetant une bordée d'injures à la pauvre serveuse affolée. Elle balbutiait des mots d'excuses, mais sa voix tremblait tellement que ses paroles étaient inaudibles.

Le comte Di Stella s'interposa.

— Je suis navré de la maladresse de cette *imbecille*, dit le comte. C'est la sœur de ma cuisinière.

Mussolini bomba le torse.

— Elle pourrait être votre propre fille, ça ne changerait rien à l'offense ! Je vais la faire fusiller.

Le comte Di Stella s'approcha du Duce.

— Je vous en prie, c'est encore une enfant. Elle n'a pas fait exprès.

Puis se tournant vers Hitler, il parla en allemand :

— Führer, je fais appel à votre clémence, je sais que vous aimez notre peuple.

La face d'Hitler se détendit imperceptiblement, il murmura quelque chose à son traducteur. Celui-ci hocha la tête et intervint :

— Le Führer dit que ce n'est rien. Il veut qu'on aille chercher une veste de rechange dans sa suite, il ne peut plus dîner avec la sienne. Il ajoute que ce serait ridicule et surtout dommage de fusiller une belle Italienne pour fêter sa venue à Venise.

À ces mots, l'assemblée entière applaudit face à la mansuétude inattendue d'Hitler.

— Je vais envoyer mes hommes immédiatement, intervint Mussolini. Heureusement que le comte a eu la bonne idée de vous faire loger à l'Excelsior, à deux pas d'ici.

Heydrich s'approcha de l'aristocrate. Un mince sourire dessiné sur son visage anguleux.

— J'aimerais interroger cette jeune personne si vous n'y voyez pas d'inconvénient.

— Pour quoi faire ? Ce n'est qu'un geste maladroit, répondit l'aristocrate.

— J'applique la procédure standard de sécurité, rien de bien… méchant.

La façon dont il avait prononcé le dernier mot glaça Di Stella.

Tristan et Erika s'étaient approchés de la scène, mais restaient en retrait. Le Français chuchota à l'oreille de l'archéologue.

— Ton Führer est plus petit que ce que je croyais. Il n'aurait pas pu se faire embaucher dans la SS...

— Mais sa volonté est immense, répliqua Erika.

— Je n'en doute pas, si tu veux m'excuser je m'éclipse au petit coin. Je te rejoins au buffet.

Il tourna les talons, sortit de la grande salle de réception et fila à l'endroit convenu pour retrouver Laure : un débarras situé au premier sous-sol, juste à côté des cuisines. La jeune femme l'attendait, adossée à un caisson qui servait de poubelle. Elle portait la blouse bleue des employées de ménage du palais.

— Ça ne vous va pas du tout. Je vous préférais dans votre petite robe seyante, dit-il, un sourire en coin. Et le cadre est beaucoup moins romantique que le campanile de la place Saint-Marc.

— Je préfère ma blouse à la tenue répugnante de votre compagne SS.

— Vous manquez d'humour... Bon, nous avons peu de temps, mais ça devrait suffire. Hitler va se changer d'ici un quart d'heure. Le comte Di Stella s'est arrangé pour me donner un double de la clé de la pièce où il se trouvera. Le comte doit faire diversion quand Hitler enfilera un autre costume.

Laure le prit par le bras.

— Il y a un changement de programme.

— Quoi ?

— Fleming et ses hommes sont en train de poser des charges explosives au deuxième sous-sol. Ils doivent tuer Hitler et Mussolini. Ce sont les ordres.

— Quoi ? C'est dément !

— Je viens de l'apprendre. Maintenant je comprends mieux pourquoi Churchill a confié la mission à la Marine…

Tristan la saisit par les épaules.

— Menez-moi à votre chef ! Tout de suite !

— Vous me faites mal.

Il la lâcha.

— C'est juste à côté. Suivez-moi.

Ils prirent un escalier de service, en dévalèrent les marches, puis traversèrent un entrepôt rempli de cartons d'affiches de films. Des stars gisaient à terre, recouvertes de poussière, Marlène Dietrich, Gary Cooper, Elisa Cegani, Vittorio De Sica, Greta Garbo… Tous venus présenter leurs films à Venise avant le déclenchement du conflit. Tristan piétina l'affiche du *Juif Süss*, le film antisémite allemand, produit par Goebbels, et qui avait fait l'ouverture de la Mostra de 1940.

— Plus vite, mon absence ne doit pas être remarquée.

Ils empruntèrent un autre escalier et débouchèrent dans un immense vide sanitaire, bas de plafond au point de ne pas pouvoir se tenir debout. Tout au fond, à une centaine de mètres d'eux les membres du commando se tenaient agglutinés autour d'un pilier de soutènement.

474

Minutieusement, un des hommes connectait le minuteur à un amas de bâtons de dynamite plaqués contre un mur. Il se redressa et s'essuya le front.

— Voilà, c'est terminé pour la dernière charge. Avec toutes celles qu'on a posées, il ne restera que de la poussière et des os. Il y a de quoi faire sauter un porte-avions. Capitaine, voulez-vous régler le minuteur principal ? Les autres pétards exploseront sous l'effet de la chaleur de la première explosion.

— Pas tout de suite, dit Fleming. Je veux être sûr qu'Hitler soit là-haut. Le temps qu'il se change et revienne dans la salle. Il a la sale manie de ne jamais être présent quand on lui met une bombe dans les pattes.

— Il y a eu beaucoup d'attentats contre lui ? demanda l'un des SAS.

— Oh, oui. Et ils ont tous échoué en raison d'un changement de dernière minute dans son planning. Le dernier remonte à 1939 dans une brasserie à Munich. Un type avait réglé un engin infernal pour le faire exploser pendant un discours. Contre toute attente, Hitler a abrégé son discours pour repartir à Berlin. Il a quitté la salle treize minutes avant l'explosion. Seulement treize petites minutes et le cours de l'histoire aurait été changé. Je ne veux pas prendre ce risque.

Tristan et Laure surgirent devant eux. Le Français, en sueur, ressemblait à un diable jailli de sa boîte.

— C'est quoi cette putain de bombe ?

— On se calme, l'ami, répondit Fleming. Ordre

du Premier ministre, on liquide ces salopards. Ça n'interfère en rien dans votre mission, contentez-vous de récupérer votre babiole, mais vous n'aurez pas beaucoup de temps, je le crains.

— Vous ne comprenez pas ! dit Tristan en prenant Fleming par le revers de son blouson. Si vos engins explosent avant que je ne mette la main sur la relique, ça ne servira à rien. Ça fait des années que je travaille sur cette opération ! Et le comte Di Stella, et cette fille qui a renversé le vin sur Hitler, ils ont risqué leur vie pour que cette opération aboutisse, ça ne compte pas pour vous ?

— Je vous conseille de me lâcher. L'élimination d'Adolf et de Benito passe avant vos recherches… archéologiques. Quant au comte, il est au courant du but ultime de ma mission. Il quittera la réception à temps.

— Vous croyez que les Allemands et les Italiens vont se transformer en agneaux bêlants. Si Hitler meurt, un autre prendra sa place. Goering ou encore Himmler. Vous voulez les SS à Berlin ? Et nous n'aurons même pas la swastika pour faire pencher la balance.

Fleming dégaina et braqua son arme de service sur le front de Tristan.

— Mon cher John Dee, Tristan Marcas ou qui que vous soyez, je vous conseille de retourner là-haut. Vous perdez du temps. Un temps précieux.

— Vous ne vous rendez pas compte des enjeux, Fleming, vous êtes un amateur !

L'agent secret fit claquer la culasse de son pistolet.

— Obéissez ! Sinon j'ai une balle prête à l'emploi dans mon Browning. Rien que pour vos yeux.

Les deux hommes s'affrontaient du regard. Laure s'interposa et baissa le canon de l'arme.

— Ça suffit ! Vous pouvez très bien vous coordonner. Combien de temps vous faut-il, Tristan ?

— Je ne sais pas, ça va dépendre du délai pour que le nouveau costume arrive. Une demi-heure…

Laure se tourna vers Fleming.

— Vous pouvez lui accorder, capitaine, de toute façon tant qu'Hitler ne s'est pas changé il ne mettra pas les pieds dans la salle d'honneur.

— OK. Je vous donne une demi-heure, dit Fleming, dès que j'apprends que les cibles sont dans la salle, je déclenche le minuteur sur dix minutes. Ensuite, débrouillez-vous pour nous retrouver au bateau qui nous exfiltrera. Il sera amarré à un ponton sur le Lido, devant le poste de secours.

Tristan le défia une dernière fois du regard, puis tourna les talons.

Laure s'élança derrière lui.

— Je suis certain que vous étiez au courant quand nous nous sommes vus, dit le Français en pressant le pas.

— Je suis tombée des nues quand Fleming m'en a parlé. À coup sûr, Malorley n'est même pas au courant. Ça explique pourquoi on a nommé ce type de la Royal Navy à la tête du commando.

— Vous mentez à merveille. À l'évidence vous avez suivi les cours du SOE avec assiduité.

477

Ils jaillirent des sous-sols et reprirent l'escalier en courant.

— Vous ne faites donc jamais confiance à personne ?

— Non, c'est pour ça que je suis encore en vie. Et vous devriez en faire autant.

55

Venise
Île du Lido
Palais du cinéma
Décembre 1941

Après avoir quitté Laure, Tristan pénétra dans la
salle d'honneur où des serveurs se pressaient autour
de buffets débordant de victuailles. Visiblement, personne n'avait pensé à prévenir les Italiens qu'Hitler était végétarien, remarqua le Français. Malgré la
tension qui ne cessait de croître, Tristan était encore
capable d'observer, d'analyser… et d'ironiser. C'était
sa force, ce qui lui permettait de ne pas succomber à
la pression des événements. La décoration brillait par
sa démesure et son inlassable mauvais goût : sur tous
les murs des oriflammes frappées de croix gammées
alternaient avec des faisceaux de licteurs italiens, sans
compter deux portraits géants des dictateurs, éclairés
par des flambeaux. Un très mauvais décor de cinéma.
À quelques pas, il aperçut Erika en conversation avec
Goebbels et bifurqua pour les éviter. Elle intercepta

néanmoins son regard et son visage se durcit. La laisser seule avec le *Nabot* était un cruel manque de galanterie. Comme il examinait les différents cocktails, le comte fit un signe discret au Français pour qu'il le rejoigne.

— Où étiez-vous passé ? demanda Di Stella d'une voix tendue. Le costume de rechange vient d'être livré. Hitler va monter se changer d'une minute à l'autre. Et Heydrich est en train d'interroger la serveuse. S'il utilise la manière forte, on a de gros soucis à se faire…

— Désolé, mais je viens juste d'apprendre que Fleming veut faire exploser la moitié du Lido.

— Je sais, mais je ne peux pas m'y opposer. C'est à vous de jouer pour récupérer la relique avant. Vous êtes prêt ?

— Depuis des années…

Le comte le regarda d'un air étonné. Lui connaissait ses motivations pour combattre la dictature, mais quelles étaient celles de Tristan ? De toute façon, ils n'avaient plus le temps.

— Écoutez-moi bien : avec la clé que je vous ai donnée, vous allez vous introduire dans la chambre située au premier étage et vous attendez. Moi je ferai diversion au deuxième, obligeant le majordome à sortir de la chambre d'Hitler. Juste avant…

Di Stella baissa la voix comme s'il avait peur de ses propres paroles.

— Vous montez l'escalier intérieur, là vous trouverez le lion…

480

Tristan et le comte se séparèrent quand Fleming fit son entrée dans la salle de réception. Vêtu d'un impeccable costume de capitaine de la Wehrmacht, monocle vissé sur l'œil, il faisait plus vrai que nature. Une croix de fer première classe resplendissait sur sa vareuse. Il claqua réglementairement des talons devant des officiers supérieurs, puis se dirigea vers le bar. Tout en titillant un verre de champagne, il vit le comte Di Stella sortir, bientôt suivi de John Dee. L'agent secret de la Royal Navy préférait ce nom de code à celui de Tristan, prénom qui lui rappelait trop Oscar Wilde. L'écrivain maudit avait affublé son personnage Dorian Gray de ce pseudonyme pour ses plongées dans les bas-fonds londoniens et il ne parvenait pas à l'associer au Français. Comme il ne parvenait pas à comprendre pourquoi Dee prenait ces risques insensés pour mettre la main sur cette foutue relique. Comment pouvait-on croire à de telles inepties ? Quand l'amiral l'avait convoqué dans son bureau pour lui expliquer sa mission, il était tombé des nues. Monter une opération commando en pleine Italie fasciste pour récupérer une babiole censée être magique, une véritable folie, oui ! Puis il avait vite compris que ce n'était qu'un prétexte. Malorley et ses hommes, eux, s'étaient fait rouler. Le Premier ministre en personne avait signé l'ordre d'élimination de ses adversaires.

Fleming balaya lentement la salle de réception du regard. Il repéra rapidement la fameuse Erika. Laure lui en avait fait plusieurs fois la description. Une

481

beauté blonde et glacée. L'archéologue était en discussion rapprochée avec Goebbels. On pouvait faire confiance au ministre de la Propagande pour débusquer les plus belles femmes dans une soirée. Sauf que là, il n'avait aucune chance, c'était l'évidence même. Fleming sourit intérieurement : l'idée que le *Nabot* du Führer allait bientôt subir une humiliation cinglante lui ôtait un peu de la pression qui ne cessait de croître. Il consulta sa montre. Un quart d'heure s'était écoulé depuis le départ du commando des sous-sols du palais. Laure et les autres membres devaient déjà être à bord du motoscafo arrimé de l'autre côté de l'édifice. Prêts à foncer vers l'île de Poveglia pour rejoindre au plus vite le sous-marin qui les ramènerait à Malte. Quant à lui, Ian Fleming, il reviendrait en Angleterre tout auréolé de gloire : l'officier qui avait tué Hitler et Mussolini ! L'agent au service secret de Sa Majesté qui avait fait gagner la guerre au monde libre !

Fleming bouillonnait d'impatience. Dès que ce maudit Führer arriverait dans la salle, il descendrait au sous-sol et armerait les bombes. Et toute l'histoire du monde serait changée. En un instant.

L'excitation intérieure devenait insupportable. Pire que dans une partie de baccara. Pour se détendre, il décida de se servir une nouvelle coupe de champagne. L'alcool avait toujours eu sur lui un effet bénéfique.

Au moment où il se retourna, il heurta Reinhard Heydrich. Il le reconnut tout de suite. Le bras droit d'Himmler bénéficiait d'un volumineux dossier dans les archives du renseignement de la Royal Navy. Avec un peu de chance, il partirait, lui aussi, en fumée en compagnie de son patron. Le SS le dévisagea des pieds à la tête, s'arrêtant sur sa croix de fer comme s'il la trouvait trop brillante.

Fleming sentit son cœur s'accélérer. Il s'inclina respectueusement.

— Excusez-moi, Obergruppenführer.

— Il n'y a pas de mal, capitaine… ?

— Drax. Hugo Drax. De la troisième division d'infanterie, répondit Fleming dans un allemand impeccable, remerciant intérieurement sa mère de lui avoir fait passer ses étés d'adolescent dans la patrie de Goethe.

— Vous êtes bien loin de votre unité, capitaine Drax. Elle opère en ce moment en Ukraine, si je ne me trompe. Elle traque les partisans russes à l'est de Kiev, c'est bien ça ?

Fleming répondit sans perdre pied :

— Je sers à Berlin depuis sept mois, Obergruppen-führer.

— Alors vous êtes détaché à l'état-major comme officier de liaison ?

— Voilà pourquoi je fais partie de l'escorte du maréchal Keitel.

Heydrich plissa ses yeux. De près, son visage avait quelque chose de reptilien. Il articula d'une voix glacée :

— Vraiment ? Je n'ai pas souvenir de votre nom sur la liste des invités. Et j'ai pourtant une excellente mémoire.

56

Venise
Île du Lido
Palais du cinéma
Décembre 1941

Tristan entra sans encombre dans la chambre luxueuse dont le long balcon donnait sur la plage du Lido. Pour célébrer la venue du Führer, les autorités avaient illuminé la plage. Pas de chance, Hitler n'aimait que la montagne. Il n'y avait nulle trace d'occupation dans la chambre, excepté une nuisette en dentelles noire posée sur un canapé. Tristan sourit. La suite, censée recevoir des hôtes de marque, servait en fait à l'usage exclusif de la maîtresse du directeur du palais. Elle pouvait ainsi s'installer en toute discrétion : la suite de son amant se trouvait, elle, à l'étage supérieur, reliée par un escalier privatif.

Le Français monta lentement les marches en prenant soin d'atténuer l'écho de ses pas. Arrivé devant la porte, il consulta sa montre. Le comte allait bientôt éloigner le majordome. Sur le palier, le lion était bien là. Sur une affiche de la Mostra de 1940. Sur fond bleu nuit, le lion ailé de la place Saint-Marc rugissait en haut d'une colonne. Sûrement un message viril adressé par le directeur du palais aux femmes qui pénétraient dans sa tanière.

Tristan colla son oreille contre le bois de la porte. Le bruit caractéristique d'un jet de douche résonnait faiblement. Soudain son cœur s'accéléra. Des éclats de voix venaient de jaillir. Secs. Brutaux. Deux voix différentes, mais il reconnut l'une d'entre elles. Celle du maître de l'Allemagne. Le Français réalisa qu'une simple paroi de chêne le séparait de l'homme le plus maléfique que la terre ait jamais engendré. L'homme qui avait plongé l'Europe entière dans un océan de sang. L'incarnation du mal.

Le Français sentit ses mains trembler.

Pas maintenant...

C'était stupide, il le savait, mais la présence d'Hitler le tétanisait. Lui qui avait traversé tant d'épreuves depuis trois ans, qui avait connu la prison, la faim, la torture en Espagne, qui s'était sorti de situations plus périlleuses, qui jouait sans cesse un double jeu mortel, voilà qu'il se sentait comme un tout petit enfant intimidé par un adulte impérieux. Impossible de continuer dans cet état de faiblesse honteuse.

Tu es ridicule. Reprends-toi.

Il tenta de calmer sa respiration et se baissa pour regarder par le trou de la serrure.

Ce ne fut pas le tyran qui apparut dans son champ

de vision, mais un SS aux cheveux blonds en train de brosser méticuleusement une veste brune. Tristan grimaça. Évidemment, le majordome d'Hitler ne pouvait qu'être un membre de la caste supérieure des nazis. Mais il y avait quelque chose de ridicule à voir un membre de l'ordre noir accomplir une tâche ménagère aussi banale. Tristan se demanda si ce type était un valet à qui on avait attribué d'office une tenue de SS pour soigner les apparences ou un suppôt à tête de mort d'Himmler reconverti dans le repassage et le cirage de bottes.

Des coups discrets retentirent à la porte d'entrée de la suite. Le majordome déposa la veste sur une chaise et disparut du regard de Tristan.

Le Français se figea. Droit devant lui, sur un canapé, gisait la veste tachée. Et au revers, la swastika ancestrale.

Son cœur, cette fois, s'emballa.

La troisième relique était presque à portée de main. La croix gammée donnée par Lanz, le moine fou, trente ans auparavant. La source de tout pouvoir.

Et lui, Tristan, pouvait changer le cours des événements. Arracher enfin l'origine de la puissance du dictateur et définitivement renverser le rapport de force en faveur du monde libre.

Deux swastikas dans le camp du Bien contre une seule pour les forces obscures.

Il plaqua à nouveau son oreille contre la porte et reconnut sans peine la voix mélodieuse du comte Di Stella. Il ne distingua pas les paroles, mais au bout d'une minute le silence tomba et une porte se referma.

C'était le moment ou jamais.

Tristan introduisit la clé dans la serrure et fit tourner délicatement la poignée. La porte s'ouvrit sans un bruit. Un bruit de douche résonnait, Hitler se nettoyait dans sa salle de bains. Comme n'importe quel être humain, les pores de sa peau suintaient de sueur, se gorgeaient d'impuretés organiques, se remplissaient de déchets. Le dictateur excrétait lui aussi de la saleté, mais le savon ne récurerait pas celle qui suintait sans fin de son esprit.

Le Français avançait aux aguets. À tout moment le majordome pouvait resurgir. Et le pire se produire. Alerte, cris, aboiements, SS se ruant sur lui pour le plaquer au sol. Heydrich, torture, mort atroce. Tristan chassa ces images de terreur et s'approcha du canapé.

Calme-toi...

Il prit la veste tachée et sectionna d'un coup les fils de la languette de cuir où était accrochée la swastika en or.

Tristan la prit dans sa paume gauche et la leva à la lumière.

Enfin !

L'objet paraissait bien inoffensif. Rien à voir avec les deux autres reliques, bien plus massives, de Montségur ou du Tibet. Comment croire qu'une telle babiole avait pu procurer à Hitler autant de puissance ? Et dire que Himmler l'avait eue sous les yeux depuis tant d'années à chaque fois qu'il croisait son idole. Quelle folle ironie !

Il la fit miroiter sous le lustre. Elle semblait absorber la lumière. Tout d'un coup, elle ne paraissait plus aussi quelconque. Il émanait d'elle comme une sorte d'étrange pulsation.

L'esprit de Tristan s'embrasa.

Qui l'avait façonnée, elle et les trois autres, des milliers d'années auparavant ? Comment arrivait-elle à capter tant de pouvoir ? Et pourquoi ?

Il sentait comme une lumière invisible irradier sa paume. Peut-être que la swastika le choisissait, lui Tristan, pour changer le destin du monde.

Au moment où il abaissa sa main, le son saccadé du jet d'eau s'arrêta. Une voix rauque jaillit.

— Karl. Préparez ma tenue.

Tristan se tourna vers la porte de la salle de bains.

Le monstre se trouvait là, juste derrière. Nu, sans défense.

Et si...

Le Français passa la main droite sous sa veste et pressa la crosse du Luger. Il pouvait faire d'une pierre deux coups. Pas besoin de bombes et de leur cortège sanglant de victimes innocentes Il lui suffisait d'entrer dans la salle d'eau, de se dresser en face de la cible. Savourer pendant de longues secondes son regard étonné, puis terrifié par l'œil noir du canon. Et jouir de sa peur. Ça ressemblait à quoi un Führer en proie à la peur ? Implorerait-il sa pitié ? Se jetterait-il à ses pieds en le suppliant ? Peu importe…

Il viderait son chargeur entier entre ses deux yeux pâles. Au nom de tous les innocents assassinés sur son ordre. Huit balles qui hacheraient sa cervelle, déchiquetteraient sa chair, pulvériseraient ses os. Son visage ne serait plus qu'une bouillie infâme, son corps un cadavre nu, écroulé dans la douche. Une mort avilissante.

Tristan fit jouer la sûreté. La tentation était trop forte. Il passerait à la postérité comme l'homme qui a tué le monstre. Le sauveur de l'humanité.

Il n'avait qu'à ouvrir la porte de la salle de bains. Et tirer.

Et anéantir en même temps toute possibilité de s'enfuir avec la relique.

Au premier coup de feu les SS en faction et le majordome débouleraient dans la suite. Il pourrait les abattre, sans garantie de ne pas être touché lui aussi. Mais il y en aurait d'autres, des dizaines, armés jusqu'à la gueule et qui le traqueraient jusqu'à la curée.

Jamais il ne pourrait donner la swastika à Laure ou à Fleming. Pire, le successeur du tyran s'emparerait de la relique et tout serait alors à recommencer.

Le dilemme le dévorait.

La raison lui intimait d'exécuter le monstre. Le résultat était garanti. Hitler disparaîtrait de la surface de la terre.

Mais, dans le même temps, une autre voix intérieure susurrait le contraire. La relique passait avant toute chose. Avant la mort du tyran.

La raison était sa main droite, celle qui tenait le pistolet.

L'intuition était sa main gauche, celle qui détenait la swastika.

Il devait faire le choix de sa vie.

Tuer Hitler ou prendre la relique.

Venise
Île du Lido
Palais du cinéma
Décembre 1941

— Vous osez mettre ma parole d'officier en doute. Je suis capitaine de la Wehrmacht, décoré de la croix de fer sur le front russe. On ne peut pas en dire autant de vous !

Face au chef de la Gestapo, Fleming ne se démontait pas. Au contraire, il jouait à la perfection l'officier allemand, fier et hautain, pour lequel les SS n'étaient que de vulgaires agitateurs de rue, des parvenus de l'histoire. Même son monocle, qu'il n'avait jamais porté de sa vie, ne cillait pas. Peu de chance néanmoins que cette attitude impressionne Heydrich, mais ça confortait son personnage, augmentait sa crédibilité. Quand on bluffait, il ne fallait pas hésiter à aller jusqu'au bout. Et ne jamais fissurer le masque. Question de maîtrise de soi. Heureusement, la pratique du baccara des nuits entières dans les casinos lui avait forgé des nerfs à toute épreuve. Sauf que cette fois il jouait sa vie.

Autour d'eux, personne ne s'apercevait de leur affrontement larvé. Toute l'attention était tournée autour de Goebbels qui présentait sa femme Magda à Mussolini. La walkyrie blonde, au sourire de marbre, semblait faire un grand effet sur le Duce.

— Ne le prenez pas sur ce ton, capitaine Drax, murmura Heydrich, ce comportement négatif et infantile ne vous mènera nulle part. Contentez-vous de me suivre.

Heydrich abattit son jeu : il ouvrit l'étui de son Luger et posa la main sur la crosse du pistolet.

— S'il s'agit d'une erreur de l'organisation je vous présenterai mes plus plates excuses. Si vous saviez comme j'aime me tromper… J'ai tellement l'impression d'avoir toujours raison.

Si le visage de Fleming n'affichait aucune émotion, son esprit, lui, était fébrile comme chaque fois qu'il devait choisir une carte maîtresse. Certes, il pouvait dégainer son Walther PPK plaqué contre sa cheville droite, mais Heydrich tirerait avant même qu'il ne l'empoigne. Et il savait comment : une balle dans le ventre pour être sûr de pouvoir l'interroger ensuite. L'Anglais scruta la salle d'un coup d'œil rapide.

— Toutes les issues sont gardées, ne me faites pas perdre mon temps, reprit le SS en mettant la main sur son épaule pour le pousser vers la sortie située entre les deux portraits grandeur nature des dictateurs.

L'agent secret plissa les yeux. Le jeu de l'adversaire était meilleur que le sien. Il avait néanmoins un atout : il pouvait déséquilibrer Heydrich et tenter de prendre la fuite, mais la chance de s'en tirer était proche de zéro. La seule option était d'obtempérer pour gagner du temps. Avec peut-être l'opportunité, infime, que le comte ou Tristan reviennent dans le jeu.

Ou pas. Et ce serait la fin de la partie. Fleming passa la langue sur sa molaire creuse dans laquelle était insérée l'ampoule de cyanure.

— Je vous suis, Obergruppenführer.

À leur arrivée dans le couloir, deux SS escortèrent Fleming et Heydrich sous le regard des stars du cinéma, Clark Gable, Katharine Hepburn ou Vivian Leigh, qui s'étalaient sur les murs. Pour conserver son calme, Fleming s'astreignait à penser comme s'il n'était pas en train de jouer sa vie. Il s'étonnait que les Italiens n'aient pas ôté ces portraits d'acteurs hollywoodiens. Les nazis vomissaient le cinéma américain, même si on racontait qu'Hitler se délectait des courts métrages de Chaplin qu'il se faisait régulièrement passer à Berlin. Le couloir n'en finissait pas. Le chef de la Gestapo n'avait pas sorti son pistolet, mais l'Anglais était indubitablement son prisonnier. Pour Fleming, ce couloir avait surtout l'apparence d'un couloir de la mort.

— Où allons-nous ? demanda-t-il.

— Rendre visite à une charmante petite serveuse maladroite. Mes hommes sont en train de l'interroger.

Le visage de Fleming se glaça. Soudain, un bruit de bottes retentit à l'autre bout du couloir. Un sous-officier surgit, hors d'haleine.

— Obergruppenführer, venez vite !

Heydrich se raidit aussitôt.

— Je dois mener un interrogatoire, retournez à votre poste.

— On vient de trouver une bombe dans le sous-sol ! La vie du Führer est menacée !

Aussitôt Heydrich ceintura Fleming et hurla à ses gardes :

— Emmenez-le où se trouve la fille. Et interrogez-le. Tout de suite. Jusqu'à ce qu'il parle.

Deux étages plus haut, dans l'antre du mal, Tristan allait, lui aussi, abattre son jeu.

Au moment où il allait prendre sa décision ultime, la porte d'entrée s'entrouvrit légèrement. L'ombre d'une silhouette se dessina sur le sol. Le majordome était sur le point de rentrer.

Une voix italienne fusait dans l'entrebâillement.

— En Italie nous mettons un point d'honneur à nous excuser.

— Je suis certain qu'il acceptera volontiers de vous parler quand il redescendra, répondit le serviteur.

Tristan désarma son pistolet. Il était trop tard pour abattre le dictateur. Le destin avait tranché pour lui. Il reposa la veste exactement là où elle était et glissa la relique dans sa poche. Il passa la porte communicante à l'instant même où le SS pénétrait à nouveau dans la pièce. Di Stella le retint par le bras.

— Dites-lui bien que je suis l'un de ses plus grands admirateurs.

— Je n'y manquerai pas, comte. À tout à l'heure.

Le SS claqua la porte au visage de l'aristocrate. La voix d'Hitler retentit à nouveau.

— Que se passe-t-il, Karl ?

— Rien, mon Führer, c'était le comte Di Stella qui insistait pour vous présenter ses hommages. Aussi collants qu'un plat de macaronis, ces Italiens !

— Allons Karl, ce sont nos alliés.

— Pardon, mon Führer.

— Passez-moi mes affaires.

Le cœur de Tristan heurtait sa poitrine. Il descendit l'escalier intérieur du duplex à toute vitesse. Combien de temps s'écoulerait-il avant qu'Hitler ne s'aperçoive de la disparition de son précieux talisman ? Mais ce n'était plus le moment de se poser des questions. Il traversa la chambre au pas de charge. Le couloir était désert. Il accéléra jusqu'à l'escalier qui menait au rez-de-chaussée. L'angoisse avait laissé place à l'exaltation. La relique était à lui !

Il ne restait plus qu'à la remettre à Laure ou à Fleming et revenir comme si de rien n'était auprès d'Erika. Personne ne pouvait le soupçonner. Un travail d'orfèvre. Encore une fois la chance lui avait souri. Si l'alignement des étoiles perdurait, non seulement la swastika rejoindrait le camp de l'Angleterre, mais Fleming pourrait faire exploser ses bombes et envoyer Hitler et Mussolini en enfer.

Son esprit s'enflammait. Tout ce pour quoi il s'était battu arrivait à un point critique. La destinée l'avait choisi pour être aux premières loges d'un événement exceptionnel.

Cet attentat ferait date dans l'histoire. Pour les deux camps. Pendant son séjour à Berlin, Tristan avait mesuré la vénération hystérique que portaient les Allemands à leur Führer. Même des personnes douées de raison et à l'esprit affûté comme Erika avaient succombé à l'enchantement maléfique de la croix gammée. Le pays de Goethe s'était donné corps et âme à ce dément. Comme l'Italie à son Duce.

La mort des deux dictateurs provoquera un déferlement de joie en Angleterre, en Russie et dans les pays occupés. Et une vague de stupeur et de colère en Allemagne et en Italie.

Cette nuit restera à jamais gravée dans la mémoire des hommes.

Pour les uns, la nuit du bien.

Pour les autres, la nuit du mal.

Au moment où il arrivait au rez-de-chaussée la silhouette d'une femme apparut en bas des marches. Il ralentit net sa course.

C'était Erika.

— On peut savoir d'où tu viens ?

Tristan descendit les dernières marches avec plus de lenteur.

496

— Je me suis perdu. On m'a dit que les toilettes étaient à l'étage, mais je ne les ai pas trouvées.

L'archéologue se rapprocha. Sa voix était étrangement calme.

— Et je suppose que c'est ton envie pressante qui t'a poussé à dévaler cet escalier ? À moins que tu n'aies le diable à tes trousses…

— Peut-être bien.

La jeune femme le fixa droit dans les yeux.

— Cesse de me mentir.

Venise
Île du Lido
Palais du cinéma
Décembre 1941

Le capitaine Fleming releva la tête, un filet de sang coulait de sa lèvre inférieure. On l'avait attaché à la chaise, il ne comptait plus les coups reçus sur le visage. La douleur montait comme une marée irrésistible, mais le plus dur à endurer étaient les hurlements de la femme qui se tordait au sol, les mains crispées sur le front. Elle aussi avait perdu du sang, beaucoup de sang. Surtout de son orbite droite. Le globe oculaire de la serveuse reposait sur une table à côté d'un couteau à lame plate et sombre, modèle standard des troupes SS, sur lequel était inscrite la devise : *Mon honneur est ma fidélité.*

Fleming connaissait cette technique. Pendant son entraînement, ses instructeurs polonais lui avaient raconté en détail la créativité de la Gestapo en matière d'interrogatoire. L'énucléation en faisait partie. Tout était conforme à ce qu'on lui avait enseigné, de même que la présence d'une victime martyrisée, une femme ou un enfant de préférence, pour affaiblir la résistance psychologique.

— Comment t'appelles-tu ? Quelle est ta mission ? demanda l'un des trois SS, les bras croisés sur la poitrine.

Il affichait une expression neutre, presque polie, comme s'il menait un entretien d'embauche.

— Hugo Drax. Capitaine Hugo Drax. Je suis…

Il ne put terminer sa phrase, un poing s'abattit sur sa tempe. Fleming faillit basculer sur le côté, mais l'un de ses tortionnaires bloqua la chaise.

— Il n'existe pas de capitaine Drax sur les listes. Tu nous fais perdre notre temps. La fille a déjà avoué avoir été payée pour renverser le plateau sur le Führer. On va essayer une autre technique pour te mettre plus à l'aise.

Le SS prit le couteau et l'approcha du visage de Fleming.

— Si ta prochaine réponse ne me convient pas, je t'arrache un œil. Comme à la fille. Puis ce sera le second. Ensuite, on passera à une autre partie de ton anatomie, beaucoup plus intime.

Fleming comprit que le jeu était terminé. Il n'y avait plus d'échappatoire. Ils le charcuteraient à vif jusqu'à ce qu'ils obtiennent exactement ce qu'ils veulent.

Personne ne résiste à la torture, ce n'est qu'une question de minutes avant de parler, assenaient les

Polonais pendant les séances d'entraînement musclé aux interrogatoires. Fleming, après avoir subi un tabassage en règle de leur part, était certain qu'ils exagéraient. Maintenant, il savait que non.

L'un des bourreaux lui bloqua la tête. La pointe du poignard incisa lentement le bord inférieur de sa paupière.

— D'accord ! Je vais parler, dit Fleming, mais arrêtez avec la fille, elle n'y est pour rien.

— On va arrêter.

L'un des SS sortit son Luger et tira à bout portant dans la tête de la serveuse. Son corps se cabra avant de se relâcher dans une odeur abominable. Des éclats de cervelle nacrés maculaient le mur.

— Ton vœu est exaucé. Personne ne la touchera plus. On t'écoute.

Fleming avait une envie irrépressible de vomir. Il était temps d'abréger la partie. De quitter le tapis définitivement. Sans même reprendre sa mise. Il ne serait jamais l'homme qui aurait tué Hitler. Il allait mourir seul et misérable et personne ne se souviendrait jamais de son nom.

Juste au moment de presser la capsule de cyanure, la porte de la pièce s'ouvrit et une femme de ménage, un balai et un seau à la main, apparut dans l'encadrement. Malgré la douleur, Fleming faillit ricaner. Décidément le destin se foutait bien de lui. De tragique, la scène devenait ridicule. Il allait crever devant une pauvre fille qui allait devoir nettoyer ses vomissements *post mortem*. L'un des SS tourna la tête et aboya :

— Fous le camp !

— Pardon…, dit Laure en laissant tomber le seau à terre et en dégainant un Browning qui cracha aussitôt la mort.

L'Allemand qui était derrière Fleming fut le premier à tomber, la tête atomisée par une première grappe de balles. Jambes écartées, genoux légèrement fléchis, bras tendus en avant, mains à hauteur de son regard, le visage impassible, la position de tir de Laure aurait mérité la note maximale à l'entraînement. D'ailleurs deux nouveaux corps témoignaient de son efficacité. Elle s'avança et immobilisa, d'une balle dans la colonne, le dernier SS qui ondula comme un serpent sur le sol. Puis, elle dénoua les liens de Fleming.

— On dirait que vous vous êtes mis dans une sale posture, capitaine. Ça vous fait quoi d'être sauvé par une femme de ménage ?

— Vous m'avez désobéi, vous deviez attendre dans le bateau.

Laure l'aida à se relever.

— Et « merci », jamais ? Je suis restée pour m'assurer de votre sécurité… et de celle de Tristan. À part ça, rien n'est changé. Le reste du commando nous attend pour embarquer.

— Il faut que j'aille amorcer les bombes, dit Fleming en s'emparant du Luger d'un des morts.

— C'est impossible, répondit Laure, l'accès aux sous-sols vient d'être bloqué. Où est Tristan ?

Ils venaient de sortir dans le couloir. Fleming hésitait sur la direction à prendre.

— Je ne sais pas, je pense qu'il a récupéré votre foutue relique, mais il va se faire prendre lui aussi. Heydrich a été appelé d'urgence. Ils ont découvert les bombes

— Il faut le retrouver, le…

— On n'a plus le temps. Juste foncer jusqu'au point de rencontre et prier le Ciel que Tristan nous rejoigne.

Ils s'élancèrent.

— Vous êtes vraiment sidérante, Laure. Ce que vous avez fait dans le bureau… Je ne croyais pas qu'une…

Furieuse de n'avoir pu récupérer Tristan, la Française répliqua :

— Qu'une femme serait capable de se battre comme un homme et de tuer ses adversaires ? Eh bien, si vous vous en sortez, vous aurez au moins appris quelque chose sur la condition féminine.

Au bas de l'escalier, Tristan et Erika se faisaient face. Les deux amants savaient qu'ils étaient devenus des ennemis.

— Laisse-moi passer, dit Tristan.

— Non, je vais appeler les gardes.

— Tu sais que tu me condamnes à mort ?

— Ce que je sais, c'est que le palais Bragadin était une fausse piste. Tu voulais venir à Venise, mais tu avais une autre idée en tête.

— Tu as trop d'imagination, Erika…

— Ça suffit ! Sois franc. Tu as fait semblant de m'aimer pour arriver à tes fins, c'est ça ?

La dureté de son regard s'était voilée. Il la jaugea quelques instants, puis s'approcha au plus près d'elle. Il était temps de tomber le masque. Cela devait arriver un jour ou l'autre.

— Je travaille pour les Anglais depuis le début. Maintenant laisse-moi passer.

— Jamais, répondit-elle. Tu m'as joué la comédie, tu m'as abusée. Tu m'as baisée dans tous les sens du terme.

Il lui saisit les mains.

Elle se dégagea violemment.

— Je ne suis pas comme toi, un traître ! Je sers mon pays.

— Non, tu sers un monstre. Et tu le sais très bien. Toi et tes compatriotes avez mis au pouvoir l'être le plus abominable que la terre ait porté. La swastika ne doit pas tomber entre les mains de ce fou et de ses complices. Ne tombe pas avec eux.

— J'ai prononcé un serment de fidélité. C'est un mot que tu es incapable de comprendre.

— Alors sonde ton cœur, si tu ne me crois pas. Veux-tu vraiment que le monde entier bascule dans l'horreur nazie ?

— Même si je réprouve certains actes, l'Allemagne est ma seule patrie.

— Et si c'était moi, ta patrie, ton avenir ? Tu peux changer le cours de l'histoire, Erika, finir cette guerre ! Il suffit que je fasse passer la relique dans l'autre camp.

Brusquement, elle parut ébranlée.

— Tu l'as trouvée ?

— Oui, elle est dans ma poche.

Erika était stupéfaite.

— Tu mens ! Comme toujours ! Les reliques du Tibet et de Montségur n'étaient pas de cette taille !

Tristan secoua la tête et brandit la croix d'or devant elle.

— Celle-ci est un modèle miniature, mais ses pouvoirs sont les mêmes. C'est Hitler qui l'avait accrochée à sa veste. Depuis très longtemps.

— Mais comment…

— Tu te souviens du vieux moine que je suis allé voir dans l'abbaye d'Heiligenkreuz ? Il s'appelait Lanz. C'est lui qui a découvert la relique et l'a donnée à Hitler à l'époque où il n'était rien. La suite, le monde entier la connaît.

— Ce n'est pas possible !

— Voilà pourquoi il fallait absolument que je trouve une occasion pour m'approcher de ton Führer. Quand Goebbels a annoncé qu'il se rendrait à Venise, j'ai créé un piège sur mesure : le palais Bragadin. Maintenant, tu sais tout.

Il la prit doucement par les épaules.

— Viens avec moi, je peux nous faire quitter Venise en quelques heures. Tu trouveras asile en Angleterre. Ne te rends pas plus longtemps complice de l'horreur.

Une larme, une seule, perla sur la joue de l'archéologue.

— Je ne peux pas trahir.

— Tu fais le mauvais choix, Erika.

Il aurait voulu la serrer entre ses bras, mais c'était trop tard. Il s'écarta, regarda autour de lui, comme pour trouver une sortie.

— Tu ne partiras jamais avec la relique.

Il se retourna, Erika braquait un pistolet sur lui.

59

Venise
Île du Lido
Palais du cinéma
Décembre 1941

Les deux amants étaient face à face.

— Ne me force pas à tirer. Donne-moi la relique et je te laisse rejoindre tes amis anglais.

Tristan secoua la tête.

— Je n'ai pas risqué ma vie pour qu'elle tombe entre les mains de tes maîtres.

Elle arma le Luger, une tristesse irrépressible se dessinait dans son regard.

— Alors, je n'ai pas d'autre choix...

Soudain des cris retentirent au bout du couloir.

— Une bombe ! Il y a une bombe !

Une foule d'hommes en tenue de gala et de femmes en robe de soirée surgirent dans le couloir. Erika commit l'erreur de tourner la tête dans leur direction. Immédiatement, Tristan frappa le poignet de sa maîtresse, le pistolet tomba à terre. Furieuse, elle se jeta sur lui, toutes griffes dehors, il esquiva et la fit rouler au sol. Dans sa chute, sa tête heurta le mur.

Un groupe de serveurs surgit se frayant un chemin par la force. Tristan se plaqua contre Erika pour lui faire un rempart de son corps. Il en profita pour vérifier l'arrière de sa tête, il n'y avait aucune trace de sang. L'archéologue semblait sonnée, mais n'avait pas perdu connaissance.

— Je suis désolé, Erika. Je ne te veux aucun mal.

— Ne pars pas, je t'en supplie, murmura-t-elle d'une voix hachée.

Il se redressa et attrapa une serveuse qui arrivait devant lui.

— Que se passe-t-il ?

— Lâchez-moi ! On nous a dit d'évacuer, il y a des bombes au sous-sol.

Tristan la libéra. Fleming avait dû déclencher le mécanisme de mise à feu. Il devait s'enfuir et les rejoindre au point de rendez-vous.

La cohue allait le protéger. À ses pieds, Erika tentait de se lever, mais les fuyards la projetèrent à nouveau contre le mur. Elle mourrait piétinée ou bien déchiquetée dans l'explosion.

Il ne pouvait pas la laisser là.

— Accroche-toi à moi.

Il récupéra le Luger et passa ses bras autour de ses épaules, sa tête à l'abandon contre son cou.

— Reste avec moi… Mon amour…

Ils se traînaient vers la sortie dans la débandade

générale. Elle l'étreignait avec force comme un nau-
fragé agrippé à son radeau en pleine tempête.

La porte du palais avait été disloquée par la foule
paniquée. Ils débouchèrent sur une esplanade qui
surmontait la plage du Lido. Une rangée de projecteurs éclairait le paysage jusqu'à la mer, dévoilant un groupe d'hommes et une femme hurlant de
désarroi.

— Trouvez le Führer, vite !

Tristan tourna la tête sur sa droite et aperçut
Goebbels et Magda entourés d'un cercle de SS qui
bousculait les invités pour les mettre à l'abri.

— Le Führer, où est le Führer ? Je dois être près
de lui !

Surexcité, le *Nabot* trépignait comme un possédé.
Excédé, un officier le saisit par le bras.

— Il est sain et sauf et en compagnie du Duce.
Vous le rejoindrez plus tard. Je dois d'abord vous
évacuer.

— Non, je veux le voir tout de suite !

Le Français s'éloigna pour déposer Erika sur un
banc. Elle ne voulait pas le lâcher.

— Je t'en prie…, murmura-t-elle.

Il l'interrompit pour l'embrasser avec douceur.

— Adieu.

Tristan se releva et tenta de s'orienter. Où était
passé le commando ? Où était ce maudit ponton,
près d'un poste de secours, où ils devaient tous se
rejoindre ?

Les deux moteurs du motoscafo tournaient à bas régime. À l'intérieur les trois membres du commando s'étaient tapis pour ne pas se faire repérer. Seuls Laure et Fleming se tenaient debout sur le ponton avec le comte Di Stella, observant avec une paire de jumelles l'évacuation du palais.

— C'est un vrai chaos ! L'alerte à la bombe lancée par Giuseppe a fonctionné : j'espère que ça permettra à votre agent de nous rejoindre. Mais il doit faire vite !

À côté de lui, Fleming, le visage en sang, ne décolérait pas.

— Vous avez saboté ma mission ! Je n'ai pas eu le temps d'actionner la mise à feu !

— « Une fois que le bateau a coulé, tout le monde sait comment on aurait pu le sauver ! » Proverbe vénitien. De toute façon, vous n'auriez pas pu atteindre le sous-sol.

— Et si la serveuse a donné votre nom sous la torture ? l'interrogea Laure.

— Aucun risque, l'homme qui l'a recrutée a pris un faux nom. Il faut absolument que je rejoigne les officiels, sinon mon absence va provoquer des soupçons.

Il désigna le bateau.

— Le capitaine vous transférera directement hors de la lagune. Plus question de repasser par Poveglia. De toute manière, le sous-marin doit être déjà arrivé au lieu de rendez-vous.

Il s'inclina devant Laure.

— J'espère qu'un jour ou l'autre nous nous retrouverons pour fêter la fin de la guerre. Vous serez mon invitée privilégiée.

Puis, se tournant vers Fleming :

— Dites bien à vos supérieurs que ni le roi Victor Emmanuel ni le Grand Conseil fasciste ne soutiendront éternellement Mussolini. Les Italiens ne veulent pas de cette guerre.

— Je transmettrai, comte. Bonne chance.

Ils le regardèrent s'éloigner, les mains dans les poches, comme s'il flânait. Une désinvolture tout aristocratique.

— Quel homme, j'aimerais avoir son courage ! dit Fleming.

Le capitaine du bateau passa une tête hors du poste de pilotage.

— Il faut y aller, on m'informe à la radio que des patrouilleurs sont sortis de l'arsenal pour bloquer toutes les sorties de la lagune.

— Pas question, on attend Tristan, répliqua Laure qui scrutait la masse grouillante des invités échouée sur la plage.

Le capitaine jeta un juron et articula d'une voix aigre :

— Restez ici si ça vous chante pour danser le tango avec les SS, moi je pars dans trois minutes pas plus.

Tristan descendait l'escalier en bois qui ondulait vers le rivage, illuminé comme en plein jour. Des hommes et des femmes s'étaient attroupés comme au spectacle et scrutaient la façade du palais mono-lithique, s'attendant à tout moment à le voir exploser dans le ciel.

Le Français ne courait pas de peur d'attirer l'attention sur lui. Des chemises noires armées et des carabiniers s'éparpillaient sur toute la plage. Il contourna une rangée de cabines de bain peintes en bleu pâle et aperçut le poste de secours à une centaine de mètres tout au plus. Il serra instinctivement la croix d'Hitler.

La chance lui souriait. Le ponton venait d'apparaître sur la droite, le motoscafo était bien là, il pouvait entrevoir des silhouettes sur l'avancée. Il crut distinguer celle de Laure, mais il n'en était pas sûr.

Au moment où il posa son pied sur le sable, une voix féminine jaillit de la terrasse qui surplombait la plage.

— Arrêtez-le !

Tristan leva la tête et vit Erika qui pointait une main accusatrice dans sa direction.

— Lui, là-bas, l'homme en costume gris !

Tristan fit comme s'il n'entendait pas, les gens le dévisageaient avec surprise, mais personne ne tenta de le stopper. Son cœur accéléra dans sa poitrine, il approchait du ponton, le bateau était là, au bout, feux allumés. Au moment où il n'était plus qu'à quelques mètres, deux chemises noires lui barrèrent le chemin.

— Halte…

Tristan s'arrêta.

— Que se passe-t-il ? Vous voyez bien que je suis membre de la délégation allemande.

— Et cette femme là-haut, pourquoi vous accuse-t-elle ? dit l'un des fascistes au visage émacié en désignant Erika.

— Ce n'est rien, mentit Marcas, nous nous sommes disputés. Vous savez ce que c'est… Les femmes… Elle croit que j'ai eu une petite aventure…

Le plus petit des deux éclata de rire, le plus maigre restait méfiant.

— Je m'en fous de vos histoires. Montrez-moi vos papiers.

60

Venise
Plage du Lido
Décembre 1941

Tristan sortit un portefeuille de cuir brun de sa veste et tendit une carte à triple volet en allemand. Les deux chemises noires détaillèrent avec attention le document orné de sa photo et siglée du symbole de la SS, mais pour autant ne semblaient pas disposées à le laisser passer.

— Arrêtez-le ! Arrêtez-le ! C'est un espion !

Tristan tourna la tête et aperçut Erika qui hurlait en tentant de descendre les escaliers. Il fallait réagir et vite. Il dégaina le Luger et braqua les deux hommes.

— À terre. Tout de suite.

Surpris, les deux fascistes reculèrent, mais n'obéirent pas.

— Pour la dernière fois, j'ai dit à terre.

Aussitôt le plus petit s'exécuta, mais son camarade eut le mauvais réflexe de porter la main à son côté. Tristan fut plus rapide et lui cracha deux balles à bout portant. Le fasciste ouvrit des grands yeux sidérés et s'effondra en avant. Le Français frappa violemment son acolyte d'un coup de crosse.

— C'est un traître ! Ne le laissez pas s'enfuir !

Erika se rapprochait.

Il enjamba les corps des deux gardes et courut vers le bateau. Plus qu'une vingtaine de mètres et il était sauvé. Au loin, sur sa gauche, le faisceau d'un projecteur remontait la plage en direction de l'endroit où était amarré le motoscafo.

Son sang battit plus vite contre ses tempes, il vit les marins qui étaient en train d'enlever les amarres.

Des coups de feu derrière lui, mais il ne se retourna pas. Chaque seconde comptait.

Dans le poste de pilotage du bateau, le capitaine aperçut la grosse tache jaune et luisante du projecteur qui remontait dans leur direction. Il cria d'une voix affolée :

— On s'est fait repérer. Remontez à bord. Vite !

La carcasse vibra, la coque tangua, les moteurs passaient en régime supérieur.

— Non ! hurla Laure qui maintenant distinguait le visage de Marcas, il peut y arriver.

Fleming la ceintura pour l'empêcher de le rejoindre.

— C'est fini, on s'en va. Il n'y arrivera pas.

Elle se débattait comme une furie, un des membres du commando se précipita pour aider Fleming.

À eux deux, ils la firent basculer sur le pont. Les moteurs rugirent, le motoscafo quitta l'embarcadère à reculons au moment où Tristan arrivait à leur niveau.

Marcas vit le visage de Laure. Elle tapait des poings sur la vitre.

La partie était perdue. Il ne restait plus qu'une option.

La relique ne devait pas retomber dans les mains des nazis. Il prit la croix gammée, la contempla un instant puis la lança dans l'eau sombre.

Le plus loin possible.

La swastika traça un arc de cercle dans la nuit avant de sombrer dans la lagune.

Le motoscafo, lui, avait éteint ses lumières et s'était évanoui dans l'obscurité.

Curieusement Tristan se sentit apaisé.

Sa mission s'achevait ici.

Sa vie aussi.

L'opération était un échec, les Allemands allaient le capturer et le torturer. Erika témoignerait contre lui. Sans état d'âme.

Mais il ne lui en voulait pas, c'était ainsi. Il éprouvait le sentiment étrange d'avoir accompli sa destinée. D'autres que lui continueraient la quête de la dernière relique.

L'air était doux, le ressac contre les pilotis de bois agréable à l'oreille, les étoiles alignées tout là-haut dans le ciel.

C'était un bon moment pour partir.

Il prit le Luger et colla le canon sous sa mâchoire. Un jour, on lui avait dit que le résultat était beaucoup plus sûr que contre la tempe.

Ses yeux se fermèrent.

Il quittait le monde des ténèbres pour rentrer dans la lumière.

Au moment où son index se posait sur la détente, une voix masculine jaillit derrière lui.

— Quelle faute de goût. On se suicide place Saint-Marc, pas au Lido.

Tristan se retourna. Un homme en uniforme blanc immaculé, la tenue de gala des dignitaires fascistes, se tenait en face de lui. Le visage souriant, une cigarette coincée au bord des lèvres.

— Je me suis permis de faire un peu le ménage derrière vous, dit le comte Di Stella.

— C'est-à-dire ?

— La chemise noire que vous avez frappée n'est plus de ce monde et votre amie allemande risque d'avoir besoin de soins intensifs, si elle ne veut pas le rejoindre.

Tristan abaissa son arme. Son cœur se serra.

— Erika…

— J'espère que vous ne m'en voudrez pas. Une balle dans la tête, mais hélas j'étais un peu loin. On me considère comme un excellent tireur, mais vous savez ce que c'est, la perfection n'est pas de ce monde. Une cigarette ?

Le Français posa son arme sur le ponton. Encore une fois le sort se jouait de lui.

516

Il se sentait comme la feuille qui tombait de l'arbre puis s'envolait sous l'effet du vent. Les yeux du comte brillaient.

— Le choix est simple. Ou je vous cache et vous exfiltre hors d'Italie ou vous décidez de rester auprès de vos amis allemands. Je dirai que j'ai vu les Anglais tirer sur les gardes et votre amie. Personne ne mettra en doute la parole d'un homme de mon rang.

L'esprit de Tristan s'enflammait. Si Erika disparaissait, il ne subsistait plus aucun témoin, il pouvait continuer sa mission et peut-être mettre la main sur la quatrième relique. Si elle survivait et parlait, c'en était fini de lui.

Le dilemme était biaisé, il reposait sur une trop grande part d'incertitude. Il avait infiniment plus de chance de rester en vie en acceptant la première proposition. Seul un fou ou un inconscient choisirait la seconde.

Le comte vit le doute dans le regard de Tristan.

— Vous aimez Verdi, monsieur Marcas ou qui que vous soyez ?

— Oui, plus que Wagner…

— Il a composé un opéra célèbre, *La Forza del destino*, « La force du destin ». Pour moi les hommes se divisent en deux catégories, ceux à qui l'on impose un destin et ceux qui le forcent. À laquelle de ces races appartenez-vous ?

Au moment où Tristan allait répondre, une clarté éblouissante les illumina. Tristan cligna des yeux, le faisceau du projecteur éclaboussait le ponton et la mer autour d'eux. Des cris et des aboiements se rapprochaient. Tristan aspira une longue bouffée de cigarette et articula d'une voix claire :

— La seconde. Si nous allions retrouver les invités de cette magnifique soirée ?

Le grand jeu reprenait.

— Au passage, j'aimerais contrôler la précision de votre tir, reprit Marcas.

Les deux hommes rejoignirent le rivage qui grouillait d'hommes en armes. Le Français se sentait en sécurité aux côtés du comte, personne n'osait les aborder. En terre fasciste, la soumission à l'uniforme était devenue une seconde nature. Ils prirent le chemin que Tristan avait emprunté, contournèrent l'attroupement autour des corps des deux chemises noires et se dirigèrent vers l'endroit où Erika avait été abattue.

Au fur et à mesure qu'ils s'approchaient, Tristan sentait sa détermination fléchir.

Son cerveau réclamait la mort d'Erika, son cœur implorait sa survie.

Ils arrivèrent devant un groupe qui se tenait debout devant un transat. Un corps de femme gisait dessus. Tristan reconnut la chevelure blonde d'Erika. Un SS examinait son visage.

Tristan et le comte arrivèrent à leur niveau. L'un des hommes se retourna à leur approche. C'était Heydrich.

— Vous tombez bien, lui jeta le maître de la Gestapo. Erika von Essling semble avoir croisé le chemin du commando. Vous avez vu les assaillants ?

— Non, j'étais avec le comte. Mon Dieu, que s'est-il passé ?

Heydrich lui bloqua le passage de sa main gantée de cuir.

— C'est étrange, on vous a vu avec elle dans le palais. Elle semblait inconsciente.

— Elle avait été bousculée par la foule, expliqua Tristan, je l'ai déposée sur un banc et j'ai couru pour trouver un médecin.

— Je confirme, ajouta le comte Di Stella. Ce monsieur m'a demandé de l'aide et je l'ai conduit au poste de secours. Hélas, nous sommes revenus bredouilles. Comment vont le Führer et le Duce ?

— Ils sont sains et saufs. Les terroristes n'ont pas eu le temps de faire exploser leurs bombes. Je recherche activement les complices de cette ignominieuse tentative d'attentat.

— J'espère que vous les pendrez à des crocs de boucher, mentit le comte. On a frôlé la catastrophe.

— Le destin ne l'a pas permis, répondit Heydrich. Comme toujours quand il s'agit du Führer.

Tristan tenta de contourner le SS.

— Laissez-moi passer, je veux la voir.

Cette fois, Heydrich s'écarta.

— C'est vrai que vous êtes particulièrement attaché à elle…

Tristan s'agenouilla devant la jeune femme, le cœur battant. Une flaque de sang formait comme une auréole autour de sa tête.

La voix du chef de la Gestapo résonna derrière lui.

— Mais rassurez-vous, bien qu'inconsciente, elle est toujours en vie. Elle va s'en sortir. Comme pour le Führer, c'est votre jour de chance.

61

Londres
Buckingham Palace
Décembre 1941

L'huissier poussa la porte du salon d'audience royale et laissa passer le Premier ministre. Même pour un vieil habitué comme Churchill, ce lieu où tant d'hommes politiques avaient vu leur carrière culminer, avait une saveur particulière. Et puis, c'était le seul endroit d'Angleterre où il lui était en principe interdit de fumer – présence du souverain oblige –, mais il bénéficiait d'une dérogation personnelle. Il faut dire que le roi lui-même était un fumeur compulsif.

Churchill n'avait jamais eu de fascination pour la famille royale, mais il savait que les *royals* étaient inséparables de l'histoire d'Angleterre. Et la décision du roi George de ne pas quitter le palais, malgré les bombardements intensifs, avait soudé le peuple britannique autour du trône.

Le Premier ministre pénétra dans la pièce et

s'inclina face au roi qui l'attendait debout devant la haute fenêtre baignée de lumière qui donnait sur Green Park. Ce qui avait toujours frappé Churchill, c'était le bureau de travail du souverain. On y voyait tous les éléments nécessaires à la correspondance royale, inchangés depuis des siècles : le sceau, les bâtons de cire rouge et la seule concession à la modernité était un briquet en or pour faire fondre la cire.

— Comme toujours, soyez le bienvenu, monsieur le Premier ministre, dit George VI en lui tendant une main ferme.

Mince, le visage pâle, le port altier, le roi portait son costume noir d'amiral de la flotte. En privé, il préférait cette tenue plus élégante à celle de l'armée de terre qu'il portait pour ses déplacements publics. Commandant en chef des forces armées du Royaume-Uni et du Canada, titre plus honorifique qu'opérationnel, il se devait en temps de guerre de porter l'uniforme tous les jours.

— Prenez un siège.

— Avec grand plaisir, Votre Majesté. Mon genou gauche me joue des tours depuis quelque temps. Je le soupçonne d'être un agent double à la solde d'Hitler.

George VI sourit, il appréciait de plus en plus l'humour de son Premier ministre. Leur relation personnelle avait d'ailleurs bien changé depuis sa nomination le 10 mai 1940, le jour même de l'offensive allemande éclair sur le continent. Il était de notoriété publique que le roi n'avait pas voulu de

Churchill à ce poste. Trop fantasque, trop imprévisible, trop belliciste. Pire, le bouledogue avait été un fervent supporter de son frère, Édouard VIII, dont le court règne s'était terminé par une abdication forcée[1]. Et puis le miracle s'était produit. Churchill avait galvanisé les Anglais par sa fougue et son énergie. Lui-même était tombé sous le charme de l'impétueux Premier ministre. Un an et demi plus tard, ils avaient forgé une alliance indéfectible, nourrie d'un profond respect mutuel. Chaque semaine, le Premier ministre lui envoyait un rapport complet d'activité, puis ils en discutaient autour d'un single malt de vingt ans d'âge.

— À votre santé, monsieur le Premier ministre.

— Longue vie à Votre Majesté, proclama Churchill.

Le roi sourit à nouveau en ouvrant un porte-cigarettes en or, plaqué aux armoiries royales. Il prit une cigarette surmontée d'un filtre blanc cerclé d'une couronne. C'était la vingtième de la journée. Il fumait comme un pompier depuis qu'il avait enfin réussi à vaincre son bégaiement, quatre ans auparavant.

— Je ne vous en propose pas, mon cher Winston.

— Le cigare est bien meilleur pour la santé,

---

1. Le roi Édouard VIII abdiqua en 1936, juste avant d'être couronné, car il voulait épouser une Américaine roturière et divorcée, Wallis Simpson. Il était aussi soupçonné de sympathie pour le régime nazi. Son frère, Albert, monta sur le trône sous le nom de George VI.

répondit son interlocuteur en s'allumant un Romeo y Julieta.

Churchill vida son verre d'un trait. C'était le deuxième de la matinée. Il émit un petit rire satisfait.

— Vous ne boudez pas votre plaisir, monsieur le Premier ministre, dit le roi qui était retourné près de la fenêtre pour contempler le parc.

— J'ai de quoi me réjouir : l'offensive du moustachu marque le pas devant Moscou. Radio Berlin annonce tous les jours sa chute, mais les Allemands sont au point mort. D'ici à ce qu'Hitler s'imagine qu'il est victime d'un complot judéo-maçonnique à l'œuvre dans ses propres troupes…

Par la fenêtre, un rayon de soleil illuminait le visage du roi. Il croisa ses bras. Son ton se fit plus grave.

— À propos de complot, Winston, j'ai parcouru votre rapport hebdomadaire, j'ai quelques remarques à faire sur l'opération Doge à Venise.

— Je m'en doutais un peu.

— Vous saviez que j'étais réticent sur l'élimination physique d'Hitler et Mussolini, même si notre adversaire allemand voulait nous kidnapper ma famille et moi[1].

---

1. En 1940, Hitler avait prévu le parachutage d'un commando sur Buckingham Palace pour enlever la famille royale. Depuis, un système de sécurité avait été mis en place pour exfiltrer le souverain en cas d'attaque.

524

— Je prends sur moi l'entière responsabilité de l'échec de l'opération, mais elle devait être tentée.

Le roi secoua la tête en soufflant une longue bouffée de fumée blanche.

— Vous avez joué un jeu dangereux en voulant greffer ce double assassinat à l'objectif premier de la mission, à savoir la récupération de la troisième relique. Résultat : Hitler et Mussolini sont toujours vivants et la swastika est perdue à jamais, au fond de la lagune…

Le visage de Churchill demeura impassible. Il s'attendait à la réaction contrariée du roi, mais il ne s'en émouvait pas outre mesure. Au Royaume-Uni, le souverain pouvait donner son avis en privé à un Premier ministre, mais n'exerçait aucun pouvoir sur la conduite des affaires du pays. Et donc de la guerre. La monarchie parlementaire cantonnait le roi dans un rôle d'autorité morale. Néanmoins, Churchill privilégiait sa relation avec George VI dont la popularité et le prestige atteignaient des sommets auprès du peuple.

Le bouledogue adopta donc un ton conciliant.

— Votre Majesté, puis-je vous parler franchement ?

— J'espère bien, notre relation privilégiée tire toute sa force de notre franchise commune.

Churchill posa ses mains à plat sur la table.

— Et de notre confiance mutuelle… Au début de cette année, vous êtes intervenu personnellement pour que j'aide le commander Malorley dans la recherche de ces reliques. Je vous ai fait part de mon scepticisme, mais j'ai accédé à votre requête. Il a monté sa première opération à Montségur, rapporté cet… objet et, par la suite, je l'ai autorisé à créer son département de recherche au sein du SOE. J'ai respecté mon engagement.

— Et je vous en sais gré. Vous avez noté que la récupération de la deuxième relique a coïncidé avec l'invasion de la Russie par les nazis. Un pari audacieux, mais qui a eu le mérite d'ouvrir un second front à l'Est et de soulager l'Angleterre dans sa lutte contre le mal.

— Pardonnez-moi de n'y voir qu'une coïncidence, Votre Majesté.

Le roi restait debout, figé comme une statue.

— Un roi ne croit pas aux coïncidences, Winston.

Churchill mâchonnait son cigare entre les dents.

— Je suis un être profondément rationnel ! Vous ne me ferez jamais croire qu'Hitler s'est décidé à attaquer la Russie sur une inspiration divine.

— Je suis moi-même un adepte des lumières de la raison, mais ça ne m'empêche pas de croire en Dieu et en ses voies impénétrables. Il existe des forces qui nous dépassent.

— Votre Majesté, vous comprendrez que je ne puis me permettre de conduire cette guerre en raisonnant de la sorte. Toutefois…

— Toutefois ?

— Je suis un pragmatique, et si la quête de ces reliques prétendument magiques peut jouer un rôle dans l'issue de cette guerre, alors autant mettre toutes les chances notre côté.

George VI s'assit devant son Premier ministre, un large sourire aux lèvres.

— À la bonne heure, Winston. Il reste encore une swastika à récupérer. Je vous demande de donner au commander Malorley les moyens nécessaires pour continuer sa quête. Par ailleurs je sais qu'Aleister Crowley fait désormais partie de son équipe. Gardez un œil sur cet homme. Il est très dangereux.

— Pourquoi ?

Le roi ne répondit pas. Churchill sentit l'agacement monter en lui, il n'aimait pas qu'on lui cache des informations.

— Je prends votre silence pour une réponse, Votre Majesté, j'ai néanmoins une question qui me taraude.

— Toujours la même, je suppose ?

— Oui. Pourquoi croyez-vous à ce point au pouvoir de ces objets ?

Le roi se massa l'arête du nez. Churchill avait déjà noté que c'était chez lui le signe d'une hésitation.

— Je suis désolé, Winston. Je ne peux pas vous répondre. Du moins pour le moment.

— J'insiste. J'ai vraiment besoin d'éléments pour renforcer mon adhésion à cette… quête.

Le roi semblait réfléchir. Il avait ce visage marmoréen, hérité de son père. Un sphinx. Il finit néanmoins par répondre.

— Vous avez raison. Tout cela doit vous paraître

bien étrange. Alors, je vais vous donner une information. Mon père, le roi George V, était au courant de cette légende des quatre swastikas. Tout comme son père et tous nos ancêtres qui se sont succédé sur le trône. Il en est ainsi de toutes les familles royales sur le continent.

— Je ne sais que vous dire, Votre Majesté, c'est si… stupéfiant !

— La recherche de ces reliques ne date ni d'aujourd'hui ni d'hier. Elle plonge ses racines dans le plus lointain passé, quand les royautés se sont imposées en Occident. Et les dynasties qui l'ont oubliée n'ont pas survécu… C'est tout ce que je souhaite vous dire pour le moment.

Le roi s'interrompit et se leva, signe que l'entretien était terminé.

— Je ne vous retiens pas plus longtemps, monsieur le Premier ministre, vous avez sûrement beaucoup de travail.

Churchill se leva à son tour, s'inclina respectueusement, et serra la main que lui tendait le roi. Dans son for intérieur il était rassuré par l'explication, même incroyable, du souverain. Surtout, ce n'était pas une obsession personnelle. C'est ce que craignait le plus Churchill, car il y avait déjà eu des cas de folie dans la maison royale.

Alors qu'il sortait de la pièce, la voix de George VI résonna.

— Je sais que vous ne me croyez pas, Winston, mais vous verrez que la perte de sa swastika par Hitler

va provoquer un événement majeur. Dans les prochains jours…

Churchill se figea.

— Alors un conseil, continua le roi, trouvez la
quatrième et dernière relique. C'est le seul moyen
d'éviter l'Apocalypse.

62

La façade néo-baroque de l'immeuble donnait
sur la Tamise. Au sixième et dernier étage, debout
derrière la fenêtre, Malorley laissait errer son regard
sur le fleuve qui charriait une eau boueuse. Aucun
Londonien digne de ce nom n'aurait osé y tremper
un orteil de peur de succomber aux pires maladies.
Conséquence des bombardements pendant le Blitz :
le tiers des canalisations et des égouts avaient été
détruits. Les services de voirie avaient dû poser en
urgence des collecteurs qui vomissaient des tonnes
d'eaux usées dans la Tamise.

Le commander ferma la fenêtre et revint à son
bureau. Cela faisait à peine deux jours qu'il s'était
installé dans ses nouveaux locaux et il ne supportait pas l'odeur d'humidité qui y régnait, l'obligeant
à aérer sans cesse la pièce. Sur ordre personnel du
Premier ministre on avait déménagé son service dans

cet édifice anonyme. Aucune plaque, ni à l'entrée de l'immeuble, ni à l'étage, ne signalait la présence du département S, excroissance illégitime du SOE.

S comme swastika.

La quête devenue prioritaire.

Le département occupait tout le dernier étage, même si les trois quarts des bureaux étaient encore vides. Le patron du SOE avait précisé à Malorley qu'il recevrait du renfort, en l'occurrence, les spécialistes des sciences occultes qui avaient travaillé pour le renseignement naval. Désormais le département S serait la réplique invisible de l'Ahnenerbe.

Une lumière rouge clignota sur son téléphone. Il décrocha et entendit la voix revêche de sa secrétaire.

— Le capitaine Fleming et Mlle d'Estillac sont arrivés.

— Faites-les entrer.

Il se cala dans son fauteuil, l'air songeur. Ils revenaient juste de leur mission et Fleming lui avait déjà fait passer le double du rapport envoyé à son supérieur, à l'amirauté. À la lecture du compte rendu, curieusement bien écrit pour un document de ce genre, on sentait bien l'amertume de son rédacteur. Pour lui, seul comptait l'échec de l'attentat, la perte de la relique passait largement au second plan.

Malorley ne partageait pas son pessimisme, l'important était que la swastika ne soit pas tombée entre les mains des Allemands. Mais Fleming visiblement se souciait comme d'une guigne du pouvoir hypothétique de la relique.

La porte à battants s'ouvrit pour laisser entrer les deux agents secrets. Malorley se leva à leur rencontre. Laure affichait une mine tourmentée et Fleming avait le visage tuméfié, comme s'il avait perdu un match de boxe.

— Je suis content de vous revoir sains et saufs, dit-il d'une voix amène.

— Merci, commander, répondit Fleming. Vous avez des questions sur mon rapport ?

Malorley tapota de son index la chemise marron posée sur son bureau.

— Non, je voulais juste vous voir. Bien sûr, je regrette que tout ne se soit pas déroulé comme prévu. Et pour vous… et pour nous.

Fleming fit semblant de ne pas saisir l'allusion à la double mission et répondit d'une voix pâteuse :

— En tant que responsable de l'opération sur le terrain, je demande que l'on accorde la médaille militaire à l'agent Laure, ou Matilda ici présente. Elle a fait preuve d'une bravoure exceptionnelle. Et bien sûr à Tristan Marcas…

— J'appuierai cette proposition et elle sera acceptée sans nul doute, répliqua le commander.

Puis tournant son regard vers la jeune femme :

— Même si, hélas, Laure, vous ne pourrez pas l'arborer avant la fin de la guerre. L'inconvénient de faire partie du SOE.

La jeune femme jeta un long regard froid à Fleming, puis revint à son supérieur.

— Je me moque de vos breloques. Nous avons

laissé tomber Marcas au Lido. Ce n'est pas d'une médaille dont Tristan a besoin, c'est de notre aide pour le sortir des griffes des nazis, si tant est qu'il soit encore vivant.

Le visage de Fleming se ferma.

— J'assume ma décision. Nous ne pouvions pas le sauver, même si c'est un agent de très grande valeur. Je ne pouvais pas mettre en péril le reste du commando.

Malorley se rendait compte de la tension qui régnait entre les deux agents. À l'évidence, leurs rapports s'étaient détériorés. Il le regretta intérieurement, mais il n'y aurait pas de conséquences. La mission était terminée, Fleming retournait au renseignement naval et Laure continuerait son travail au sein du département S.

— Laure, je partage l'avis du capitaine Fleming, il a fait le bon choix compte tenu des circonstances. Quant à Tristan, nous allons tenter de le sauver

Malorley sortit un autre dossier, cette fois de couleur jaune pâle, et le posa sur le précédent.

— Tout est là. Je ne devrais rien vous révéler, mais nous allons lancer l'opération dans quelques heures.

Sur la couverture n'était inscrit qu'un nombre : 007.

— Je serais heureux si cet homme pouvait s'en sortir, répliqua Fleming, intrigué. Pourquoi ce numéro ?

— Ça vous intéresse tant que ça ?

— J'aime le monde des chiffres. Une marotte... Ils sont le langage secret de l'univers. Et n'y voyez rien de mystique.

Laure intervint.

— Le capitaine m'a quand même expliqué un système de numérologie d'où il ressortait que la France serait délivrée en 1944. Mais je le soupçonne d'avoir voulu me faire plaisir.

— Et donc... ce 007 ?

— L'administration nous a demandé, la semaine dernière, d'attribuer un chiffre aux agents en activité. J'ai choisi celui-ci en hommage à John Dee, autre nom de code de Marcas.

— Je ne comprends pas.

Malorley se leva et s'approcha de la bibliothèque qui couvrait tout un pan de mur. Une centaine d'ouvrages rares, des incunables, étaient soigneusement alignés sur les longues étagères. Il prit un livre à la reliure rouge abîmée et le rapporta à son bureau.

Il l'ouvrit vers la fin. Sur la page de gauche une gravure représentait un homme âgé, doté d'une fine barbe. Sur la droite un texte en anglais élisabéthain courait le long de la page, entrecoupé de représentations de signes astrologiques.

— Voici un ouvrage du véritable John Dee, *Les Cinq Livres des mystères*, dans lequel il y a son portrait. Ce mathématicien, astrologue et alchimiste était, comme vous le savez, un espion pour le compte de la reine Élisabeth.

Malorley posa son index sur le bas du portrait.

— Regardez, juste sous le cou de Dee. Sa marque personnelle.

— Il avait l'habitude de signer ses rapports secrets envoyés à la reine par le code 007. Le double zéro représente les yeux de la reine. Rien que pour ses yeux. Le 7, chiffre fétiche de Dee, symbolise la compréhension de toute chose. Comme Tristan Marcas, il recherchait les swastikas sacrées. Voilà pourquoi j'ai utilisé son nom et son code.

Fleming esquissa un sourire.

— 007, je ne sais pas pourquoi, mais ça sonne bien.

Malorley referma l'ouvrage.

— Amusant que vous vous focalisiez sur ce genre de détail, alors que je viens de vous révéler que le Dee du XVIᵉ siècle s'intéressait déjà aux reliques.

Fleming se leva.

— Ne le prenez pas mal, mais je ne crois absolument pas à votre légende. Hitler vient de perdre sa foutue breloque et il ne s'est rien passé depuis de favorable pour l'Angleterre.

— On m'a dit que vous étiez un joueur. Pariez avec moi une caisse de mon meilleur whisky ? Si la légende est exacte, un événement majeur se produira bientôt. En notre faveur.

— Avec plaisir, dit Fleming. Maintenant, si vous m'autorisez, commander, je demande la permission de vous quitter. J'ai une réunion à l'amirauté dans une heure, je ne voudrais pas la rater.

— Je vous en prie, capitaine.

Fleming s'inclina devant Laure.

— J'espère un jour que vous me pardonnerez pour Venise, mais c'était le seul choix possible.

— Si vous le dites…

L'agent quitta la pièce, laissant Malorley seul avec Laure.

— Un personnage intéressant ce Fleming, dit le commander. Son rapport était très agréable à lire, il a une vraie plume d'écrivain.

— Grand bien lui fasse et qu'il aille vendre ses livres en enfer, répondit Laure. Vous disiez que vous aviez trouvé un moyen pour sauver Tristan.

— Oui, je ne voulais pas en parler devant Fleming. J'aime cloisonner… Et pour cela je vais avoir besoin d'un agent du département S.

Il décrocha à nouveau son téléphone.

— Crowley ? Passez à mon bureau.

Puis se tournant vers Laure :

— En votre absence, je n'ai pas chômé. Vous vous souvenez de Moira O'Connor, la patronne du Hellfire Club ?

— Bien sûr, cette horrible rousse du cimetière.

— Nous avons réussi à la convaincre que Crowley est un agent double, qu'il pouvait lui procurer des informations pour ses maîtres de Berlin. Et…

Il s'interrompit, on frappait à la porte. Elle s'ouvrit en grand et le mage apparut dans la pièce. Laure masqua son étonnement, ce n'était plus l'excentrique qu'elle avait croisé avant sa mission. Crowley portait un costume trois pièces classique en laine grise avec cravate rouge et gilet de facture soignée. Une pipe à la bouche, les cheveux soigneusement peignés, le regard posé, il aurait pu passer pour un honorable membre du club de Malorley. Il semblait même avoir perdu quelques kilos.

— Cette chère Laure, quel plaisir de vous revoir saine et sauve.

Il exécuta un impeccable baisemain et s'installa sur le siège laissé par Fleming.

— Je parlais justement à Laure des informations que vous allez transmettre à Mme O'Connor, dit Malorley qui sortit de la chemise 007 une feuille de transmission de message à en-tête du SOE.

— Le dernier message que j'ai passé à Moira a eu des répercussions ? demanda Crowley en bourrant sa pipe.

— Oui, les saboteurs à la solde des nazis ont plié bagage du jour au lendemain. Ce qui signifie qu'ils ont mordu à l'hameçon. Voici le nouveau message censé être envoyé à nos agents en Allemagne et qui pourrait sauver la mise à Tristan. La Fée écarlate pourrait sauver notre homme, sans le savoir. Lisez.

Laure et Crowley se penchèrent pour prendre connaissance du document.

« Opération Swastika 3 échouée. Prenez dispositions pour exfiltrer notre agent Erika von Essling. Éliminez le Français. »

Pour la première fois depuis qu'elle était entrée dans le bureau, Laure esquissa un sourire.

— S'ils prennent au sérieux ce mensonge, Tristan a peut-être une chance… Mais je n'aimerais pas être à la place de cette femme. Vous rendez-vous compte qu'elle va être livrée à la Gestapo ? Ils vont la torturer jusqu'à la mort.

Le patron du département S croisa les mains sur son bureau. Son expression se fit plus dure.

— Je le regrette, mais si ça permet à Tristan de revenir dans le jeu et continuer la quête, je n'ai aucun scrupule. J'allumerai moi-même les feux de l'enfer si ça peut nous faire gagner cette guerre. Chaque camp possède sa relique, la dernière fera la différence. Et je préfère que ce soit nous, le camp du Bien.

Crowley tapota sa pipe sur le cendrier posé sur le bureau.

— Quelle envolée lyrique admirable, vraiment ! Le Bien, le Mal, la liberté… (L'ironie perçait dans la bouche du mage.) Vous croyez donc que ces reliques donnent le pouvoir à celui qui les détient ?

— Maintenant oui. Et il n'y a pas que moi qui pense ainsi.

Sans prévenir, Crowley tapa du poing sur la table. Laure le fixa avec surprise. Sous le visage empâté, une volonté inédite venait d'en durcir subitement les traits.

— Vous avez récupéré la relique de Montségur

en juin dernier et voilà qu'Hitler envahit la Russie. Un nouveau front ouvert, quelle chance inespérée ! L'Angleterre enfin soulagée ! Le loup nazi se détournait de nous pour planter ses crocs dans l'ours rouge. Mais à quel prix ? Des centaines de milliers de soldats tués et des massacres sans précédent de populations civiles.

Malorley ne répliqua pas. C'était la première fois qu'il voyait Crowley dans cet état d'excitation.

— Et là, maintenant, avec votre message, vous envoyez à une mort atroce une innocente. Oh bien sûr, ce n'est qu'une Allemande, une adversaire, quelle importance dans cette boucherie à ciel ouvert qu'est devenue l'Europe ? Votre obsession des swastikas a détruit toute humanité en vous.

— Le mage obsédé sexuel donnant des leçons de morale, j'aurai vraiment tout entendu, répliqua le commander.

— Vous êtes tellement sûr d'être dans le camp du Bien que vous avez oublié de vous poser une question essentielle.

— Éclairez-moi ?

Crowley scruta longuement Malorley avant de répondre. Il avait un regard luisant, presque hypnotique. Sa voix emplit d'un coup le bureau.

— Et si les reliques étaient les instruments du mal ?

ÉPILOGUE

Pacifique Sud
7 décembre 1941

Le première classe Joseph Lockard bâilla. Ses yeux brûlaient à force de scruter ce maudit écran radar. Il leva la tête vers l'horloge murale : 7 h 03 du matin. Plus qu'une demi-heure avant de terminer son service. Ensuite direction la base pour prendre un repos bien mérité. Il regarda par la fenêtre. Un incroyable soleil inondait de lumière le promontoire d'Opana Point. C'était bien le seul intérêt des gardes de nuit, profiter des premières lueurs de l'aube.

Il s'étira et revint machinalement à son écran.

Six points brillants verts apparurent comme par enchantement sur le cadran supérieur. Sans hésiter, le soldat Lockard prit son téléphone pour appeler son supérieur. Procédure standard de sécurité. Celui-ci décrocha, la voix ensommeillée.

— Que se passe-t-il ?

— Mon lieutenant, j'ai des échos sur mon écran.

— Ce ne sont pas des artefacts comme la dernière fois ?

— Non, je ne crois pas.

— OK, j'arrive.

Trois minutes plus tard, le lieutenant Kermit A. Tyler débarquait dans la salle radar, en short et tee-shirt blanc de la marine américaine. L'officier se pencha sur l'écran en se grattant le menton.

— Laissez tomber. C'est l'escadrille de bombardiers B 17 en provenance de San Diego. J'ai reçu un mémo hier soir à leur sujet. Ils doivent se ravitailler ici avant de repartir aux Philippines.

Sur l'écran, le nombre de points lumineux augmentait régulièrement.

— C'est bizarre, mon lieutenant, il y a beaucoup de monde pour une simple escadrille. Ce ne serait pas des avions japonais ?

— Soldat Lockard, vous avez besoin de sommeil. Le Japon est à 9 000 kilomètres de cette base. Ils ne sont pas assez fous pour venir nous attaquer. Et je doute qu'ils envoient leurs porte-avions jusqu'ici.

— On ne prévient pas la base ? demanda le radariste, inquiet.

— Pas question de déclencher une alerte pour si peu. La dernière fois, je me suis fait passer un savon par l'amiral en personne. Je retourne me coucher, réveillez-moi quand vous finirez votre service.

Le lieutenant Tyler restera dans l'histoire comme l'officier le plus inconséquent de la marine américaine. Au moment où il s'allongeait sur son lit, la plus grosse armada de l'empire du Soleil levant croisait à trois cent soixante-dix kilomètres au large d'Opana Point. Six porte-avions, deux cuirassés, trois croiseurs, neuf destroyers avaient parcouru des milliers de kilomètres, en toute discrétion, pour fondre sur l'île d'Hawaï. Des mastodontes flottants avaient jailli plus de trois cents avions, bombardiers et chasseurs, prêts à déclencher un déluge de feu et d'acier.

Vingt-sept minutes après la détection radar, le premier avion japonais passait en rase-mottes au-dessus de la côte nord de l'île. C'était un chasseur Zéro de reconnaissance qui ne rencontra aucun appareil adverse sur son chemin. Et pour cause, personne n'avait déclenché l'alerte.

Le pilote envoya le message convenu au vice-amiral Chuichi Nagumo.

Pearl Harbor dort.

Dix minutes plus tard l'enfer se déclencha sur cette île paradisiaque, base de la flotte américaine du Pacifique. Repartis aussi vite qu'ils étaient venus, les Japonais avaient transformé Pearl Harbor en champ de ruines.

Les États-Unis étaient à terre.

Il fallut attendre le lendemain, le 8 décembre 1941, pour que le Congrès américain avalise la proposition d'entrée en guerre du président Franklin Roosevelt.

Le géant américain s'était réveillé, l'Angleterre et la Russie n'étaient plus seules.

On dit que le jour de l'attaque de Pearl Harbor, le Premier ministre britannique Winston Churchill embrassa ses collaborateurs et déboucha sa meilleure bouteille de whisky. Dans ses *Mémoires* il écrira la phrase suivante : « Aucun Américain ne m'en voudra de proclamer que j'éprouvais la plus grande joie à voir les États-Unis à nos côtés. »

Et le conflit embrasa le monde.

L'Allemagne et l'Italie soutinrent le Japon et déclarèrent à leur tour la guerre contre l'Amérique. L'Axe contre les Alliés. Les dés étaient jetés, deux armées colossales s'affronteraient dans une lutte à mort pour le contrôle du monde. Si l'issue du conflit dépendait de l'acier des armes et de la chair des soldats, certains, dans les deux camps, savaient que se déroulait une autre guerre.

Une guerre occulte dans laquelle chaque adversaire possédait sa relique sacrée. À égalité.

La première était gardée dans le château inexpugnable de Wewelsburg. La deuxième désormais en sécurité aux États-Unis.

Si la troisième gisait à jamais au fond de la lagune vénitienne, il restait encore la quatrième relique.

La dernière.

Celle qui déciderait du sort de la guerre.

Discerner le vrai du faux

Dans ce genre de thriller, il est bon de séparer la lumière des ténèbres. Nous l'avions déjà fait dans le premier tome de la saga du *Soleil noir* – *Le Triomphe des ténèbres* –, avec l'ajout d'annexes détaillées et d'une bibliographie conséquente.

Les nazis ont-ils mené des fouilles archéologiques en Crète ?

Oui. Peu après l'invasion de la Crète par les parachutistes allemands et l'occupation de l'île, une campagne de recherche a été lancée simultanément sur plusieurs sites. Les résultats de ces fouilles – onze en tout – ont été publiés en Allemagne en 1951. Le site de Cnossos ayant été popularisé par un archéologue anglais, Arthur J. Evans qui avait largement médiatisé ses découvertes, les nazis souhaitaient, à leur tour, démontrer l'excellence – et surtout la supériorité – de leur archéologie.

Le personnage d'Erika von Essling a-t-il vraiment existé ?

Oui. Nous nous sommes inspirés d'Erika Trautmann dont nous avons modifié le nom. Cette jeune femme, dont la famille était proche de Goering, était devenue archéologue par amour. Fascinée par un des chercheurs de l'Ahnenerbe, Franz Altheim, elle s'engagea à ses côtés et le suivit des grottes préhistoriques du sud de l'Europe jusqu'aux déserts d'Irak. Un personnage surprenant autant qu'ambigu, dont nous avons reconstitué la biographie en annexe de l'édition de poche du *Triomphe des ténèbres.*

007 était-il le matricule de l'espion John Dee ?

Oui. Toutes les références citées sont exactes, le dessin 007 reproduit dans le livre est authentique. John Dee était bien un espion au service de la reine Élisabeth Ire. L'hypothèse d'un emprunt de Ian Fleming (qui connaissait bien l'histoire de Dee) pour James Bond est l'une des plus séduisantes à ce jour, mais non prouvée à 100 %.

Aleister Crowley est-il un personnage réel ?

Oui. Il a été considéré comme le dernier mage du XXe siècle. Débauche, magie, occultisme, excentricités, voyages... Tout est authentique, excepté sa participation au Hellfire Club, qui a cependant existé au XVIIIe siècle.

Le SOE a-t-il embauché Aleister Crowley ?

Non. Ce service secret n'a jamais recruté de mages ou d'astrologues. Le Premier ministre Winston Churchill n'a pas favorisé la création d'un département spécial. En revanche, Crowley a bien proposé ses services aux services secrets après avoir été soupçonné de travailler pour les Allemands pendant la Première Guerre mondiale. Par ailleurs, le renseignement naval, pour lequel Fleming travaillait, a bien fait appel à l'astrologue Louis de Wohl pour établir les thèmes astraux d'amiraux allemands. Le chef de ce service, l'amiral John Godfrey, se montrait très intéressé par les sciences dites occultes.

L'épouse d'un conseiller de Churchill était-elle proche de Crowley ?

Oui. L'anecdote sur les peintures des cartes du tarot est vraie. Le conseiller du Premier ministre, Harris, a même organisé une visite du parlement pour Crowley.

Les éléments rapportés sur la vie d'Hitler avant son accession au pouvoir sont-ils authentiques ?

Oui et non. Si le déroulé des faits est exact, leur signification est une libre interprétation des auteurs. Pour avoir une vue exacte de la vie d'Hitler, il faut se reporter à ses biographies (références dans *Le Triomphe des ténèbres*) dont celle de Ian Kershaw. Si, dans sa jeunesse, Hitler a été passionné par les religions nordiques et certaines théories occultes dévoyées propagées par des gens comme Lanz, il s'en est détourné au fur et à mesure de son ascension. Il ne portait pas de croix gammée magique. En revanche, il a bien été en contact avec la société ésotérico-politique Thulé qui a favorisé sa montée au sein du Parti ouvrier allemand, qui deviendra par la suite le Parti national-socialiste.

L'Ahnenerbe était-il entièrement consacré à l'archéologie ?

Non. Si l'Institut a mené plusieurs expéditions de fouilles dans le monde entier (Voir *Le Triomphe des ténèbres*), il employait aussi de nombreux chercheurs dans nombre de domaines scientifiques et publiait leurs travaux dans des revues. Les départements spécifiquement liés à l'occulte et à l'ésotérisme étaient minoritaires, mais considérés comme stratégiques. L'Ahnenerbe a aussi conduit de terrifiantes expériences médicales dans les camps de concentration. Nous y reviendrons dans le prochain tome…

Himmler était-il passionné de magie et d'ésotérisme ?
Oui. Le responsable de la Shoah, le technocrate de la mort, se passionnait pour les sciences occultes et croyait à la réincarnation. Il possédait la plus grande collection de livres sur le sujet : 13 000 ouvrages pillés dans toute l'Europe. Quant au château de Wewelsburg, il a bien abrité des cérémonies païennes de la SS et on y enseignait des théories étranges et paradoxales, comme celle de la terre creuse. Pour plus d'informations se reporter aux annexes du *Triomphe des ténèbres*.

Le nazisme était-il un mouvement d'essence ésotérique ?
Non. Il est avant tout un parti politique, raciste, avec pour projet d'établir un gouvernement totalitaire. Avec un programme économique, militaire, répressif et génocidaire, on ne peut plus concret. L'arrivée au pouvoir d'Hitler s'est faite de façon démocratique et a été le fruit de circonstances politiques et économiques. En revanche, on retrouve les points principaux de sa doctrine : race supérieurs aryenne, élimination des juifs, des plus faibles, création d'un ordre militaire de type SS, dans les idées de « penseurs » férus d'ésotérisme, qui ont sévi bien avant l'arrivée d'Hitler. Si le nazisme n'est pas d'essence ésotérique, cette monstruosité idéologique s'est nourrie d'une mystique dévoyée. C'est ce que nous avons développé dans

cette trilogie. Rappelons, s'il en était besoin, que le national-socialisme a conduit à l'extermination de six millions de juifs, mais aussi de tziganes, de prisonniers de guerre, de francs-maçons, d'opposants au régime nazi, communistes, catholiques, de handicapés, d'homosexuels… La liste de l'horreur est interminable… Sans compter une guerre mondiale qui a fait soixante millions de victimes.

Jorg Lanz a-t-il existé ?

Oui. Le fondateur de la revue *Ostara*, moine défroqué, a été l'un des plus influents « penseurs » du racisme mystico-germanique. Il faisait bien partie d'un ordre néo-templier. Hitler l'a probablement rencontré et possédait dans sa bibliothèque personnelle de nombreux numéros d'*Ostara*.

Le colonel Karl Weistort a-t-il existé ?

Non. Mais nous nous sommes inspirés d'un certain Karl Maria Willigut, Brigadeführer SS, qui a longtemps influencé Himmler. Ce nazi fanatique, ésotériste convaincu, était aussi connu pour avoir fait un séjour de plusieurs années en asile psychiatrique. Membre de l'Ahnenerbe, c'est lui qui choisira le château du Wewelsburg pour qu'il devienne le centre mystique des SS. Un de ses pseudonymes d'écrivain était Karl Maria Weisthor…

REMERCIEMENTS

À toute l'équipe de notre éditeur Jean-Claude Lattès, qui a soutenu ce projet depuis sa naissance et à tous les représentants d'Hachette auxquels nos livres doivent beaucoup.

Découvrez le prologue
du nouveau roman
d'Éric Giacometti et Jacques Ravenne

ÉRIC GIACOMETTI
JACQUES RAVENNE

La Relique du chaos

La saga du Soleil noir

JC LATTÈS

Prologue

Russie
17 juillet 1918
Iekaterinenbourg
Maison Ipatiev

C'était une douce nuit de juillet. Une nuit à boire et rire loin des isbas et à s'endormir à la belle étoile sans risquer une pneumonie. Une parenthèse enchantée, rare comme les années de récoltes abondantes. Ici, aux marches des monts de l'Oural, à la frontière entre l'Europe et l'Asie, l'été dure le temps d'un battement de paupières avant de se pétrifier dans une interminable glace.

Pourtant, en cette soirée de juillet, aucune âme dans les rues d'Iekaterinenbourg ne profitait de la douceur nocturne. Depuis la révolution, chacun vivait en hiver, calfeutré, verrouillé, recroquevillé. Par peur. Peur des communistes d'abord, qui tenaient la ville. La région était d'ailleurs surnommée *Krasnyï Oural*, l'Oural rouge, en raison du zèle du Soviet local à exterminer en masse les ennemis du peuple, bourgeois, koulaks et réactionnaires de tout poil. Peur des Blancs aussi, de cette armée hétéroclite composée de régiments impériaux fidèles au tsar déchu et de hordes de cosaques à la botte de seigneurs de la guerre, aussi cruels qu'intrépides. Les Blancs déferlaient depuis les plaines de Sibérie et se rapprochaient inexorablement de leur objectif. Ce n'était qu'une question de jours avant qu'ils n'arrivent aux portes de la ville.

Deux ours enragés se déchiraient la Russie à pleines dents. Le Rouge contre le Blanc. Une lutte aveugle et féroce, dont un seul survivrait.

— Camarade Evgueni, tu crois qu'ils nous épargneront si on tombe entre leurs mains?

— Les cosaques ne feront aucun quartier. La pitié ne fait pas partie des rares qualités dont sont pourvus les chiens blancs de l'ataman Krasnov. Ils te découperont en tellement de morceaux que ton propre père ne pourra plus te reconnaître. Découper vivant, j'entends...

Evgueni Berine, celui qui venait de parler, avait moins de trente ans, mais il s'exprimait lentement, comme un homme plus âgé. Son regard était pâle, délavé par trop d'horreurs. Le jeune soldat à ses côtés semblait à peine sorti de l'enfance et flottait dans son manteau rapiécé.

Assis dans la guérite du poste de guet, les deux hommes se partageaient une cigarette à moitié consumée. Les pieds posés sur le bac de munitions de la mitrailleuse Maxim, braquée sur les volets de la villa Ipatiev. Par décision du soviet de l'Oural, cette belle maison cossue de deux étages, nichée sur une colline de la ville, rue Voznessenski, avait été transformée en forteresse de fortune. Une palissade, comme une muraille de bois flanquée de deux postes de guet, entourait la demeure. Même les vitres des fenêtres avaient été recouvertes de peinture blanche. Un détachement de l'Armée rouge stationnait à plein temps dans la villa pour monter la garde. Et comme si ça ne suffisait pas, une équipe de tchékistes[1] était arrivée la semaine précédente. La raison de ce déploiement de force n'était un secret pour personne. Tout Iekaterinenbourg était au courant de l'identité de la famille recluse dans la maison Ipatiev depuis la fin du mois d'avril.

— Pour m'endormir, ma mère me racontait que, à notre mort, une nouvelle étoile se met à briller tout là-haut dans le ciel, murmura le gamin. Elle disait aussi que la Voie lactée était une toile de nacre dont chaque éclat est une âme.

— Tolia[2] Kabanov, ta mère doit être une brave femme, mais c'est aussi une idiote! s'exclama Evgueni Berine en tapant sur l'épaule du jeune soldat. *Dourak*[3]! Le peuple ne doit plus croire à toutes ces foutaises. Les âmes, Dieu, le paradis… Des inventions créées pour empêcher les paysans et les ouvriers de se rebeller. Le

---

1. Membres de la Tchéka, police politique de la Révolution, ancêtre du KGB.
2. Diminutif d'Anatoli.
3. «Idiot».

seul paradis qui existe, c'est celui que nous bâtissons sur cette terre.

Si tant est qu'on y réussisse, ajouta-t-il en pensée.

La révolution n'avait même pas un an et ses ennemis étaient si nombreux que personne dans son camp n'aurait parié sur une victoire à brève échéance. Des pans entiers du territoire étaient sous contrôle des armées blanches, aidées en sous-main par les Anglais et les Français ulcérés par le traité de paix signé entre les bolchéviques et les Allemands.

Evgueni écrasa le mégot sur le gravier sale et consulta sa montre. Il était temps d'en finir. Trop longtemps, il avait attendu cet instant. Une éternité. Treize ans exactement. Considéré comme l'un des meilleurs officiers de la redoutable Tchéka, Evgueni Berine s'enorgueillissait d'incarner le révolutionnaire de la première heure. Un militant et un combattant forgé dans l'acier le plus pur de l'idéal bolchévique. Le camarade Lénine l'avait choisi lui, et personne d'autre, pour rapporter ce qui se déroulerait cette nuit entre les quatre murs de la villa Ipatiev. Berine avait parcouru presque deux mille kilomètres depuis Moscou par le Transsibérien, d'ouest en est, dans un voyage long et pénible entrecoupé de haltes interminables entre Nijni Novgorod et Iekaterinenbourg.

Une lumière jaillit dans l'entrebâillement de la porte d'entrée de la villa. Le camarade Pavel Damov apparut et lui adressa un signe de la main. Evgueni méprisait cet homme. Pour lui, Damov était une brute sans scrupule, hélas dotée d'une intelligence remarquable. Il avait réussi à prendre le train de la révolution et à monter lui aussi dans le meilleur des wagons, celui de la Tchéka. Il y avait acquis le surnom de Tasse de plomb. Un sobriquet attribué à la suite d'une opération de répression lancée contre un monastère de Kostroma sur les bords de la Volga. Pris d'une inspiration soudaine, Damov avait forcé les moines à avaler du plomb fondu en guise de baptême avant de les achever à coups de hache. Cet exploit lui avait assuré une promotion dans la Tchéka. En six mois Damov était devenu le bourreau attitré des ennemis importants du régime. On murmurait aussi qu'il était corrompu jusqu'à la moelle, mais personne n'avait réussi à le prouver.

Evgueni siffla entre ses doigts pour alerter le conducteur du camion stationné dans la rue. Le moteur du vieux ZIS toussa trois fois avant de ronfler bruyamment.

— Je ne comprends pas, camarade, dit le jeune soldat. Ça fait trois soirs que tu demandes à Grigori de démarrer son tas de ferraille et de brûler de l'essence pendant un quart d'heure. Ça s'entend jusqu'à l'autre bout de la rue. Les habitants se sont plaints hier.

— Et leurs plaintes réjouissent mon cœur. Garde bien ton poste.

— Je t'accompagne?

Evgueni laissa errer son regard sur le gamin. Quel âge avait-il? Seize, dix-sept ans? Si ça se trouve il ne finirait pas l'année. Les derniers rapports des pertes de l'Armée rouge étaient effroyables. Le jeune Kabanov n'avait pas besoin d'assister à ce qui allait se passer.

— Non, Tolia… Continue de regarder tes étoiles…

Evgueni descendit du poste de guet et arriva à pas rapides devant la lourde porte largement ouverte. Ça sentait la sueur et le vin recuit. Une douzaine d'hommes entouraient Tasse de plomb. Ils étaient armés de revolvers Nagant, leur chef tenait un Mauser à sept cartouches. La moitié étaient des Lettons, des non-Russes, des Hongrois compagnons de route des bolchéviques. Il y avait aussi Iakov Iourovski, le komendant envoyé par le Soviet de l'Oural. Ce dernier tapa sur l'épaule d'Evgueni.

— Tu arrives juste à temps, camarade, ils sont tous rassemblés à l'étage.

— On leur a dit qu'on allait les prendre en photo dans la cave pour montrer au monde entier qu'ils sont toujours vivants, ricana Tasse de plomb.

L'un des Lettons leva la main, l'air ennuyé.

— C'est que… L'enfant ne peut pas marcher… Sa maladie…

— Son père se fera une joie de le porter, ricana Tasse de plomb. Ne m'ennuie plus avec ce genre de détail, camarade.

Evgueni suivit Tasse de plomb et Iourovski dans l'escalier qui menait à la cave. Les bottes claquaient sur les marches en pierre. Vingt-trois. Il y avait vingt-trois marches en tout. Evgueni connaissait leur nombre par cœur, il avait répété la scène plusieurs fois. Pas question de faire preuve d'amateurisme.

Tasse de plomb arriva le premier au sous-sol. Il découvrit avec satisfaction que ses instructions avaient été suivies à la lettre. Les planches de bois recouvraient le mur du fond. La pièce était vaste, on aurait pu y loger un comité de quartier. Un lustre à pampilles, incongru, déversait une lumière aussi froide que la cime des monts Oural.

— Même dans leurs caves, les bourgeois affichent leur arrogance, cracha Damov.

Evgueni, lui, s'était reculé dans la pénombre pour avoir une vue d'ensemble. Il observait le représentant du soviet, planté au centre de la cave et qui avait sorti un papier froissé de sa veste. Il relisait à voix basse le texte lapidaire qui justifiait leur présence dans cette maison en cette nuit particulière. Aucun responsable n'avait osé signer le document officiel.

Des claquements de talons et de sabots résonnèrent dans l'escalier. Evgueni s'enfonça un peu plus dans son recoin.

Les domestiques ouvraient le bal. Un valet de pied, une femme de chambre, un cuisinier, suivis du médecin de la famille. Ils jetaient des regards apeurés autour d'eux. Il semblait à Evgueni qu'il en manquait un, mais il n'en était pas sûr. Peu importait, ce n'étaient pas eux qui comptaient.

Les tchékistes les poussèrent vers le fond de la pièce.

— Mettez-vous contre le mur. Les esclaves derrière les maîtres, pour la photo.

Puis on entendit d'autres pas, plus feutrés. Et des

561

chuchotements. Cinq femmes apparurent dans la lueur blafarde. Chevelures dénouées, robes grises et épaisses, visages endormis, elles marchaient comme des somnambules. La plus âgée, la mère, avançait péniblement, suivie de ses quatre filles, hagardes. Le cortège de spectres semblait relié par une invisible chaîne. Un homme apparut à leur suite, il portait un enfant dans ses bras et le couvait d'un regard tendre. La moustache tombante, la barbe hirsute, le visage creusé, il était vêtu d'une chemise flottante qui amplifiait sa maigreur.

— Puis-je avoir des chaises pour ma femme et mon fils ? demanda-t-il d'une voix hésitante.

Tasse de plomb le prit par le revers du col.

— Tu te crois encore le maître, Kolya[1].

Le komendant Iourovski s'interposa :

— Laisse-le, camarade. Nous ne sommes pas des monstres...

Il fit un signe à l'un des Lettons qui posa deux chaises branlantes au sol. La mère s'assit sans dire un mot tandis que le père installait son fils sur l'autre chaise et murmurait :

— Redresse-toi, Aliocha, on va nous prendre en photo. Aie l'air digne...

Puis se tournant vers ses filles :

— Vous aussi, tenez votre rang.

Le groupe était fin prêt. Maîtres et domestiques

---

1. Diminutif de Nikolaï.

étaient alignés bien sagement dans l'attente de l'arrivée du photographe.

Un silence profond s'installa dans la cave.

Tapi à côté de l'escalier, Evgueni Berine scrutait chaque détail de la scène qu'il avait sous les yeux. Curieusement, il éprouva un sentiment qu'il croyait avoir oublié. La pitié. Ces hommes et ces femmes étaient des êtres de chair et de sang, comme lui.

L'une des filles tentait d'étouffer des sanglots, soutenue par son aînée. La mère ne semblait pas comprendre ce qui se tramait. Evgueni connaissait par cœur les prénoms de toute la famille. Les quatre filles. Olga, Maria, Anastasia, Tatiana. La mère, Alexandra. Et le dernier rejeton, Alexis, au sang impur.

Berine sentit sa détermination faillir. Il ne fallait pas. Pas maintenant. Il avait trop attendu ce moment. Il prit dans la poche de son pantalon le fin collier en argent de sa jeune sœur qui ne le quittait jamais.

Et le courage revint. Ce n'était pas une famille comme les autres qu'il avait en face de lui. Ces cinq femmes, ce garçon et cet homme étaient les Romanov. La famille impériale issue d'une dynastie qui régissait le pays d'une main de fer depuis trois siècles. Le patriarche maigre qui tentait de prendre une pose avantageuse était Nikolaï II, ex-tsar de toutes les Russies.

Pourtant, l'homme qu'il détestait plus que tout être au monde semblait aussi redoutable qu'un vieux chien affamé. Evgueni luttait pour repousser cette image de brave père de famille.

C'était Nikolaï le sanglant !

Par une nuit glacée de 1905, au Palais d'Hiver de Saint-Pétersbourg, cet homme au regard doux avait ordonné à sa troupe de tirer sur des centaines de pauvres gens sans défense.

Evgueni serra le collier dans son poing.

Natalia. À peine treize ans. Au petit matin, il l'avait trouvée morte, couchée sur la place gelée, le visage atrocement défiguré par un coup de sabre.

Le camarade Lénine avait raison. Pas de pitié pour les oppresseurs.

La voix de Tasse de plomb déchira le silence :

— Camarade Iourovski, il est temps d'en finir.

Le komendant s'avança vers le tsar et bomba le torse. Il fallait respecter les formes.

— Par la présente décision de justice et par délibération du soviet de l'Oural toi, Nikolaï Romanov, ta femme et toute ta descendance, êtes condamnés à mort. La sentence est applicable sur-le-champ.

Les bruits des culasses des Nagant résonnèrent du fond de la pièce. Des pleurs montèrent. Le tsar ne faiblissait pas et soutint son regard.

— Il ne s'agit pas de justice, mais d'assassinat. De femmes et d'un enfant. Vous n'êtes que des monstres. Dieu et les hommes vous jugeront pour vos crimes.

Evgueni sortit de sa cachette et apparut en pleine lumière. Il s'avança vers l'empereur déchu. Leurs visages pouvaient presque se toucher.

— En matière d'assassinats tu en connais un rayon, Nikolaï…

L'ex-tsar secoua la tête.

— Je ne comprends pas.

— On perd du temps, l'interrompit Iourovski en s'approchant d'eux, le pistolet à la main.

Evgueni leva la main et lui lança un regard impérieux. Il était l'œil de Lénine, son autorité faisait loi sur toutes les personnes réunies dans la pièce. Le komendant battit en retraite.

— Laisse-moi terminer, après tu feras ton œuvre.

Evgueni se tourna à nouveau vers le souverain.

— Tsar! Mon père et ma sœur défilaient sous les fenêtres de ton palais le 9 janvier 1905.

Nikolaï pâlit. Berine continua d'une voix tendue:

— T'en souviens-tu? Ils demandaient juste un peu plus de pain et de liberté. Ma sœur t'aimait beaucoup, elle disait que tu étais bon et généreux. Il y avait aussi des femmes et des enfants. Des centaines. De l'âge des tiens. Et qu'as-tu fait cette nuit-là? Tu leur as envoyé tes chiens. Tes soldats ont déferlé, sabre au clair. En riant, paraît-il. Quand je suis venu au petit matin, j'ai retrouvé le cadavre de ma sœur. Mon père, lui, avait eu le ventre étripé comme un cochon saigné pour Pâques.

La colère envahissait Evgueni.

— On dit que, ce soir-là, dans ce même palais, ta femme et tes filles essayaient des robes cousues de perles et d'émeraudes venues tout droit de Paris. Et toi, à ton balcon, tu fumais un bon cigare au-dessus du carnage.

Nikolaï vacillait, mais il ne détourna pas le regard.

— Par Dieu, non ! J'aime trop mon peuple, dit le tsar en secouant la tête. Jamais je n'ai voulu ce massacre, c'est le général commandant qui a pris la décision. Chaque jour qui passe je me repens devant Dieu.

— Ça tombe bien, tu vas pouvoir lui en parler directement, répondit Evgueni en faisant signe à Iourovski.

— Non, attendez ! supplia Nikolaï. Épargnez ma femme et mes enfants. En échange je vous révélerai un secret incroyable. Un secret qui fera de vous des hommes puissants. Plus puissants que Lénine et Trotski.

Evgueni détailla le condamné. Il avait l'habitude des menteurs, ça faisait partie de son métier, et l'homme qu'il avait en face de lui paraissait sincère.

— Je t'écoute.

— Notre dynastie se le transmet depuis des siècles. Il nous a donné le pouvoir et la richesse. Au début de la révolution, j'ai eu le tort de l'éloigner et de le mettre en lieu sûr. Je vous dirai où il se trouve, mais libérez ma famille.

Evgueni prit son pistolet et le colla contre la tempe du tsar.

— Tu n'es pas en mesure de dicter ta volonté, Nikolaï. Dis-moi ce secret.

— C'est… une relique. Une relique sacrée qui vient du plus profond des âges. Elle est…

Un coup de feu claqua. Le dernier tsar de Russie ne put achever sa phrase. Il tituba, une tache rouge macula sa chemise à la hauteur du cœur. Puis il s'effondra sous les yeux horrifiés de sa famille et des domestiques. Des hurlements retentirent.

— Une relique! Quelle stupidité! ricana Tasse de plomb qui tenait encore son pistolet fumant. Lénine dit que la superstition est la muselière de…

— C'est moi qui donne les ordres, hurla Berine.

— Tu es venu pour observer, moi pour exécuter. Veux-tu que je signale ton attitude contre-révolutionnaire dans mon rapport? gronda Damov. Écarte-toi avant de te faire trouer la peau.

Berine jeta un œil au komendant et aux tueurs qui le dévisageaient. Il connaissait ces regards. La moindre hésitation de sa part serait rapportée. Il se rapprocha du peloton.

— D'accord, mais épargnez les filles et le gamin. Ils n'ont…

— Pas de sentimentalisme petit-bourgeois! hurla Tasse de plomb qui brandit à nouveau son Mauser. Camarades, visez comme je vous l'ai appris, au niveau de la poitrine. Surtout pas la tête, ça fait gicler trop de sang.

Les revolvers et les fusils se déchaînèrent au milieu des hurlements de la famille impériale et de leurs domestiques. L'un des bourreaux à court de munitions, sortit une baïonnette et la plongea dans la gorge du tsarévitch qui rampait à terre. L'héritier du trône mourut, la tête sur les bottes de son père.

— Crétin! hurla Iourovski. Il va pisser le sang!

L'impératrice et l'une de ses filles semblaient toujours vivantes. Tasse de plomb se pencha sur la souveraine qui se tortillait à terre comme un ver. Des éclats de lumière rouge et verte scintillaient au milieu de son corsage ensanglanté.

— Voyez-vous ça, elles sont blindées… Les balles ont rebondi sur des pierres précieuses dissimulées dans leurs robes.

Tasse de plomb arracha deux émeraudes et un rubis du corsage d'Alexandra, puis tira dans l'œil de sa fille qui s'était agrippée à sa mère.

Evgueni sentait son cœur se soulever, l'exécution tournait au carnage.

— Achevez-les, cria Iourovski. Et remontez les corps pour les mettre dans le camion.

— Et ensuite? demanda Evgueni.

— On les emporte loin d'ici, à trente kilomètres, dans la forêt des quatre frères. On les brûlera et on s'en débarrassera dans un puits. Note bien dans ton rapport que tout s'est déroulé comme prévu. Les camarades n'ont pas failli dans l'accomplissement de leur devoir révolutionnaire.

Les tueurs se penchaient sur les cadavres ensanglantés des pauvres femmes pour les dépouiller de leurs joyaux. Evgueni n'avait qu'une envie, les massacrer à leur tour. Ils étaient de la même eau que les assassins de sa sœur et son père.

— Je ne manquerai pas de souligner ton courage face à ces femmes et cet enfant, jeta-t-il avec mépris. Au fait, Tasse de plomb, tu me donneras aussi tous les bijoux que tes hommes s'empressent de récupérer. Ils sont propriété de la révolution.

Berine tourna les talons. Il avait envie de vomir. Sa vengeance tant attendue s'était muée en horreur sans nom. Le sol et le mur se dissolvaient dans un magma de chair, de sang et d'urine. Une odeur pestilentielle imbibait la cave et son esprit enfiévré. Ce fut l'ultime souvenir qu'il garda des Romanov.

Quand il sortit de la maison Ipatiev, il aspira une longue bouffée d'air pur et contempla le ciel nocturne. Là-haut, tout là-haut, il eut l'impression que de nouvelles étoiles scintillaient.

DES MÊMES AUTEURS :

Romans :

Le Rituel de l'ombre, Fleuve noir, 2005.
Conjuration Casanova, Fleuve noir, 2006.
Le Frère de sang, Fleuve noir, 2007.
La Croix des assassins, Fleuve noir, 2008.
Apocalypse, Fleuve noir, 2009.
Lux Ténèbres, Fleuve noir, 2010.
Le Septième Templier, Fleuve noir, 2011.
Le Temple noir, Fleuve noir, 2012.
Le Règne des Illuminati, Fleuve noir, 2014.
L'Empire du Graal, Lattès, 2016.
Conspiration, Lattès, 2017.
Le Triomphe des ténèbres, Lattès, 2018.

Nouvelle :

In nomine, Fleuve noir, 2010.

Essai :

Le Symbole retrouvé : Dan Brown et le Mystère maçonnique, Fleuve noir, 2009.

Série adaptée en bande dessinée :

Marcas, maître franc-maçon. Le Rituel de l'ombre (volume 1), scénario par les auteurs et dessin par Gabriele Parma, Delcourt, 2012.

Marcas, maître franc-maçon. Le Rituel de l'ombre (volume 2), scénario par les auteurs et dessin par Gabriele Parma, Delcourt, 2013.

Marcas, maître franc-maçon. Le Frère de sang (volume 1), scénario par les auteurs et dessin par Éric Albert, Delcourt, 2015.

Marcas, maître franc-maçon. Le Frère de sang (volume 2), scénario par les auteurs et dessin par Éric Albert, Delcourt, 2016.

Marcas, maître franc-maçon. Le Frère de sang (volume 3), scénario par les auteurs et dessin par Éric Albert, Delcourt, 2016.

PAPIER À BASE DE
FIBRES CERTIFIÉES

Le Livre de Poche s'engage pour
l'environnement en réduisant
l'empreinte carbone de ses livres.
Celle de cet exemplaire est de :
400 g éq. CO_2
Rendez-vous sur
www.livredepoche-durable.fr

Composition réalisée par Soft Office

Achevé d'imprimer en avril 2020, en France sur Presse Offset par
Maury Imprimeur – 45330 Malesherbes
N° d'imprimeur : 244750
Dépôt légal 1re publication : mai 2020
LIBRAIRIE GÉNÉRALE FRANÇAISE – 21, rue du Montparnasse – 75298 Paris Cedex 06